Uwe Goeritz

IM ZEICHEN
DER SCHLANGE

DIE CHRONIKEN
VON MIRENTO

ᘓ 2 ᘔ

Bibliografische Information der Deutschen Nationalbibliothek:

Die Deutsche Nationalbibliothek verzeichnet diese Publikation in der Deutschen Nationalbibliografie; detaillierte bibliografische Daten sind im Internet über http://dnb.dnb.de abrufbar.

Coverbilder: Darkmoon_Art, Jekatarina Alexandrowna und Paolo Lopez auf Pixabay

Covergestaltung: Uwe Goeritz

Kartengestaltung: Uwe Goeritz und www.inkarnate.com

Herstellung und Verlag: BoD – Books on Demand, Norderstedt

ISBN: 978-3-7562-1221-7

Inhaltsverzeichnis

Anmerkungen

iese Erzählung sollte Jugendlichen unter 16 Jahren nicht zugänglich gemacht werden.

Sämtliche Figuren, Firmen und Ereignisse dieser Erzählung sind frei erfunden. Jede Ähnlichkeit mit echten Personen, ob lebend oder tot, ist rein zufällig und vom Autor nicht beabsichtigt.

Prolog
Im Zeichen der Schlange

$\mathcal{I}$n einer fernen Zukunft hat sich die Menschheit durch Naturkatastrophen und Kriege fast vollständig ausgelöscht. Die wenigen Überlebenden sind auf ein Dasein wie zur Zeit des Mittelalters zurückgefallen und bewohnen den Kontinent Mirento, der früher einmal Europa war.

Dieser Kontinent ist in fünf Reiche aufgeteilt:

Im Norden, an den Ufern des Nordmeeres, befindet sich das Königreich Mortunda, das durch seine Häfen und Eisenvorkommen zu Reichtum und Macht gekommen ist.

Das Königreich Cenobia, das sich im Osten befindet, ist durch Gold- und Silbervorkommen sowie durch seine Kohlelagerstätten wirtschaftlich bedeutend und ohne diese Kohle nutzt Mortunda das Eisen rein gar nichts.

Demzufolge ist die Kooperation zwischen diesen beiden großen Königreichen so wichtig für den Wohlstand in Mirento.

Im Süden, in den Bergen, die früher einmal die Alpen waren, lebt das Reitervolk der Tuck. Raue Gesellen und wilde Barbaren, die nur von Raub leben können, weil ihr karges Land keinerlei Ressourcen zum Leben bietet. Immer wieder fallen sie daher in die fruchtbaren Ebenen Mirentos ein.

Im Westen befinden sich dichte Wälder, die das Königreich Waldonien beinahe vollständig bedecken.

Und im Zentrum, in der flachen Ebene, durch die sich der Fluss Tassaros zum Nordmeer schlängelt, liegen die Felder des Fürstentums Wiesenland. Die ertragreiche Ebene ernährt mit ihrem Überfluss alle Menschen des Kontinents.

Das Gleichgewicht zwischen den Kräften hängt an einem seidenen Faden und wird immer wieder durch Überfälle der Tuck oder durch Reibereien zwischen den eigentlich befreundeten Königreichen empfindlich gestört.

Nur die Fähigkeiten der drei Schlangenhüterinnen, Königin Zondala, Barbara und der Schamanin Ursula, halten das brüchige Band aufrecht, aber wie lange noch?

In der Fortsetzung der Geschichte „Die Hüterin der Schlangen - Die Chroniken von Mirento Band 1" liegt jetzt das Schicksal des Kontinentes und seiner Bewohner auf den Schultern von Königin Zondalas und Fürstin Sandras Töchtern. Die jungen Frauen übernehmen diese Rolle nur ungern, doch die Zukunft der ganzen Menschheit steht immer wieder auf dem Spiel.

Nordmeer

Matunas Land

Hain
der Göttin

Thamasus

Volwras
Hütte

Londinum

Insel Brilarum

1. Kapitel
Blutiger Herbst?

*D*er Tag neigte sich seinem Ende zu, die Sonne versank am westlichen Himmel und tauchte dadurch den Horizont in ein Licht, welches aussah wie Blut, das sich über den ganzen Umkreis ergossen hatte.

In den nächsten Tagen würde die Kornernte in Wiesenland abgeschlossen sein und die verbündeten Königreiche von Mortunda und Cenobia hatten mit ihren Heeren dafür gesorgt, dass die Tuck hinter ihren Bergen geblieben waren, doch was würden die kommenden Wochen bringen?

War dieser blutrote Himmel ein schlechtes Omen?

Königin Zondala stand auf dem Turm ihrer Burg und ließ ihren Blick über ihr Königreich Mortunda gleiten. Das tat sie zwar jeden Tag, doch diesmal war irgendetwas anders. Lag es an dieser seltsamen Abenddämmerung? Ihre Augen fixierten das blutrote Band und ihre Gedanken reisten zurück.

Vor fast zwanzig Jahren hatte sie ihren tyrannischen Vater in einer entsetzlichen Schlacht in die Flucht geschlagen und danach zusammen mit ihrem Mann Achim das Reich übernommen.

Es waren danach friedliche Zeiten in dem Reich gekommen, die aber immer wieder durch die Überfälle der Tuck aus dem Süden beeinträchtigt wurden. Zwar kam das Reitervolk nicht bis zu ihnen herauf, aber die Angriffe auf das Fürstentum Wiesenland, welches die Kornkammer aller Reiche in Mirento bildete, hatten im letzten Winter für eine verheerende Hungersnot gesorgt.

Würde auch der folgende Winter so werden?

Fröstelnd zog sie ihren Mantel um die Schultern, aber es war nicht der auffrischende Wind auf der Turmkrone, der ihr diesen Schauer durch den Körper jagte, sondern die Angst vor dem, was möglicherweise kommen konnte.

Waren die friedlichen Jahre wirklich vorüber?

Das unzugängliche Bergland der Tuck war eine sichere Rückzugsbasis für die Reiter und sie dorthin zu verfolgen schien aussichtslos.

Zondala riss sich vom Horizont los, wandte sich nach links und sah in die Richtung, in welcher sich die Berge irgendwo in der Ferne befanden. Von ihrer Position aus waren sie nicht zu erkennen und doch lag der Schatten dieses Gebirges drohend über dem ganzen Land.

Ihre Mutter Sandra hatte ihr von den Männern erzählt und Zondala hatte die Gewalt der Überfälle selbst am eigenen Leib gespürt.

Auch jetzt noch, zwei Jahrzehnte später, wachte sie in mancher Nacht schreiend auf, wenn sie das Gesicht des Mannes wiederum vor sich sah, der sie einst in ihrem Dorf in Wiesenland geschändet hatte.

Unwillkürlich schloss sich ihre Hand um den Griff des Dolches, der an ihrem Gürtel hing.

Sie war die Königin des mächtigsten Reiches von Mirento und trotzdem hatte die Angst sie immer noch in ihrer Gewalt!

Tausende Ritter würden auf ihren Befehl hin sofort ihr Leben für sie einsetzten und dennoch trug sie noch immer einen Dolch an ihrer Seite.

Was stimmte da nicht mit ihr?

„Kommst du zum Essen runter?", fragte ihre Tochter Sofia von hinten und riss sie damit aus ihren unnützen Grübeleien.

Zondala wandte sich zu ihr um. Die letzten Sonnenstrahlen färbten auch das Gesicht der Tochter rot ein. Sie konnte nur hoffen, dass Sofia diese Qualen erspart bleiben würden, die sie einst durchlitten hatte.

Sofia trat zu ihr und sah zur Ebene hinab, wo sich das silberne Band des Tassaros durch die Landschaft schlängelte. Der breite Fluss war die Grenze zwischen ihrem Königreich und dem Königreich Waldonien und gerade noch so mit bloßem Auge vom Turm aus zu erspähen.

In einigen Wochen würde dieser Fluss sie beide voneinander trennen, denn Prinz Frederic von Waldonien hatte um die Hand der Tochter angehalten. Das würde die beiden Königreiche noch näher zusammenbringen und Zusammenhalt war das einzige, was sie der dunklen Gefahr aus dem Süden entgegensetzen konnten.

Doch sie wollte Sofia mit ihren Befürchtungen nicht verängstigen, denn die achtzehnjährige sollte nicht mit Angst aufwachsen müssen. Daher hatte sie bisher auch versucht, jede Sorge vor den Kindern fernzuhalten.

Doch was würde jetzt kommen?

In ein paar Jahren würde Sofia Königin von Waldonien sein, denn König Conrad der Starke war nur noch seinem Namen nach ein starker Mann. Er hatte zwar die Weisheit des Alters, aber seine Körperkraft nahm ständig weiter ab.

Und an Zondalas südlicher Flanke war ein starker Bündnispartner Gold wert. Auch deshalb freute sie sich so, dass Frederic sie um die Hand der Tochter gebeten hatte.

Schweigend sahen sie hinüber und hingen ihren Gedanken nach.

„Komm! Lass uns hinuntergehen!", sagte Zondala nach einer Weile und machte den ersten Schritt in Richtung des Treppenaufganges, als eine Fledermaus ihre Kreise um ihren Kopf zog.

Das aufdringliche Tier erinnerte sie wieder an jene, auf deren Schwingen sie einst diese Burg erobert hatte.

War das ein Zeichen aus der Vergangenheit? Oder ein Hinweis darauf, den Bund der Schlangenhüterinnen wieder ins Leben zu rufen.

In der letzten Zeit hatten sie es nicht geschafft, sich an der Höhle des Drachens in Waldonien zu treffen und vielleicht war genau das die Ursache für das Erstarken der Tuck.

Sie würden alle Kräfte brauchen, um ihre Länder und Grenzen zu sichern.

Die Schamanin Ursula, nach ihrer Freundin Barbara die dritte in ihrem Bund, war mittlerweile genauso klapprig, wie ihr König Conrad und es war absehbar, dass in nicht allzu ferner Zukunft eine neue Frau ihrem Dreierbund beitreten würde.

Die Fledermaus setzte sich genau auf die Schulter, auf der Zondala das Schlangensymbol trug und das war nur die Bestätigung dafür, dass sie richtig gedacht hatte.

Als Sofia an ihre Seite trat, da hopste die Fledermaus wie selbstverständlich auf die Schulter der Tochter hinüber. Vielleicht war auch das eine Antwort.

Zu gern würde Zondala die Pflichten als Schlangenhüterin an die Tochter übergeben, aber diese Aufgabe konnte man nicht einfach so abgeben. Es war ein Auftrag der großen Göttin und wen die Schlange erwählt hatte, der hatte diese Bestimmung ein Leben lang.

Zu dritt war es ihre Pflicht, den Frieden zwischen den Königreichen aufrechtzuerhalten.

„Wer bist du denn?", fragte Sofia und hob das Nachttier auf ihre Hand.

„Ein Bote aus der Vergangenheit, der mich an meinen Auftrag erinnert hat!", erklärte Zondala und die Fledermaus erhob sich.

Noch zwei Runden flog sie um ihre Köpfe, um danach in der beginnenden Nacht zu verschwinden.

Hand in Hand stieg Zondala mit der Tochter hinab in die laute Burg.

Von der Stille des Turmes in den Trubel der Essensvorbereitung.

Einige Mägde liefen mit Vorspeisen und Krügen zum Saal und deckten den Tisch.

Die ersten Berater und Gäste saßen schon schwatzend an den Tischen und erhoben sich, als Zondala den Raum betrat. Sofia blieb an der Tür stehen.

Die Tochter war nicht für solche großen Gelage zu begeistern, aber sie musste jetzt in die Rolle einer Landesführerin hineinwachsen.

Mit einer Handbewegung holte Zondala ihre Tochter zu sich und wies ihr einen Platz neben sich an der Tafel zu.

Sofias Gesichtsausdruck war zwar nicht glücklich, aber sie würde das als eine Schulstunde auffassen müssen.

Mit dem Blick zum noch rot angeleuchtet Fenster bat Zondala um einen friedlichen Herbst.

2. Kapitel
Im Schweiße des Angesichtes

Barbara war mittlerweile schon über sechzig Sommer alt, aber nur die grauen Haare in ihrem Zopf verrieten dieses Alter. Die vielen Kämpfe der Vergangenheit hatten sie topfit gehalten und im Armdrücken konnte kein Mann sie bezwingen. Die gestählten Muskeln zeigten sich wie Drahtseile unter ihrer Haut und auch nach all den Jahren war sie immer noch die Anführerin des Heeres von Mortunda.

In zahlreichen Schlachten hatte sie gekämpft und nur wenige Wunden davon getragen. Die schlimmste Verletzung stammte aber nicht von einer Schlacht, sondern von der Hand ihres Meisters Dakora.

Einst hatte dieser ihr die Glut eines Feuers in ihr Gesicht geschleudert, um sie unerkannt als Küchenmagd bei König Xander einzuschleusen und selbst heute noch, Jahrzehnte später, zwickte die Wunde, wenn das Wetter umschlug. So wie heute und deshalb hatte sie sich in die Schwitzhütte hinter der Burg zurückgezogen.

Hier war sie alleine und konnte ihren Gedanken nachhängen. In der Stille konnte sie in ein Gespräch mit Dakora kommen, der vor vielen Jahren in das Totenreich übergewechselt war.

Während der Schweiß ihren nackten Rücken herunterlief, dachte sie daran, dass es wohl nur noch eine Frage der Zeit war, bis sie nicht mehr die Kraft haben würde, um ein Schwert zu halten.

Langsam kam der Moment, zu dem sie einen Nachfolger für dieses Amt finden musste. Bloß wen? Es gab viele Ritter im Reich, aber im Augenblick traute sie keinem davon zu, dieses Heer zu führen.

Gedankenverloren spielte sie mit dem Zopf. Einst hatte auch Dakora das in dieser Art getan, wenn er über etwas nachgedacht hatte und sie hatte diese Angewohnheit einfach übernommen.

Vor ihrem inneren Auge zogen die Kämpfer dahin. Nicht einer war darunter, der dieser gewaltigen Aufgabe gewachsen war und darum lehnte sie sich schließlich seufzend zurück.

Gerade betrat die Königin die Schwitzhütte, legte das Tuch zur Seite und ließ sich auf der anderen Bank ihr gegenüber nieder. Mit Königin Zondala war sie inzwischen schon Jahrzehnte befreundet und kannte sie, seit dem Tage ihrer Geburt.

Beide Frauen nickten sich zu und es war wohl das natürlichste der Welt, dass zwei Frauen nackt in dieser Hütte saßen. Nur waren es eben die zwei mächtigsten Frauen des ganzen Königreiches. Und auch noch zwei der drei Schlangenhüterinnen!

„Was bedrückt dich?", fragte Zondala.

Barbara ließ den verräterischen Zopf aus den Fingern gleiten und warf ihn nach hinten.

„Ich denke über einen Nachfolger für mich nach!", antwortete sie.

„Warum?", erkundigte sich die Königin sichtlich verwundert.

„Ich werde nicht jünger!"

„Wenn du einen Sohn oder eine Tochter hättest, dann wäre deine Wahl sicherlich kein Problem mehr!", erwiderte Zondala.

„Anderes war wichtiger! Ich habe mir meine Jungfräulichkeit immer mit dem Schwert verteidigt!", entgegnete Barbara und lachte.

„Nein! Spaß beiseite!", setzte sie fort. „Als Berater mag ich noch einige Jahre an deiner Seite sein, aber im Kampf? Und es wird jetzt wieder schwerer!", seufzte Barbara.

„Wieso?", fragte Zondala zurück.

„Die Tuck greifen jedes Jahr an und dringen dabei immer weiter in den Norden vor und an der Küste häufen sich in der letzten Zeit die Piratenüberfälle!", antwortete Barbara nachdenklich.

„Vielleicht sollten wir im nächsten Jahr einen Wettbewerb ins Leben rufen, in welchem du einen würdigen Nachfolger finden kannst?", erklärte die Königin.

„Das ist eine gute Idee und in den langen Winternächten kann ich mir ja ein paar Aufgaben dafür ausdenken!"

„Na, wenn du sonst keine Hobbys hast! Ich werde mich jedenfalls mit Achim vor den Kamin kuscheln!", sagte Zondala und wischte sich lachend den Schweiß von der Stirn.

„Da wird es bestimmt genauso heiß, wie hier!", erwiderte Barbara schmunzelnd.

„Bestimmt!", erklärte Zondala, lachte und schlug ihr auf den Schenkel, dass es laut klatschte.

Gemeinsam schwitzten sie und Zondala goss noch einmal auf. Dampfschwaden zogen durch die Hütte.

„Ich muss hier erst einmal raus, bevor es mir zu heiß wird!", entgegnete Barbara nach einer Weile und erhob sich.

Schnell lief sie durch die Tür nach draußen und sprang hinter der Hütte in den kleinen Tümpel mit dem kalten Wasser.

Für einen Tag zu Beginn des Herbstes war es draußen noch ziemlich warm.

Neben ihr hüpfte auch Zondala in das Gewässer. Prustend tauchte die Königin wieder daraus auf und bespritzte sie.

Sofort war das Alter vergessen und sie tollten im Wasser herum, als wären sie nicht beides gestandene Frauen, sondern kleine Kinder. Sie probierten sich gegenseitig unter die Wasseroberfläche zu drücken, aber Barbara ließ die Königin gewinnen, denn mit ihrer Kraft konnte sie Zondala sicher leicht überwinden.

Lachend kletterten sie später wieder an das Ufer und griffen sich von einer Bank die Tücher, die eine Magd für sie dort bereitgelegt hatte.

„Musst du nicht eigentlich die Heirat deiner Tochter vorbereiten?", fragte Barbara.

„Das macht Achim mit Sofia. Ich bin da nur im Weg!", erklärte Zondala.

„Als Mutter? Das glaube ich dir nicht!"

„Meine Aufgabe kommt dann später! Ich werde bei der Vermählung ein dutzend Taschentücher vollheulen!"

„Wo ist denn da die Kämpferin geblieben, die mit bloßen Händen einen Wolf bezwungen hat?", fragte Barbara und griff zu dem Wolfszahn, den die Königin an einer Kette um den Hals trug.

„Die Mutter in mir hat die Kämpferin bezwungen!", entgegnete Zondala und beide mussten lachen.

Während sich Zondala in ihr Handtuch wickelte und ging, warf sich Barbara das Tuch nur über die Schulter und folgte ihrer Königin einfach nackt.

Die Wachen am Burgtor hatten sich schon an diesen Anblick gewöhnt und falls einer etwas zu sagen hätte, so konnte Barbara jeden sofort niederringen.

Sicherlich sogar mit bloßen Händen.

Barfuß ging sie über den Vorplatz zum Haupthaus der Burg hinüber und band sich dabei das Tuch um die Hüften, wodurch sie wenigstens untenrum bedeckt war.

In jeder anderen Burg hätte es gewiss einen Aufstand gegeben, wenn eine halbnackte Frau dort entlang gelaufen wäre, hier war das normal. Sie verschwendete daran auch keinen Gedanken, doch dann spürte sie den Blick eines jungen Mannes.

Das Augenmerk des Jüngelchens lag abschätzend auf ihrer Brust. Vermutlich war er hier neu, denn er trug die Uniform eines Knappen.

Sie hätte es ignorieren können, doch im Moment konnte sie etwas Ablenkung von den seltsamen Gedanken um ihr Alter und die Nachfolge gebrauchen.

„Hast du noch nie eine nackte Frau gesehen?", fragte sie, dabei stützte sie die Arme in die Hüften und blieb vor ihm stehen.

22

Jetzt stand ihr der Sinn nach einem Ringkampf, denn sein Blick lag immer noch auf ihrer Brust!

Das Handtuch fiel und ein paar Augenblicke später hatte sie den Knappen in den Staub des Burghofes gerungen.

„Noch mal? Ich will eine Revanche!", entgegnete der Mann, nachdem er sich den Staub von der Kleidung geklopft hatte.

„Gern!", antwortete Barbara.

Das imponierte ihr und der Kampf ging weiter.

Zuschauer hatten sie momentan genug und der junge Mann hielt jetzt gut dagegen. Trotzdem hatte er nicht den Hauch einer Chance.

Er hatte zwar Kraft, aber sie die Erfahrung.

„Wie heißt du?", fragte sie, als sie ihm abermals aufhalf.

„Julian!", war seine Antwort und sie reichten sich die Hände.

3. Kapitel
Stell dich deiner Angst

*D*ie Einladung war überraschend gekommen. Zwar hatte Zondala gewusst, dass wieder, wie in jedem Herbst, in Wiesenland das Erntefest gefeiert werden würde, doch eine Einladung dazu hatte es bisher noch nie gegeben. Und das, wo ihre Mutter Sandra doch die Fürstin von Wiesenland war.

Aber das Erntefest war eben ein ganz besonders Fest für die Einwohner des Fürstentums und da lud man sich nur Freunde ein und nicht eine Königin aus einem Nachbarreich.

Früher, als Zondala noch in Wiesenland gelebt hatte, da hatte sie dieses Fest geliebt. Alle hatten sich nach der Ernte getroffen und waren bis tief in der Nacht mit singen, schlemmen und feiern beschäftigt.

Und dann hatte es jenes furchtbare Jahr gegeben, in welchem kurz vor diesem Fest ihr Dorf überfallen und fast die gesamte Bevölkerung ihrer Siedlung getötet worden war. Damals war sie gerade einundzwanzig geworden und dieses schicksalsträchtige Fest war in diesem Jahr genau 20 Jahre her.

Noch immer steckte die Angst in Zondala und aus Rücksicht auf diese Furcht hatte es Sandra bisher vermieden, sie zu dieser Feier einfach so einzuladen. Doch soeben war der Bote eingetroffen, hatte den Brief gebracht und Zondala hatte ganz spontan zugestimmt.

Damit war wohl jetzt der Moment gekommen, wo sie sich ihren inneren Dämonen stellen musste.

Bisher hatte sie sich in jedem Jahr an diesem Tag in ihrem Zimmer verkrochen. Es war schon so lange her und dennoch hatte sie ihre Furcht noch immer nicht bezwungen.

Achim blickte zu ihr herüber und erkundigte sich: „Und du meinst das wirklich ernst?"

„Wenn du mitkommst?", fragte sie zurück.

„Natürlich. Ich bin an deiner Seite. Allerdings wohl nicht in offizieller Mission. Oder?", erwiderte ihr Mann.

„Wir sind als Freunde eingeladen. Ich werde nur eine kleine Wache und die Kinder mitnehmen. Wenn da zu viele Ritter erscheinen, dann könnte das nur schlechte Stimmung geben. Gegen ein dutzend bewaffneter Männer hat in Wiesenland sicherlich niemand etwas!", erklärte Zondala.

„Zumal Barbara und unser Heer ein paar Wochen lang die südliche Grenze von Wiesenland gegen die Tuck verteidigt hatten!", bestätigte Achim.

Bei der Erwähnung der Feinde zuckte Zondala unmerklich zusammen.

Beruhigend legte Achim ihr seine Hand auf den Arm. Die Wärme und Zärtlichkeit dieser Berührung löschte die Bestürzung sofort wieder aus.

„Ein bisschen Erholung tut mir auch ganz gut, denn ich verhandle seit Wochen mit dem Gesandten von Cenobia um die Kohlenpreise. Das ist vielleicht zermürbend", setzte Achim lächelnd hinzu.

„Ja! Das hat dir damals keiner gesagt, als du König geworden bist! Oder?"

„Nein! Du hast gefragt und ich habe zugesagt!", entgegnete er und lachte.

„Von Kohle war damals keine Rede gewesen!", setzte er noch hinzu und Zondala musste schmunzeln.

„Amelie! Bring mal die Kinder!", rief sie nach der Amme.

Es dauerte eine Weile, bis die Amme mit den drei Kindern wieder in den Raum kam.

Sofia war achtzehn, ihr Bruder Andreas zwölf und das Nesthäkchen Franziska gerade sechs Jahre alt.

Franziska freute sich, die Großmutter wiederzusehen, bei Andreas hielt sich die Begeisterung darüber schon in Grenzen und Sofia lehnte dankend ab, was Achim die Stirn in Falten ziehen ließ.

Beruhigend legte Zondala ihre Hand auf den Arm ihres Mannes. Auf seinen Blick hin nickte sie und Achim gewährte der Tochter diese paar Tage ohne die Eltern. Was natürlich sofort bei Andreas für eine entsprechende Reaktion sorgte, aber weder sie, noch Achim, wollten sich auf eine Diskussion mit dem Sohn einlassen. Noch war er nicht alt genug, um alleine in der Burg zu bleiben.

Schmollend verließ er den Raum und das freudige Hopsen seiner beiden Schwestern hob seine Stimmung auch nicht, aber ob er wollte, oder nicht, er würde sie einfach zur Großmutter begleiten und bis dahin hatte er noch eine Woche, um sich damit abzufinden.

Und auch die Aussicht darauf, sich dort mit seiner Tante Lunara treffen zu können, hatte bei ihm wohl auch nicht mehr den Erfolg, den es früher gehabt hatte.

Die Schwester war neunzehn Jahre alt und vielleicht war ja da ein freudiges Ereignis durch Sandra in der Planung. Zumindest war Lunara mittlerweile alt genug, um zu heiraten.

Schon fast ein halbes Jahr hatte Zondala die Schwester nicht mehr gesehen und jetzt freute sie sich darauf, Lunara endlich wieder in die Arme schließen zu können.

Gleichzeitig war auch das eine Konfrontation mit der Angst, denn Lunara war ja aus der Vergewaltigung durch den Führer der Tuck, Kahn Archus, entstanden und der Fluch der jungen Frau war, dass sie dem Vater ziemlich ähnlich sah. Die Schwester war in jenem Jahr gezeugt worden, in welchem auch Zondala der Gewalt ausgesetzt gewesen war.

Damit war verstecken praktisch unmöglich.

Nach all der Zeit würde sich Zondala den Dämonen der Vergangenheit stellen müssen.

Zondala erhob sich aus ihrem Sessel und trat an das Fenster, welches zum Burghof hinab zeigte.

Die Schlangengrube, die einer der Vorfahren ihres gewalttätigen Vaters einst dort gegraben hatte, war vor vielen Jahren für immer verschlossen worden. Nur der etwas hellere Sand zeigte die Stelle noch an, an welcher sie in die Tiefe gestoßen worden war, um dort zu sterben.

Immer mehr Erinnerungen von damals sausten durch ihren Kopf und der Bote verließ gerade erst den Burghof wieder.

Noch sieben Tage, um sich zu ängstigen! Oder eine Woche, um sich allen Ängsten entgegenzustellen!

Achim trat neben sie und legte seinen Arm schützend um sie. Er wusste, wie es gerade in ihr aussah, denn seit damals gab es dieses Band zwischen ihnen, dass der eine immer genau wusste, was der andere fühlte oder dachte.

„Verschwende keinen Gedanken an das, was dein Vater dir angetan hat. Sieh nach vorn und schaue nur, was du deinen Kindern und deinem Volk Gutes tun kannst!", flüsterte ihr Achim ins Ohr.

Genau so wollte sie es halten!

Unten ritt Barbara in voller Rüstung auf den Burghof. Sie nahm den Helm ab und grüßte nach oben. Die Abteilung der Ritter, die sie begleitet hatte, saß unter ihrem Fenster ab.

Vielleicht wollte Barbara sie ja nach Wiesenland begleiten? Schnell winkte Zondala die Freundin nach oben.

Das Klappern der Rüstung zeigte schon wenig später an, dass Barbara sich dem Saal in Eile näherte.

Als die Freundin zu ihr trat, schlug sie Barbara vor, dass diese sie begleiten solle, doch die Freundin lehnt dies ab, weil im Moment zu viel zu tun war.

Barbara hatte ja schon davon berichtet, dass eine Piratenbande die Orte an der Küste nachts überfiel. War da der richtige Zeitpunkt für ein fröhliches Fest?

4. Kapitel

Katz und Maus

*E*s war ein ungleicher Kampf, dem sich Barbara seit Tagen stellen musste. Diese Bande von Seeräubern war schnell und die Reiter waren im Gegensatz dazu ziemlich langsam. Zwar hatten sie schon vor ein paar Jahren ein Problem mit den Piraten gehabt, aber damals hatten diese nur die Schiffe der Händler überfallen und das Land verschont.

Inzwischen hatten die Seeräuber ihre Ziele gewechselt.

Die nächtlichen Überfälle terrorisierten die Bevölkerung an der Küste zunehmend und mehr, als nur Präsenz zu zeigen, blieb Barbara und dem Heer nicht übrig. Die Flotte war praktisch nicht vorhanden. Nur drei Schiffe hatte ihre Marine und die waren auch noch so langsam, dass sie die Piraten nicht einholen konnten.

Jahrelang hatten die Angriffe der Tuck sämtliche Ressourcen von Mortunda gebunden und da dieses Reitervolk eben keine Schiffe hatte, war für die Marine auch nicht viel Geld im Haushalt geblieben.

Die wenigen Händler, die das Nordmeer befuhren, um mit der Insel Brilarum Handel zu treiben, hatten sich selbst bewaffnet und geschützt.

Diese Nachlässigkeit rächte sich jetzt bitter und Mortunda war das Königreich mit der längsten Küste zum Nordmeer! Zwar hatten auch Waldonien und Cenobia eine Küste, aber da war eben nichts für Räuber zu holen. Die reichen Siedlungen von Mortunda boten da schon eine bessere Beute.

Und das Heer von Mortunda war zwar groß, aber reichte eben dennoch nicht aus, um jeder Hafenstadt und jedem Dorf eine Abteilung zum Schutz zu geben, denn es gab mehr als hundert Siedlungen an den Küsten! Von den Fischerdörfern mit drei oder vier Hütten im Westen und Norden, bis zur Stadt Fontara im Osten, fast an der Grenze zu Cenobia.

Die Straßen waren zwar gut ausgebaut, aber das reichte eben nicht, um nachts schnell genug in der jeweiligen Siedlung zu sein, falls diese überfallen wurden.

Und es gab auch kein Muster, anhand dessen man seine Kräfte planen konnte. Völlig willkürlich schlugen die Räuber mit ihren Booten in der Nacht zu. Die Banditen stürmten die Siedlungen, raubten Menschen oder deren Hab und Gut, setzten die Häuser in Brand und verschwanden, bevor eine geregelte Gegenwehr zustande gekommen war.

Dass die Räuber von der Insel Brilarum kamen, das war wahrscheinlich, beweisen konnte es allerdings keiner und die Insel lag zu weit entfernt mitten im Nordmeer.

Fast einen Tag brauchten die Händler bis zum Hafen Londinum auf der anderen Seite des Meeres. Und natürlich reichte die Kraft von Mortunda nicht aus, um den Hafen der Seeräuber zu finden. Wie sollte das auch gehen? Mit diesen drei klapprigen Schiffen?

Wenn sie wenigstens eine Spur hätten!

Damit war es jede Nacht ein Spiel, wie von Katze und Maus. Wobei die Seeräuber in diesem Falle die Katze waren, die sich im Schutze der Dunkelheit die Maus griffen.

Und wieder eilte Barbara durch die Nacht! Vor ihr sah sie den Feuerschein eines brennenden Dorfes und wusste doch schon jetzt, dass sie erneut zu spät dort sein würden.

Selbst das schnellste Pferd konnte nicht den Schiffen auf das Meer hinaus folgen. Es war frustrierend, so gar nichts dagegen tun zu können!

Mit donnernden Hufen jagten die Pferde durch die Dunkelheit. Schon seit ein paar Tagen hatte Barbara befohlen, nur leichte Panzerung anzulegen, um die Reittiere schneller zu machen, aber auch dieser kleine Gewinn an Geschwindigkeit würde nicht reichen.

Ihre Abteilung mit den zwei Dutzend Kämpfern hatte die schnellsten Pferde von ganz Mirento. Es waren extra dafür gezüchtete Renner, die besonders darauf trainiert waren, die Tuck zu stellen, aber auch dabei waren sie genauso erfolglos gewesen, wie auf dieser verzweifelten Jagd im Norden!

Barbara trieb ihre Sporen in die Flanken ihres Rappen. Noch schneller preschte das Tier dahin! Falls irgendjemand in dieser Nacht auf dieser Straße unterwegs sein würde, er würde wohl kaum den Tieren ausweichen können.

Und sie selbst würden vor einem Hindernis nicht zum Stehen kommen. Sollten die Seeräuber jemals auf die Idee kommen, den Landweg zu den Dörfern zu versperren, sie würden alle, samt Pferden, in dem Hindernis den Tod finden. Selbst bei Vollmond war es unmöglich, bei dieser Geschwindigkeit eine Blockade der Straße rechtzeitig zu erkennen.

Das Keuchen des Tieres war fast lauter, als sein Hufschlag, als sie die ersten Hütten erreichten. Oder zumindest das, was vor kurzem noch eine Siedlung gewesen war.

Die strohgedeckten Dächer brannten nach dem heißen Sommer wie Zunder. Fünf Hütten waren es mal gewesen und nur bei einer davon lohnte sich das Löschen noch.

Da die Feinde längst verschwunden waren, war nur noch das Retten der letzten Hütte für sie übrig geblieben. Eine Eimerkette von der See bis zur Hütte wurde flugs eingerichtet und zusammen mit den letzten Bewohnern der Siedlung gelang es, die Hütte zu löschen. Trotzdem war der Schaden immens!

Eine kurze Aufnahme brachte schnell Gewissheit: Von den dreißig Bewohnern, die am Tage noch hier gelebt hatten, waren nur zwölf übrig geblieben. Fünf Frauen und drei ältere Mädchen waren verschwunden. Sicherlich würden die irgendwo auf einem Sklavenmarkt zum Kauf angeboten werden.

Als der Morgen mit dem ersten Licht der Sonne über die Reste des Dorfes kam, blieb den Fischern nicht viel von ihrer Habe.

Nur die Boote waren unversehrt geblieben. Somit würden sie die Hütten wieder aufbauen und mit den Booten auf das Nordmeer hinaus fahren.

Vielleicht war es Kalkül der Piraten gewesen, damit die Fischer blieben, oder Respekt vor der Leistung der kleinen Boote, die sich täglich den Stürmen des Meeres in den Weg warfen.

Wer konnte es schon wissen?

Aber irgendwann würden die Piraten auch dieses Dorf erneut heimsuchen. Und Barbara hatte keine Mittel, um dies zu verhindern!

Im Umdrehen sah sie in der Ferne auf dem Hügel die Burg, von der sie am Abend aufgebrochen waren. So nahe war der unsichtbare Feind der Burg der Königin noch nie gekommen.

Zeigte das den Mut der Räuber an? Oder nur die Unverfrorenheit der Piraten? Es war fast eine Art von Hohn, den man darin sehen konnte.

Es hieß: Schaut her, uns macht es nichts aus, die Dörfer direkt vor eurer Feste zu überfallen!

Barbara fluchte still in sich hinein. Das erschöpfte Pferd am Zügel hinter sich herziehend, machte sie sich auf den Rückweg. In ihre Gedanken versunken, führte sie es heimwärts. Sie überlegte dabei, was sie tun konnte und kam abermals zu der Erkenntnis, dass sie nichts machen konnte!

Zornig spie sie in den Straßenstaub, drehte sich zum Meer um und drohte mit der Faust dem unberechenbaren Feind.

Aber außer dieser Geste konnte sie nichts bewirken!

5. Kapitel
Königin für einen Tag

Sofia saß an ihrem Tisch und kämmte sich vor dem Spiegel ihre langen braunen Haare. Die Aussicht darauf, die Burg für ein paar Tage ganz alleine für sich zu haben, war einfach viel zu verlockend.

Während die Geschwister hinter ihr lautstark ihre Sachen packten, lächelte sie still in sich hinein. Der Lärm hatte bei Schwester und Bruder eine andere Ursache, denn während Franziska sich über den Besuch bei der Großmutter freute, fluchte Andreas, dass er nicht sein Pferd reiten konnte.

Dabei gab es in Wiesenland ausgezeichnete Rennpferde. Ihre Tante Lunara hatte eines davon. Der Rappe war sogar das schnellste Pferd, das Sofia kannte.

„Wenn du lieb bist, dann lässt dich unsere Tante vielleicht auf Donnerschlag reiten!", sagte sie über die Schulter und sofort hellte sich der Gesichtsausdruck von Andreas sichtlich auf. An den Rappen hatte er sicherlich nicht mehr gedacht.

Die Mutter erschien und war überrascht, dass es Andreas mit einem Mal nicht schnell genug gehen konnte. Fast musste die Mutter ihn jetzt bremsen.

„Und du, mache keinen Unfug!", sagte sie, als sie zu Sofia trat und ihr einen Abschiedskuss geben wollte.

Geschickt wich Sofia aus, denn sie war ja kein Kind mehr.

„Ich hoffe, dass bei meiner Rückkehr die Burg noch steht!", sagte die Mutter.

„Ganz sicher!", entgegnete Sofia und dachte sich dabei: „Vielleicht braucht sie dann aber einen neuen Anstrich!"

Wenig später stand Sofia am Fenster und sah zum Burghof hinab, auf dem die restliche Familie gerade in die Kutsche stieg und wenig später, begleitet von etwas mehr als einem Dutzend Männer, aus der Burg fuhr.

„Endlich! Jetzt bin ich die Königin!", rief Sofia und tanzte freudig durch ihr Zimmer.

Im Augenblick kam ihre Zeit! Bisher war sie immer die brave Tochter gewesen.

Bei ihrem alten, grauhaarigen Lehrer Alexej lernte sie täglich stundenlang und nach seiner Aussage war sie eine gute Schülerin, aber was sagte das, wenn der Mann es in Gegenwart der Mutter erzählte, die ihn dafür bezahlte?

Er konnte ja schlecht sagen, dass sie bei ihm nicht viel lernte, weil sonst ein anderer Lehrer seine Position bekommen würde.

Sofia war nicht dumm, sie hatte allerdings eine andere Auffassung von dem, wie der Tag sein sollte. Und davon, was sie in Zukunft mal brauchen würde.

In ein paar Wochen, vermutlich zur Wintersonnenwende, würde sie Frederic zum Mann bekommen und nach Waldonien ziehen.

Der gleichaltrige junge Mann hatte ihr vor Tagen ein Bild geschickt und wenn der Maler es nicht allzu sehr geschönt hatte, dann war Frederic in den paar Jahren zu einem ansehnlichen Prinzen herangewachsen.

Vor sieben Jahren, bei ihrem letzten Besuch bei König Conrad, war Frederic noch ein pickeliger, rothaariger Junge mit unzähligen Sommersprossen auf der Nase gewesen, aber damals hatte sie noch Zöpfe gehabt und mit Puppen gespielt. Lang war es her!

Vor einigen Wochen hatte die Mutter ihr erklärt, was nach dieser Hochzeit von ihr verlangt werden würde. Immer noch bekam Sofia rote Ohren, wenn sie an diese Unterhaltung zurückdachte, aber wenn es nun mal zu den Pflichten einer Königin gehörte, dem König einen Stammhalter zu schenken, dann würde sie das eben tun müssen.

Allerdings war genau das etwas, was der Lehrer all die Jahre mit keiner Silbe erwähnt hatte. Was sagte das wohl darüber aus, was sie bei ihm lernte? Vermutlich brachte er ihr nur Dinge bei, die sie nie wieder benötigen würde.

Alles andere würde erst noch kommen!

Und heute war ein Tag, an welchem sie austesten konnte, was so eine Königin tun musste! Zuerst wollte Sofia in den Thronsaal gehen und eine Audienz abhalten.

Ein paar Augenblicke später hatte sie sich zwei Mägde in der Küche ausgeborgt, die mit ihr Audienz spielen mussten.

Die beiden jungen Mägde nahmen das aber nicht sonderlich ernst.

Als richtige Königin hätte sie diese beiden bestrafen können, im Spiel blieb auch das für die beiden jungen Frauen gefahrlos.

Damit war der nächste Tagesordnungspunkt ein festliches Bankett für sie und die beiden Mägde, was denen viel besser gefiel.

Es wurde geschlemmt, bis sich Sofia rülpsend zurücklehnen musste. Das war noch etwas, was man als Königin tun konnte, denn wenn sie bei der Mutter am Tisch rülpste, dann verzichtete sie damit notgedrungen auf den Nachtisch.

Nach dem Festmahl begann es draußen langsam dunkel zu werden und damit kam der nächste Teil des Spieles „Königin für einen Tag", denn die Gebieterin zog sich in ihre Gemächer zurück.

Oder in diesem Falle in die ihrer Mutter!

Der Schrank bot so vieles zum Stöbern, so viele Kleider, die anprobiert werden mussten und fast alle passten.

Nach einer Weile sah es wie auf einem Schlachtfeld aus, aber die Mägde konnten am nächsten Tag ja alles wieder einräumen!

Im Nachthemd der Mutter ließ sich Sofia unter den königlichen Baldachin in das weiche Bett fallen.

Sie träumte mit offenen Augen von dem, was bald auf sie zukommen würde, mit Ausnahme der Hochzeitsnacht!

Sofia strich die feine Borte des Nachthemdes entlang. Es war ein Kleid aus Seide und das Lieblingsnachthemd der Mutter! Niemals hätte sie erlaubt, dass sie es hier gerade trug.

Dieser Stoff fühlte sich so gut auf der nackten Haut an! Das war wirklich der Himmel und sie nahm sich vor, genau solch ein Kleid von ihrem zukünftigen Mann zu fordern.

Ein Lärm auf dem Gang ließ sie sich im Bett aufsetzen. Was war da los? Hatte eine von den Mägden eine der Rüstungen umgeworfen? Da musste sie hinaus, um sie zu schelten.

Dieses Spiel machte ihr richtig großen Spaß.

Als Sofia die nackten Füße auf den Boden setzte, stürmten vier Männer in den Raum. Offenbar hatten die Mägde jetzt auch ein paar Knechte engagiert, die mitspielten. Fein!

„Hinaus mit euch, ihr Unholde! Ich bin Königin Zondala!", schrie sie die Männer an, die sich sofort auf sie stürzten.

Die Männer rissen sie von den Füßen, stülpten ihr einen Sack über den Kopf und fesselten anschließend ihre Hände und Füße.

Sofia schrie auf und dachte sich schon eine Belohnung für die Mägde aus, die ihr Spiel so realistisch gemacht hatten.

„So! Ihr könnt mich wieder losmachen!", sagte sie laut, als die Männer sie anhoben.

Jemand warf sie sich über die Schulter und ging mit ihr davon.

Jetzt übertrieben die Männer aber!

„He! Lasst mich runter!", rief Sofia und bekam einen schmerzhaften Hieb auf den Hintern.

Das würde Konsequenzen haben und die Belohnung für die Mägde wurde in eine Strafe umgewandelt.

6. Kapitel
Schmach und Schande

Eine neue nutzlose Nacht der Jagd war vorbei und langsam fiel es Barbara schwer, ihre Männer noch dazu zu motivieren, des Nächtens blind umherzueilen und eigentlich nur noch Feuerwehr zu spielen, um die Brände zu löschen und die Verletzten zu versorgen.

Das war keine Aufgabe für eine Truppe! Und für Ritter gleich gar nicht! Diese unendlichen und sinnlosen Jagden waren zermürbend.

Nicht so sehr körperlich, sondern sie zerstörten das Vertrauen der Männer in das, was sie taten. Und das Wichtigste in einem Heer war die Zuversicht darin, dass man den Aufgaben gewachsen war.

In der Morgendämmerung ging Barbara, mit ihrem Streitross am Zügel, an der Spitze der kleinen Gruppe den Berg zur Burg hinauf. Das Burgtor stand schon offen und keiner der Wachposten war zu sehen.

Das durfte doch nicht wahr sein!

Schneller ging Barbara, um die Männer sofort zurechtzuweisen.

Schlug diese Sinnlosigkeit ihres Tuns schon in Nachlässigkeit um? Das musste sie sofort kategorisch unterbinden!

Barbara rannte förmlich zum Tor, durcheilte es und erstarrte, denn die Posten lagen getötet neben dem Durchgang.

Die Piraten hatten die Burg überfallen!

Das Heer hatte, fast in Sichtweite, die Straße bewacht, während die Räuber in aller Seelenruhe die Burg der Königin überfallen und geplündert hatten.

Am Eingang zum Palas lagen zwei weitere Tote.

„Sichert das Tor!", brüllte Barbara, riss das Schwert aus der Scheide und stürzte auf das Haupthaus der Burg zu. Zwei ihrer Männer folgten ihr.

Auf der Treppe lagen weitere Opfer des Überfalles.

Immer zwei Stufen mit einem Schritt nehmend eilte Barbara nach oben, wo sich die Etage der Königin und des Königs befand.

Eine der Rüstungen lag in Einzelteilen mitten im Gang.

„Sofia!", brüllte Barbara und hoffte, dass sich die Tochter der Königin irgendwo hatte verstecken können.

„Sie ist fort!", antwortete eine alte Magd, die aus einem der Zimmer kam. Sie hatte ein blaues Auge und hielt sich den einen Arm.

„Was ist geschehen?", fragte Barbara, obwohl das offensichtlich war.

„Sie sind in der Abenddämmerung gekommen. Mindestens zwei Dutzend Männer. Sie haben alle jungen Mägde gefesselt und mitgenommen. Auch die Prinzessin haben sie verschleppt. Danach haben sie noch alles Brauchbare mitgenommen. An die Schatzkammer konnten sie aber nicht herankommen. Das Schloss vor der Tür hat standgehalten", erklärte die Magd.

Barbara lief zu Sofias Zimmer, aber da sah es ganz normal aus, außer, dass die junge Frau nicht da war.

Im Zimmer der Königin sah es eher wie ein Kampfplatz aus. Sämtliche Kleider von Zondala waren aus dem Schrank gerissen und auf dem Fußboden rund um das Bett verteilt. Einige wertvolle Gegenstände fehlten und das Bettlaken hatte jemand aus dem Bett gezogen.

Die verletzte Magd erschien in der Tür und sah sich in dem Chaos um.

„Räume es auf! Wir verfolgen die Männer! Wie viel Vorsprung haben sie?", erkundigte sich Barbara.

„Noch nicht viel!", entgegnete die Magd.

Barbara rannte mit einem Brüller über die Treppe nach unten.

Auf dem Burghof trieb sie ihre Männer wieder auf die Pferde.

Nur wohin sollten sie reiten?

Zu dem Dorf in der Nähe, in welchem es vor ein paar Tagen schon einmal gebrannt hatte? Zumindest war dies der kürzeste Weg bis zum Nordmeer!

Im gestreckten Galopp trieben sie die Pferde an.

Vor ihnen kündete eine dünne Rauchsäule davon, dass auch dieses Dorf in der Nacht ungebetenen Besuch gehabt hatte.

Das hier war eine solche Demütigung, die Barbara nicht ungesühnt auf sich sitzen lassen konnte. Unerbittlich trieb sie ihre Hacken in die Flanken ihres Pferdes.

„Schneller!", trieb sie ihre Männer an, aber das Dorf kam nur langsam näher.

Schließlich erreichten sie die erste Hütte, doch auch diese war soeben ein Raub der Flammen geworden und die Hütten, bei denen die Bewohner gerade den Aufbau neu begonnen hatten, lagen niedergerissen am Boden.

Das schlimmste war aber, dass das Schiff der Seeräuber fort war. Im Sand am Ufer waren nur noch der Abdruck des Rumpfes und die Fußspuren der Räuber zu sehen. Sie konnten noch nicht lange fort sein!

„Verdammt!", brüllte Barbara und blickte auf das Meer hinaus.

Es war wohl ein großes Glück, dass Zondala und ihrer Familie gerade nicht in der Burg gewesen war, aber gleichzeitig war es auch ein großes Unglück, dass sich Sofia der Mutter nicht mit angeschlossen hatte.

Irgendwo da draußen war sie jetzt und würde vielleicht, zusammen mit den jungen Mägden, auf einem Sklavenmarkt angeboten werden.

Hoffentlich würden die Entführer feststellen, dass sie eine Prinzessin geraubt hatten und sich vielleicht mit Zondala und Achim auf ein Lösegeld einigen können.

Zumindest war dies im Moment die einzige Hoffnung für die junge Frau, die Barbara noch sah.

Jetzt war es aber noch ihre Aufgabe, Zondala informieren zu lassen.

Im leichten Trab, ständig fluchend, ritt Barbara zur Burg zurück.

Beim Durchreiten des Tores erkannte sie, dass auch andere Abteilungen der Reiter schon eingetroffen waren und gerade die Bewachung übernahmen.

Es ging an das Aufräumen und Beseitigen der Schäden und ein reitender Bote machte sich mit der Nachricht für Zondala auf den Weg.

Am unerträglichsten für Barbara war aber die Untätigkeit in dieser Sache, um Sofia nicht zu gefährden, denn sie würde einfach warten müssen, bis die Piraten sich melden würden.

Im Laufe des Tages trugen sie alles zusammen, was sie an Informationen für die Königin brauchte, wenn diese, sicher am nächsten Tag, wieder in der Burg eintreffen würde.

Zwanzig Wachsoldaten hatten den Tod gefunden, fünf junge Mägde und die Prinzessin waren verschleppt und es hatte dreiundzwanzig, zum Teil schwerer, Verletzte gegeben.

Und das waren nur die personellen Verluste. Der Schaden an materiellen Werten und am Image ließ sich im Moment noch nicht beziffern, aber sicherlich würde in ganz Mirento schon in wenigen Tagen jeder mit Fingern auf die Krieger von Mortunda zeigen und darüber lachen, dass sie noch nicht mal eine Burg gegen ein paar Räuber verteidigen konnten.

Barbara würde mit unnachgiebiger Härte zuschlagen, wenn Sofia erst mal in Sicherheit war.

Langsam reichte es ihr mit diesen Piraten und sie grübelte darüber nach, was sie tun konnte.

In Gedanken sah sie die drei Schiffe vor sich. Damit, und mit genügend Männern, musste man dieses Seeräubernest doch zerschlagen können!

Man musste es nur noch finden!

7. Kapitel
Freude und Leid einer Königin

Am Nachmittag des zweiten Tages ihrer Reise hatten Zondala und ihr Gefolge endlich die Burg von Fürst Reinhold und Sandra erreicht. Die Nacht hatten sie in einem Gasthof an der Grenze ihres Königreiches verbracht. Das Geld für die Übernachtung hatte den Wirt glücklich gemacht und Zondala eine ungestörte Nacht beschert.

In einem gemütlich eingerichteten Zimmer, fern von Kindern und Hof, hatte Achim die Muse gehabt, sie wieder mal nach allen Regeln der Liebeskunst zu verwöhnen.

Im Stress der letzten Wochen war die Liebe einfach zu kurz gekommen. Und es blieben ja noch zwei Nächte auf Sandras Burg und eine auf der Rückreise.

Genug Zeit also, um sich wieder mal ausgiebig zu lieben.

Die Umarmungen ihres Mannes hatte ihr zusätzlich auch noch die Angst vor dem Erntefest genommen.

Gerade stieg sie aus der Kutsche und Sandra kam ihr auf dem Burghof entgegen. Mit offenen Armen empfing sie Zondala und die Kinder, doch Andreas entwischte ihr. Wie der Blitz war er verschwunden und Sandra blickte ihm lachend nach.

Langsam dämmerte es Zondala, wie Sofia es geschafft hatte, dass Andreas nicht ständig in der Kutsche gemault hatte. Die Aussicht auf seine Tante Lunara hatte nicht gezogen, um ihn zu begeistern. Die Chance auf Donnerschlag zu reiten, dem Pferd seiner Tante, hatte offensichtlich geholfen.

Er verschwand im Stall und kam einen Augenblick später wieder suchend zurück.

„Donnerschlag ist mit Lunara unterwegs. Sie müssten aber gleich zurück sein. Lunara wollte ihn nur waschen!", rief Sandra ihm zu.

Andreas kam mit hängenden Schultern zu ihnen herüber.

„Ich zeige dir erst mal dein Zimmer. Vielleicht möchtest du dich vor der Feier heute Abend noch etwas frisch machen?", sagte Sandra und ging ihnen voran.

„Die Zimmer der Kinder sind eine Etage tiefer!", setzte sie wie beiläufig hinzu, die Absicht hinter ihren Worten erklärte ihr Zwinkern.

Hier war Zondala nicht Königin, sondern einfach nur Tochter mit Familie auf Urlaub. Und es war noch Zeit, die sie sich sofort mit Achim vertrieb, als die Tür hinter ihnen geschlossen war.

Franziska würde mit Sandra den Blumengarten für das Fest plündern und Andreas sicherlich auf der Mauer auf die Rückkehr von Lunaras Hengst warten.

Einen Moment, nachdem Zondala die Zimmertür hinter sich verriegelt hatte, lag ihr Kleid am Boden und zusammen mit Achim testete sie die Beschaffenheit ihrer Lagerstätte.

Einige Zeit später ging eine sehr viel entspannter und glücklich lächelnde Zondala nach unten in den schon festlich geschmückten Saal.

Die Tochter rannte ihr mit einem Blumenkranz entgegen und Zondala kniete sich vor sie hin, um sich damit krönen zu lassen.

An der Seite des Raumes standen Ährenbündel und in Körben waren Unmengen von Feld- und Gartenfrüchten liebevoll arrangiert.

„Das ist alles sehr schön geworden", bemerkte Zondala anerkennend.

„Lunara hat das meiste gemacht", entgegnete Sandra, nicht ohne Stolz.

„Ist es nicht langsam Zeit für sie, um zu heiraten?"

„Ja! Aber deine Sofia hat mir den letzten potenziellen Bewerber vor der Nase weggeschnappt!", antwortete Sandra und schmunzelte.

„Na ja, es bleibt ja in der Familie!", erwiderte Zondala und beide mussten lachen.

„Wo ist denn eigentlich dein Mann?", erkundigte sich Sandra.

„Achim muss sich noch etwas ausruhen. Er ist ja nicht mehr der Jüngste!"

„Aber er ist jünger, als Reinhold!"

„Du bist mir ja eine!", entgegnete Zondala und musste wieder schmunzeln.

Natürlich war Reinhold über zehn Jahre älter als Achim.

Der Saal füllte sich langsam und Sandra musste ihre Pflichten als Fürstin übernehmen.

Still setzte sich Zondala auf ihren Platz an der Tafel und hielt ein paar Plätze für ihre Familie frei. Vermutlich wusste im Moment kaum einer, wer sie war und das war auch ganz gut so. Es war ein Urlaub von den Pflichten einer Königin.

Musik begann zu spielen, Achim und Franziska setzten sich neben sie und Andreas würde wohl erst mit dem Einbruch der Dämmerung wieder zu ihnen kommen.

Fast als letzte der Gäste erschien Lunara und lief auf sie zu. Die junge Frau war in den letzten Monaten noch viel schöner geworden, obwohl das eigentlich kaum möglich gewesen war.

Die langen schwarzen Haare hatten einen leichten blauen Schimmer und die wunderschönen dunklen Augen strahlten eine solche Liebe aus, dass sich jeder sofort zu ihr hingezogen fühlte. Einzig die dunklere Haut und die markanten Wangenknochen zeugten noch von ihrer Abstammung.

Fröhlich lachend umarmte sie Zondala und wirbelte anschließend Franziska umher.

„Andreas ist mit Donnerschlag unterwegs, aber der Hengst kennt den Weg und wird vor Einbruch der Dämmerung zurück in seinem Stall sein!", erklärte Lunara und suchte ihren Platz an der Tafel.

Fürst Reinhold eröffnete die Feier und gab dann das Wort an Sandra weiter.

Die Fürstin erhob sich, hielt ebenfalls eine kurze Ansprache, wünschte allen ein schönes Fest und verkündete, dass Lunara für den Winter bei Ursula in Waldonien in die Lehre der Kräuterkunde gehen würde.

Am Strahlen von Lunara konnte man deutlich sehen, wie sehr sich die junge Frau darauf freute.

Zondala fielen gerade wieder die Monate in Waldonien ein, die sie bei Lisa und Ursula gelebt hatte. Die Abende im Winter mit Märchen, Sagen und Kräuterkunde. Es war eine schöne Zeit gewesen und Zondala freute sich für die Schwester. Damit erklärte sich auch Lisas Anwesenheit bei diesem Fest und Zondala würde die alte Freundin dann später noch ausgiebig herzen.

Soeben wurden Speisen und Trank hereingetragen und der Platz zwischen den Tischen war groß genug, um dort zur Musik tanzen zu können.

Das Essen war dem Anlass angemessen, denn schließlich war das Erntefest das größte Fest in Wiesenland. Eine Art von gefeiertem Dank an die große Göttin für all das, was in diesem Jahr auf dem Feld gewachsen war und sich jetzt in den Scheunen befand.

Nach dem Braten kam der erwartete Tanz und Zondala hatte einen Moment zu tun, um Achim zu überreden.

Staatsgeschäfte mit Reinhold und Kornpreisabsprachen hatten noch Zeit, denn jetzt wollte gefeiert werden.

Zur beschwingten Musik tanzte Zondala mit Achim und später auch zur Abwechslung mit Lunara.

Lachend wirbelte sie mit der Schwester über den Boden des Saales, als ein Melder aus Mortunda von Barbara bei ihnen eintraf.

In die beschwingte Stimmung des Festes platzte er mit der Nachricht von Sofias Entführung hinein.

Sofort waren Sandra und Lunara tröstend bei ihr. Das Lachen war damit ihren Tränen gewichen.

Sorge und Angst fraßen sich in ihr Mutterherz hinein. Und in der einsetzenden Dunkelheit konnten sie auch nicht sofort zurück- eilen.

Mindestens eine weitere Nacht mussten sie warten und hoffen, dass es Barbara gelang, Sofia zu retten.

8. Kapitel
Aufbruch schweren Herzens

Lunara stand auf dem Wehrgang hinter der Palisade der elterlichen Burg und sah Zondala hinterher, die soeben mit ein paar ihrer Krieger im gestreckten Galopp davon jagte. Gerade erst hatte die Sonne den Rand des Horizontes überschritten.

Und unten im Hof der Burg wurde momentan die Kutsche gepackt, mit der Achim und die Kinder ihr folgen würden.

Im Augenblick krampfte sich Lunaras Herz zusammen, wenn sie nur an das Leid der Schwester dachte. Die Tochter von fremden Männer entführt! Das war wohl das Schlimmste, was einer Mutter geschehen konnte.

Mit dem Blick zur Sonne bat sie die große Göttin, die Nichte zu beschützen, wo auch immer sie sich jetzt gerade befand. Niemand wusste wohl, wo das war, aber das Sonnenlicht würde sie bestimmt finden und umhüllen.

Langsam stieg Lunara die Leiter wieder zum Burghof hinab.

Andreas war im Stall und noch nicht dazu zu bewegen, Donnerschlag in Ruhe zu lassen. Doch er würde mit seinem Vater aufbrechen müssen.

Und auch für Lunara war die Zeit für den Abschied gekommen. Schon einige Monate hatte sie sich auf die Reise zu Ursula nach Waldonien gefreut und jetzt stand dieser Weg unter solch einem schlimmen Stern.

Sie betrat den Stall und versuchte Andreas vom Hals des Rappen zu trennen, was allerdings ein ziemlich kompliziertes Unterfangen war.

Nur mit Achims Hilfe gelange es ihr dann und einzig die Aussicht darauf, im Frühjahr, nach ihrer Rückkehr, viele Tage hier zu

Besuch zu sein, sorgte dann dafür, dass Andreas dann doch noch in die Kutsche stieg.

„Gib mir Bescheid, wenn du was weißt. Ich werde bei Lisa sein!", sagte sie zu Achim, der sie umarmte und danach in die Kutsche stieg.

Auch in seinen Augen hatte sie Tränen gesehen.

Winkend blieb Lunara am Tor stehen, bis die Kutsche in der Ebene verschwunden war, dann ging sie zurück in das Haupthaus.

Lisa saß im Moment noch beim Frühstück im Saal und Lunara setzte sich zu ihr.

„Schlimm, das mit Zondala!", sagte Lisa.

Lunara konnte nur nicken.

„Willst du mich dennoch begleiten?", erkundigte sich Lisa kauend.

„Natürlich! Ich kann für Sofia doch sowieso nur beten und das kann ich von überall!", erklärte Lunara.

„Da hast du auch wieder recht. Ich esse nur noch schnell auf. Solch leckeres Brot gibt es bei uns nicht. Hast du dir das wirklich gut überlegt?", entgegnete Lisa und schmierte sich eine weitere Scheibe Brot mit Butter ein.

„Na klar!"

„Dann zuerst zu deinem Haar!", erwiderte Lisa und legte sich Schinken auf ihr Butterbrot.

„Was ist mit meinem Haar?", antwortete Lunara und strich sich fragend über den Kopf.

„Bei uns in Waldonien tragen wir die Haare anders!", erläuterte Lisa und strich sich dabei mit den Fingerspitzen durch die langen Haare, die sie offen trug.

Von klein auf war Lunara in der Tradition von Wiesenland aufgewachsen. Kleine Mädchen trugen zwei Zöpfe, bis zu jenem Tage, an welchem die Natur sie durch die erste Blutung zur Frau machte. Da gab es immer ein großes Fest und Lunara konnte sich noch gut an ihre Feier erinnern.

Danach trugen die jungen Frauen einen Zopf lang nach hinten und Lunaras Zopf fiel ihr bis auf den Gürtel herab.

Die Frauen, die einen Mann hatten, trugen diesen Zopf dann wie eine Art von Kranz um den Kopf, so wie es Sandra trug, die soeben an den Tisch trat.

„Ich werde den Zopf aufmachen, wenn wir in deinem Dorf sind!", legte Lunara fest.

Lisa schlang noch zwei Scheiben Brot hinunter und Lunara fragte sich gerade, wohin die schlanke Frau das alles nur aß.

„Du willst also wirklich?", fragte Sandra und Lunara nickte.

„Ich muss noch packen!", sagte sie und eilte davon.

Sie wollte zwar nicht viel mitnehmen, aber ein paar Dinge schon. Und die hatte sie sich bereits am Tage zuvor auf das Schränkchen gelegt.

Schnell stopfte sie alles in die zwei Satteltaschen, die sie sich über die Schulter warf. Den Gürtel mit dem langen Dolch legte sie sich vorsichtshalber um die Hüften.

Schwer bepackt stieg sie nach unten und ging zum Stall.

Donnerschlag war schon gesattelt und die beiden Packtaschen waren geschwind befestigt.

Der Rappe schien fast aufgeregter zu sein, als sie selbst. Tänzelnd stand er in seiner Box und konnte es kaum erwarten, das Gras der Wiesen wieder unter seinen Hufen zu haben.

Mit dem Hengst am Zügel trat sie auf den Hof und sah Lisa mit ihrer Stute aus dem gegenüberliegenden Stall heraustreten.

Am Tor wartete schon die Mutter und von Reinhard hatte sich Lunara bereits am Morgen verabschiedet. Der Vater, oder besser Stiefvater, war gewohnt frostig gewesen und umso herzlicher war jetzt die Verabschiedung durch die Mutter.

Sandra hing ihr noch am Hals, als Lisa schon lange auf ihrer Stute saß.

„Ich muss!", bemerkte Lunara und löste sich mühsam von der Mutter.

„Im Frühjahr bin ich wieder da!", rief sie und sprang aus dem Stand auf den Rücken ihres Hengstes.

Kaum waren ihre Füße in den Steigbügeln, da ging Donnerschlag vorn hoch und stellte sich vor Freude auf die Hinterbeine.

Wie von der Leine gelassen raste das Pferd davon und Lisa hatte alle Mühe, an ihm dranzubleiben.

Schließlich zog Lunara am Zügel und ließ Donnerschlag in den lockeren Trab übergehen, wodurch Lisa sie wieder einholen konnte.

„Wir werden die Nacht in einem Dorf bei euch bleiben und dann morgen gegen Abend in meiner Siedlung sein!", erklärte die ältere Frau neben ihr.

Nebeneinander zogen sie zwei Spuren durch eine Wiese.

Es ging südwärts, bis sie dann nach Westen abbiegen würden, aber erst gegen Abend, wenn sie das Dorf fast erreicht haben würden.

Vor lauter Freude erzähle sie Lisa, was sie im Winter alles machen würde und die andere Frau beschrieb den Winter in Waldonien. Das klang alles so aufregend und spannend.

Nach vielen Stunden erblickte Lunara vor sich eine Rauchsäule. Da schien das Stroh eines abgeernteten Feldes Feuer gefangen zu haben.

Mit der maximal herauszuholenden Geschwindigkeit jagten die beiden Frauen auf das Feuer zu, um die Bewohner in dem Dorf zu unterstützen, denn in Wiesenland half man sich gegenseitig, obwohl man Fremden gegenüber mitunter etwas skeptisch war.

Schon bald war das Dorf zu sehen und die Menschen rannten panisch umher. Offensichtlich schienen die Flammen schon auf eine der Hütten übergegriffen zu haben.

Aus dem vollen Galopp sprang Lunara von Donnerschlags Rücken und lief um die Ecke der Hütte.

Dort prallte sie zurück.

Mit Erschrecken realisierte sie, dass es ein Überfall der Tuck war!

„Verschwinde!", schrie sie Lisa zu, die sofort ihre Stute herumriss.

Zwei Männer liefen auf sie zu und Lunara brüllte die Männer an: „Lasst ab von den Menschen hier! Verzieht euch! Ich bin die Tochter von Khan Archus und ich befehle es euch!"

Doch entweder waren ihre Sprachkenntnisse eingerostet, oder die beiden Männer wollten sie nicht verstehen, denn wenige Augenblicke später hing sie an Händen und Füßen gefesselt über dem Rücken ihres Hengstes und musste zusehen, wie die Reiter das Dorf plünderten.

Die Schreie der Bewohner gingen ihr bis ins Mark.

9. Kapitel
Botschaften

Mit donnerndem Hufschlag jagte Zondala auf ihrem Pferd dahin. Sie ritt auch nicht im Seitsitz, wie sie es bei den gemächlichen Ausritten mit Achim gelegentlich tat, sondern saß breitbeinig auf dem Rücken des Tieres. Wie das aussah, das war ihr im Moment völlig egal, nur das Ziel der Reise zählte: Die Burg so schnell wie nur irgend möglich zu erreichen.

Die Botschaft von Barbara war denkbar knapp gewesen! Immer wieder drückte sie die nackten Knie in die Flanken der Stute und trieb die Fersen in deren Seite.

Das Tier keuchte deutlich, aber für ein gemächliches Reiten zum Spaß war der Anlass zu dringend. Das Tier konnte sich ja später im Stall wieder erholen.

Für die Mutter in Sorge zählte jeder Augenblick, obwohl sie vermutlich nicht viel tun konnte. Und Barbara sicherlich schon alles Nötige in die Wege geleitet hatte.

Schließlich kannte sie die Freundin ja schon ewig. Immer wieder gingen ihre Gedanken zu Sofia und ihr Gehirn malte sich die schlimmsten Szenarios aus. Diese Bilder verstärkten auch die Angst in ihrem Kopf.

War es wirklich Zufall, dass es genau jener Tag gewesen war, der auch ihr eigenes Schicksal so gravierend geändert hatte? Konnte da jemand so grausam sein, und genau diesen Tag zum zweiten Mal zu einem Datum eines gewaltsamen Umbruchs machen?

Wenn Zondala nicht mit eigenen Augen gesehen hätte, dass die Hexe damals im Turm der Burg explodiert war, dann hätte sie keinen Wimpernschlag daran gezweifelt, dass es das Werk dieser grausigen Gestalt gewesen war. Aber so?

Wer tat so etwas?

Natürlich hatte Barbara sie darüber schon vor einigen Tagen informiert, dass die Seeräuber die Dörfer gezielt nach jungen Frauen durchsuchten, die sie dann wohl auf einem Sklavenmarkt verkaufen wollten. Zu augenfällig war das Verschwinden der Mädchen gewesen, aber wer machte sich dazu den Aufwand, eine königliche Burg zu überfallen, die auch noch mit vielen bewaffneten Männern besetzt war?

Vielleicht war Barbaras Vermutung mit der Erpressung von Lösegeld zutreffend, aber noch war keine Botschaft dazu eingetroffen, denn sonst hätte Barbara ihr etwas davon berichtet. Die Räuber hätten diese ja einfach nur an das Tor der Burg anschlagen können.

Gegen Mittag kam das Ufer des Tassaros in ihr Blickfeld und sie jagten über die Brücke dahin. Damit waren sie wieder in Mortunda und immer schneller trieb sie das Pferd voran, bis es erschöpft an einem Bachlauf stehen blieb.

Alles Zerren und Ziehen half jetzt allerdings nicht, denn das Tier konnte nicht mehr!

Die Rast war durch die Tiere geboten und Zondala konnte die Stute mit Befehlen nicht zum weiterreiten bringen. Verzweifelt musste sie einfach warten, bis das Tier sich wieder beruhigt hatte und sie in den Sattel lassen würde.

Mit dem Blick nach Westen, zur abendlichen Sonne, hingen ihre Gedanken wieder an Sofia.

„Große Göttin! Beschütze meine Tochter! Erspare ihr das Leid, welches ich einst erfahren musste! Ich bitte dich!", betete sie, kniend an einem Strauch dafür, dass alles gut werden würde.

Ihre Begleiter kümmerten sich derweil um alles und einer der Männer brachte ihr einen Schlauch mit einem leichten Wein, den sie dankend annahm.

Trinkend ließ sie zur Ablenkung ihre Augen umherwandern.

In ihrem Königreich war schon einiges seltsam, wie sie mit dem Blick auf die Ritter gerade wieder feststellte, denn einer von ihnen war ebenfalls eine Frau. Und sie als Königin jagte mit dem Pferd dahin, während der König die Kinder begleiten würde. In jedem anderen Reich wäre es wohl umgedreht. Und nur in Mortunda war der oberste Ritter und Heerführer ebenfalls eine Frau. Wenn man so wollte, dann war dieses Land nach Xander zu einem Königreich der Frauen geworden.

Allerdings hatten sie nicht so extrem die Zügel an sich gerissen, wie es der verhasste Vater einst gehalten hatte.

Bei Xander hatte keine Frau auch nur irgendein Wort zu sagen gehabt. Bei ihr war Achim jedoch ihr wichtigster Berater. Er war König, Vater, Geliebter und Seelengefährte in einem.

Nur mit Achim hinter sich konnte Zondala sein, wie sie es wollte. Wie sie es musste! Auch jetzt in diesem Moment! Die Frau kam zu ihr und Zondala fragte nach dem Namen der jungen Kämpferin.

„Xena", war die Antwort, die sie ihr mit einer kurzen Verbeugung gab.

Und auch die große Göttin, die sie gerade angerufen hatte, war ja eine Frau. Vielleicht war auch das eine Botschaft: Frauen konnten alles, was Männer konnten. Und sogar noch etwas mehr, denn kein Mann konnte Mutter werden. Keiner konnte jemals spüren, wie neues Leben in sich heranwuchs. Das konnten nur Frauen!

Sie waren Gebende und Empfangende zugleich. Geborene Kämpferinnen! So wie sie, Barbara und Xena, die sich gerade den Waffengurt zurechtrückte.

Wollte die große Mutter sie testen? Prüfen, wie weit sie gehen würde, um die Tochter zu retten?

Vielleicht!

Zondalas Blick ging zu den Wolken hinauf, die über ihr nach Westen eilten. Die ersten Herbstwinde waren da und schon bald würde der Winter das Land in seinem eisigen Griff haben.

Bis dahin musste die Tochter wieder da sein, denn in den Stürmen konnte kein Schiff das Nordmeer befahren.

„Auf geht es!", rief sie, als Xena ihr den Zügel reichte.

Mit einem Satz war sie wieder im Sattel und eilte, Seite an Seite mit Xena, der Burg entgegen.

Die Männer waren hinter ihnen und hetzten mit etwas Abstand hinterher.

Sie musste Vertrauen zu den Entscheidungen der Göttin haben! Das war die einzige Botschaft, die in ihrem Kopf war. Alles würde am Ende gut gehen und alle Menschen waren sowieso in der Hand der Göttin.

Jeder Schritt, den Zondala jemals gemacht hatte, der hatte sie hierher gebracht. Wäre auch nur einer davon anders gewesen, dann wäre sie jetzt nicht hier. Dann wäre sie vielleicht Bäuerin in Wiesenland, Schamanin in Waldonien, oder kurz nach der Geburt den Schlangen zum Fraß vorgeworfen worden.

Und nur durch alle Schicksalsschläge hindurch war sie jetzt Mutter, Königin und eine der Hüterinnen der Schlange!

Mit dieser Gewissheit drosselte sie die Stute und ließ das Tier freier laufen.

Alles würde seinen Weg gehen.

Habe Vertrauen! Das war die wichtigste Botschaft gewesen!

In Sichtweite der Burg kam ihnen Barbara entgegen und informierte über den Stand der Suche.

Die schrecklichen Bilder waren momentan fern.

Alles würde gut werden. Alles musste gut werden!

10. Kapitel

Das Herz einer Reiterin

*I*hr lautstarker Protest hatte nur dafür gesorgt, dass Lunara jetzt geknebelt über dem Pferderücken hing. Ihr Weg führte sie schon seit mehr als zwei Tagen in südliche Richtung. In den Nächten hatten die Reiter an einem Feuer gelagert, aber ihr war bisher nichts geschehen.

All die schrecklichen Geschichten über die Tuck, die ihr die Mutter in mancher Winternacht erzählt hatte, die sausten gerade ständig durch ihren Kopf, aber die Männer hatten ihr nichts getan.

Sie hatten in der Nacht am Feuer Lieder in ihrer kehligen Stimme gesungen. Sandra hatte ihr ein wenig von der Sprache beigebracht, wodurch sie einen Teil der Gesänge verstehen konnte. Es ging meist um Pferde und wie es war, die Steppe auf dem Rücken dieser Reittiere zu durchstreifen.

Donnerschlag war immer noch bei ihr und sie konnte die Männer verstehen, denn ihr ging es ebenfalls so. Vielleicht war es das Blut ihres Vaters in ihr, welches sie auf den Rücken des Hengstes zwang.

An manchen Tagen war sie von Sonnenaufgang bis zur Abenddämmerung im Sattel gewesen und hatte mit dem Rappen die Äcker rund um die Burg durcheilt.

Gerade waren sie wieder unterwegs. Wie ein Sack hing sie über Donnerschlags Rücken, ihre Füße und Hände miteinander, unter seinem Leib, mit Stricken verbunden.

Einer der Reiter hatte die Zügel des Hengstes in der Hand und sie trabten dahin. Für ihre Haltung ein bisschen zu schnell, wie sie fand. Mit einer Hand versuchte sie sich am Sattelriemen festzuhalten, um nicht wild umhergeschleudert zu werden.

Wo war wohl das Ziel dieser Reise? Hatten die Männer sie verstanden, als sie den Vater erwähnt hatte und waren jetzt mit ihr dorthin unterwegs, um die Richtigkeit dieser Behauptung beweisen zu lassen?

Die eher sanfte Behandlung durch die Reiter ließ so etwas vermuten.

Lunara kannte Archus nur aus den Erzählungen der Mutter und im Moment war sie eigentlich nur gespannt, wie es wohl war, ihn zu treffen und als seine Tochter lief sie wohl eher keine Gefahr, dass er sie gnadenlos schänden würde.

Solange die Reiter das nicht auf dem Weg zu ihm taten, war alles gut und die lange Zeit ihres, nun schon unberührten, Weges ließ sie hoffen, dass dies auch so blieb.

Es würde ja auch wenig Sinn ergeben, dass die Männer sie erst ein paar Tage durch die Steppe führten, bevor sie sich mit Gewalt Zugang zu ihrem Körper verschaffen würden.

Aber was würde wohl die Mutter sagen und tun?

Sicherlich hatte Lisa die Burg schon lange wieder erreicht und Sandra darüber informiert, was geschehen war. Und damit hatte es Sandra auch in derselben Weise getroffen, wie es nur einen Tag zuvor Zondala ergangen war: Die Tochter mit unbekanntem Ziel entführt und ständig diese Sorge und Angst im Herzen zu spüren.

In Lunaras Herzen überwog im Moment die Neugier und nicht die Furcht.

Bei den grimmigen Gesichtern der Männer konnte das allerdings schnell umschlagen. Was würde geschehen, wenn sie ihnen irgendwie zur Last fallen würde? Würden die Männer sie dann freilassen? Oder töten?

Und was geschah wohl, wenn eine Reiterpatrouille der Ritter aus Mortunda diese Gruppe stellen würde und sie damit zwischen die Fronten geriet? Wie sollte sie einem Reiter aus Mortunda begreiflich machen, dass sie die Schwester seiner Königin war?

Vermutlich war das dann ein ähnlich schweres Unterfangen, wie diese Männer hier davon zu überzeugen, dass sie die Tochter des Khans war.

Sie würde nur gefesselt nach Norden geschleift werden und wer wusste schon, ob sie dann dabei ungeschoren blieb!

Ihr Blick ging nach vorn zum Hals von Donnerschlag und in der Weite der Ebene konnte sie schon ein paar kleine Erhebungen sehen.

Es war sicher noch mehr wie ein Tagesritt, um den Fuß dieser Berge zu erreichen, aber bisher war sie nur in der Ebene gewesen. Die höchsten Erhebungen in Wiesenland waren gegen diese Berge nur Maulwurfshügel.

Selbst aus dieser Entfernung schienen sie gewaltig zu sein und ihre Gipfel waren weiß. Lag das an der Sonne, die diese Kuppen anstrahlte? Oder befand sich darauf jetzt schon Schnee?

Es war doch immer noch Herbst!

Hatte ihr die Mutter nicht von solch einem Berg erzählt? In Gedanken reiste Lunara zurück, als die Mutter mal eines Abends vor drei Jahren ausführlicher über die Erlebnisse bei Archus berichtet hatte.

Niemals zuvor und auch nie danach hatte sie so detailliert berichtet und Lunara hatte die Tränen in den Augen der Mutter gesehen. Da war so etwas in Sandras Blick gewesen, was sie nicht hatte deuten können.

In alle den anderen Erzählungen hatte sie nur vom Schmerz in ihrem Körper geredet, aber an jenem Abend war es der Schmerz in ihrem Herzen, der sie hatte weinen lassen. Da war es Liebe gewesen, was sie gesehen hatte.

Liebe für einen Mann, der sie mit Gewalt genommen hatte.

Aber eben auch Liebe für den Mann, der Lunara das Leben geschenkt hatte.

Und bei dieser Erinnerung fiel ihr ein, dass es da ja auch noch jemanden gab, der enger mit ihr verbunden war, als es sonst irgendein Mensch in Mirento sein konnte: Ihr Bruder! Falls der noch am Leben war!

Sie waren Zwillinge, wobei sie einen Atemzug älter war. Würde sie auf dieser eher unfreiwilligen Reise nicht nur den Vater, sondern am Ende auch den Bruder kennenlernen?

Jetzt zog sie die Berge förmlich mit der Hand zu sich heran.

Da war jemand, der vielleicht genau wie sie dachte, der möglicherweise genauso aussah, wie sie. Wie mochte er wohl sein? Warum hatte sie bisher nie an den unbekannten Bruder gedacht?

Nicht oft hatte Sandra davon berichtet. Manchmal hatte sie mit Tränen im Blick nach Süden gesehen und im Nachhinein ergaben einige Bemerkungen der Mutter damit einen ganz anderen Sinn.

Und mit einem Schlag sehnte sich auch ihr Herz nach der unbekannten anderen Hälfte.

Ohne Knebel hätte sie jetzt: „Reitet schneller!", gerufen, so musste sie aber darauf vertrauen, dass sie am Ende des Weges dem Bruder gegenüberstehen würde.

Vielleicht schon am nächsten Tag!

Lunara konnte es kaum noch erwarten. Die Angst war fern. Nur die Furcht davor, ihn vielleicht verpasst zu haben, oder ihn nicht treffen zu können, die war gerade in ihrem Herzen und in ihrem Kopf.

11. Kapitel
Gedemütigt!

Sofia hockte an der hintersten Wand des kargen Raumes. An drei Seiten befanden sich Steinwände und an der vierten zog sich ein Gitter aus Stahlstäben kreuz und quer durch den Raum. In der Mitte war eine Tür angebracht, aber diese war fest verschlossen. Alles daran rütteln, hatte ihr nichts genutzt.

Der Boden ihrer Gefängniszelle bestand aus gestampften Lehm, aber es wäre wohl müßig, zu versuchen, sich da hindurch zu wühlen. Vermutlich war es nur eine dünne Schicht, bevor darunter ebenfalls Steine zu finden sein würden.

Erst hier drin in diesem Loch hatte man ihr den Sack vom Kopf gezogen und daher wusste Sofia nicht, wo sie sich befand, nur, dass es kein Spiel gewesen war.

Das Schwanken unterwegs ließ auf ein Schiff schließen und die Dauer des Schwankens auf eine längere Fahrt. Auch die Fesseln an Händen und Füßen waren ihr erst hier gelöst worden. Einen Augenblick vor dem Sack!

Sie hatte bereits jedes Zeitgefühl verloren, denn in der Dunkelheit konnte keiner sagen, ob es Tag oder Nacht war. Und hier drin gab es auch kein Fenster. Nur ein paar Fackeln vor dem Gitter, die ständig brannten.

Immer wieder mal, in unregelmäßigen Abständen, liefen bewaffnete Männer vor dem Gitter entlang. Es konnten Wachen sein, oder einfach nur die Besatzung der Burg, deren Weg durch diesen Gang führte.

Niemand redete mit ihr oder erklärte ihr, was sie hier sollte. Sie war doch die Prinzessin! Vielleicht wollte jemand für sie Lösegeld von der Mutter erpressen und im Moment klammerte sie sich an diesen Gedanken fest.

Sitzend, an die buckelige Wand gelehnt, die Beine weit von sich gestreckt, wartete sie im kostbaren Seidennachthemd der Mutter darauf, dass irgendjemand mit ihr reden würde. Oder sollte sie rufen und auf sich aufmerksam machen? Sie hatte bei den Wachen kein Wappen gesehen und konnte sich im Moment auch nicht vorstellen, dass das Rufen ihre Situation verbessern würde.

Sofia musste sich in Geduld fassen.

Eigentlich war sie müde, doch sie konnte nicht schlafen, denn zu sehr beschäftigte sie gerade ihr weiteres Schicksal. Und in dem dünnen Seidennachthemd war es auch noch empfindlich kühl.

Sie zuckte zusammen, als eine Gruppe von Männern vor der Zelle stehen blieb und zu ihr herein sah. Vielleicht würde sie jetzt erfahren, was sie hier sollte.

Schnell erhob sie sich und versuchte ihre Blöße mit dem dünnen Kleidchen zu bedecken.

Einer der Männer trat an das Gitter und sagte laut: „Endlich! Nach so langer Zeit habe ich dich zu guter Letzt in meiner Hand", dann stutzte der Mann und setzte hinzu: „Aber du bist ja gar nicht Zondala!"

„Nein! Ich bin Sofia. Zondalas Tochter! Und wer bist du?", entgegnete sie.

„Ich bin König Xander!", erklärte der ältere Mann.

„Mein Großvater? Wirklich? Was wollt ihr von mir?", fragte Sofia nach und fasste Mut.

„Dass du deinen Mund hältst! Du bist nicht mein Enkelkind! Du bist die Tochter jener Frau, die mir mein Königreich gestohlen hat!", fuhr er sie an.

Sofia zuckte zusammen und stieß aus: „Aber das war vor meiner Zeit! Ich kann..."

Sofort unterbrach der König sie mit einem unartikulierten Brüller.

„Schweig!", fuhr er sie an und seine Augen funkelten voller Hass.

Das Grausen zwang eine Gänsehaut auf ihren Rücken und Sofia drückte sich noch mehr gegen die Rückwand und wenn diese etwas weicher gewesen wäre, dann wäre sie vielleicht mit den Steinen verschmolzen.

Der König blickte sie über die vier Schritte Entfernung ziemlich finster an.

„Lass mich doch bitte frei! Ich habe dir doch gar nichts getan! Großvater, bitte!", bat Sofia mit Furcht in ihrem Herzen.

„Ich werde dich lehren, mir so entgegenzutreten! Dieser Ungehorsam muss bestraft werden und ich weiß auch schon wie!", erklärter er drohend.

Der Tonfall des Mannes ließ sie zittern. Das verhieß nichts Gutes. Der König wandte sich an die Männer, die mit ihm in den Gang getreten waren und Sofia hörte mit Bestürzung, dass er sagte: „Würfelt darum, wer sie zur Frau machen darf!"

Danach drehte er sich zu ihr zurück und sagte: „Viel Spaß!" Anschließend ging er und sie hörte sein höhnisches Lachen, das wirklich schauerlich klang. Und das lag nicht nur an dem Schall in dem gemauerten Gang.

Was hatte sie denn getan?

Acht Männer standen vor ihrem Gitter und sie hätte keinem davon ohne diesen Schutz begegnen wollen! Bärtige, grinsende Gesichter, die ihr Herz fast zum Aussetzen brachten.

Sie hockten sich in den Gang und begannen zu Würfeln und in diesem Spiel ging es um sie. Es war nur ein perfides Hinauszögern dessen, was unweigerlich kommen würde.

Vor Angst zitternd stand sie an der hinteren Wand.

Ihr Großvater hätte einfach nur auf einen zeigen können und es wäre um sie geschehen, doch stattdessen ließ er die Männer um sie würfeln.

Lautstark brüllten sie sich direkt vor ihr die gewürfelten Augenzahlen zu.

In Sofias Kopf kreisten in dieser Zeit die Erzählungen der Mutter von der Hochzeitsnacht. Sie musste doch Jungfrau bleiben, denn ohne Ehre würde Frederic sie nicht zur Frau nehmen!

Aber betteln war im Moment völlig aussichtslos.

Es dauerte eine ganze Weile, dann erhob sich einer der Männer und kam hämisch grinsend zum Gitter. Vermutlich war er der glückliche Gewinner!

Als sich das Gitter quietschend öffnete und er in ihre Zelle trat, musste Sofia schlucken und nachdem die Tür wieder geschlossen war, begann der Mann sich langsam vor ihr auszuziehen.

Seine Unterarme hatten den Umfang ihrer Oberschenkel, sein Oberkörper war muskelbepackt und dicht behaart.

Der Mann trat nackt einen Schritt näher und zwischen seinen Schenkeln baumelte dabei etwas Bedrohliches.

„Du hast den Wunsch des Königs vernommen?", sagte der Mann mit dunkler Stimme.

Erneut musste Sofia schlucken. Kein Wort konnte sie mehr sagen und die Angst lähmte sie. Würde Xander noch einmal zurückkommen, um den Unhold zu stoppen? War das alles nur eine perfide Art von Drohung? Warum hätte er sich denn sonst völlig ausgezogen? Die Hose hätte doch auch gereicht!

In Gedanken flehte sie den Großvater um Gnade an.

Drei Schritte vor ihr baute sich der Mann auf und stützte die Arme in die Seiten.

„Du hast drei jungfräuliche Körperöffnungen! In welcher Reihenfolge soll ich dich nehmen?", fragte er sie grinsend.

War das sein Ernst!

Sofia fiel auf die Knie, um ihn zu bitten, sie zu verschonen, doch er entgegnete ihr: „Eine gute Wahl!"

Dann trat er an sie heran.

Für einen Moment verstand sie nicht, was er meinte. Kniend blickte sie nach oben und wollte um Erbarmen flehen, doch der

Blick aus seinen Augen ließ sie verstummen. Dieser Mann würde sie nicht schonen.

„Und jetzt öffne deinen Mund!", befahl er, als etwas ihren Unterkiefer von unten traf und er ihr mit beiden Händen am Hinterkopf in die Haare griff.

❧ ❧

Qualvolle Stunden später lag sie wimmernd auf der Seite in der Zelle und alles tat ihr weh! Der Mann hatte seine Drohung wirklich wahr gemacht und sie aus der knienden Position auf den Rücken gedrückt.

Der Schmerz in ihrem Schoß, als er zugestoßen hatte, der hatte sie schreien lassen. Vom Gitter aus hatten die anderen Männer ihn dabei auch noch angefeuert.

Zum Schluss hatte er sie wieder auf die Knie gezwungen und sie weiter geschändet, während ihr Gesicht von ihm in den Staub des Zellenbodens gedrückt worden war.

In diesem Staub lag sie jetzt gerade weinend und versuchte ihren nackten Körper mit dem zerrissenen Kleid notdürftig zu bedecken. Der Mann hatte sie gedemütigt!

Die Tränen verschleierten ihren Blick und das Quietschen der Gittertür ließ sie aufschreien. Doch es war kein Mann, der zu ihr trat, sondern eine rothaarige junge Frau, die sicher nicht viel älter war, als sie selbst.

„Hallo. Ich bin Radunta. Wenn ich Xander richtig verstanden habe, dann bin ich deine Tante!", sagte die Frau und kniete sich neben sie hin.

„Ich habe dir eine schmerzstillende Salbe mitgebracht, die ich gern auftragen würde!", erklärte Radunta.

„Danke dir", entgegnete Sofia schluchzend und richtete sich auf.

Raduntas streichelnde Berührung an dieser intimen Stelle ließ sie kurz zurückzucken, doch die Salbe half fast sofort und der Wundschmerz wurde weniger.

Der Schmerz ging, aber die Schande blieb!

12. Kapitel
Ein Blick in den Spiegel

Seit dem Aufbruch am Morgen war sie zusätzlich zum Knebel auch noch mit einer Augenbinde versehen worden. Somit hing sie eben blind auf dem Pferderücken. Es schüttelte sie mächtig durch, da sie damit auf die Bodenwellen nur noch schlecht reagieren konnte und der Boden war schon am vergangenen Abend zunehmend uneben geworden.

Kleinere Hügel hatten den Beginn des Gebirges verkündet und diese Augenbinde versprach das Zusammentreffen mit ihrem Vater schon für diesen Tag, denn Sandra hatte ihr einmal erzählt, dass kein Außenstehender den Aufenthaltsort des Khans kennen durfte.

Lunara war mehr als gespannt.

Ein Kribbeln war schon die ganze Zeit in ihrem Körper, aber inzwischen wurde es fast nicht mehr aushaltbar. So, als hätte sie in der Nacht in einem Ameisenhaufen gelegen und die Krabbeltiere reisten momentan auf ihr zu ihrem neuen Bau!

Was würde der Abend bringen?

Jählings sauste eine Erkenntnis durch ihren Körper, welche tief in ihrem Kopf geschlummert hatte. Sandra hatte ihr von den bizarren Riten der Tuck berichtet. Zum Beispiel davon, dass jeder Krieger den Kahn zum Zweikampf auffordern durfte.

Woher nahm sie da eigentlich die Gewissheit, dass Khan Archus noch lebte und sie nicht das Morgenmahl für einen wildfremden anderen Tuck sein würde?

Ein Präsent als eine unterwürfige Geste?

Das Geschenk eines Mannes für einen anderen?

Mit diesem Gedanken stritt die Freude auf den Vater mit der Angst um seine Sterblichkeit in ihr miteinander!

Nur das Leben des Vaters würden ihr selbst die Unversehrtheit garantieren.

Allerdings konnte sie momentan nichts mehr daran ändern, dass sie auf Donnerschlags Rücken dem Lager des Khans entgegengezerrt wurde.

Die Ameisen waren trotzdem fort und ballten sich in ihrem Hals zu einem Kloß zusammen.

Was wäre wenn?

Sie musste diese lähmenden Ängste loswerden! Unbedingt! In Gedanken sagte sie einen alten Abzählvers auf, den ihr die Mutter vor ewigen Zeiten beigebracht hatte, immer und immer wieder, bis die Ängstlichkeit gegangen war.

Neutrales Erwarten dessen, was sie bald erleben würde, setzte sich in ihrem Kopf fest.

Zumindest die Berge würde sie sehen können und hoffentlich würde sie in ein paar Jahren ebenso darüber berichten können, wie es die Mutter in so mancher Winternacht am Feuer gemacht hatte.

Vor ihren Augen waren wieder diese Gipfel, deren Bilder sie sich als Kind bei Sandras Beschreibungen gemacht hatte. Die Gebirgsmassive im Abendrot, hoch über der Ebene, mit einem Blick in unendliche Weiten!

Das Pferd schien langsamer zu werden und das Geräusch von erzählenden Menschen erreichte ihr Ohr, dann stoppte Donnerschlag und die Stimmen von Frauen waren ebenfalls zu vernehmen.

Das musste bedeuten, dass sie am Ziel war. Und was kam jetzt?

Die Augenbinde wurde ihr vom Kopf gezogen und sie erkannte viele Zelte auf einer kreisrunden Stelle. Unweit stieg ein Hang in den Himmel.

Eine Frau saß mit freiem Oberkörper direkt vor ihr an einem dieser Zelte und stillte ein Kind.

Einer der Reiter durchschnitt ihre Fesseln und hob sie vom Pferd.

Sich den Knebel aus dem Mund ziehend, blickte sich Lunara um. Mehr als zwei Dutzend Zelte standen in einem geräumigen Talkessel in den Bergen. Die Frauen und Männer liefen mit freiem Oberkörper herum und dabei fror sie schon im Kleid!

Die Reiter brachten die Pferde zu einem Durchgang, der wohl in ein benachbartes Tal führte.

Nur zwei Männer waren bei ihr geblieben, aber sie hätte ja sowieso nicht gewusst, wohin sie hätte gehen müssen und ohne Donnerschlags Schnelligkeit war ein Entkommen völlig ausgeschlossen. Zumal sie immer noch auf ein Treffen mit dem Vater hoffte.

Eine Männerstimme sagte hinter ihr: „Dann packt mal aus und zeigt, was ihr mir mitgebracht habt!"

Diese Stimme klang jung und melodisch.

Als sich Lunara zu ihm umblicken wollte, griff ihr einer der Männer mit beiden Händen vorn in das Kleid und fetzte es ihr mit einer einzigen Bewegung vom Leib. Es schmerzte, als der Stoff zerriss.

Instinktiv riss Lunara die Arme nach oben, um die Brüste zu bedecken, als ihr einfiel, dass sie wohl auch eine Hand unten lassen sollte.

„Nicht schlecht von hinten und wie sieht sie von vorn aus?", hörte sie die Stimme, als der Mann sie an der Schulter packte und zu sich umdrehte.

Ein junger Mann stand vor ihr, muskulös, gut aussehend und breitschultrig, aber am meisten fesselten sie seine Augen. Es war, als würde sie in einen Spiegel schauen. Das war nicht Archus!

Der Mann schnalzte mit der Zunge und Lunara brachte kein Wort heraus.

Dieser Krieger war höchstens so alt, wie sie. Oder etwa genauso alt? War das ihr Bruder, der sie für Archus begutachtete? Aber er hatte gesagt, sie wäre für ihn.

Bevor sie ihre Stimme wiedergefunden hatte, sagte er: „Sie gefällt mir. Ich nehme eure Wahl an! Bringt sie in mein Zelt!"

Er wandte sich von ihr ab und einer der beiden Reiter zog sie am Arm zu einem der Zelte am Rande des freien Platzes. Dort schubste er sie einfach hinein und schloss hinter ihr die Plane.

Die Geräusche der Zeltsiedlung blieben draußen.

Nackt schaute sich Lunara um, zog eine am Boden liegende Decke zu sich und warf sich diese um die Schultern.

In der Mitte des Zeltes brannte ein Feuer und es war angenehm warm in dieser Behausung. Dicke Teppiche an den Wänden versprachen auch angenehme Temperaturen im Winter. Die Ausstattung war spärlich und überschaubar, aber offensichtlich zweckmäßig. Das große Bett mit vielen Fellen nahm fast die Hälfte des Zeltes ein.

Jetzt dachte Lunara an die Worte des jungen Mannes. Er hatte etwas von einer Wahl gesagt. Was meinte er damit? Und war er wirklich ihr Bruder? Voller Fragen setzte sie sich auf den Rand des Bettes an das Feuer und wartete, was geschehen würde.

Unendliche Zeiten später erschien eine Frau, reichte ihr wortlos Brot, Wurst und Wein und verschwand, obwohl Lunara sie mehrfach zu fragen versuchte, was sie hier sollte.

Entweder durfte die Frau nichts sagen, oder sie wollte nicht. Und Lunara war ja in diesem Stamm eine Fremde, da schüttete man sicher auch nicht sofort jemanden das Herz aus.

Kauend setzte sie sich zurück auf die Bettkante. Was würde der Abend bringen? Und was die Nacht?

Sie begriff, wo sie saß, sprang vom Bett und setzte sich auf einen der Hocker. Zwar war auch sie kräftig, aber bei diesem Mann würde jeder Widerstand vergebens sein.

Sie würde ihr Schicksal annehmen müssen!

Er hatte eine Wahl gehabt. Sie wohl eher nicht!

13. Kapitel
Schlimmer als Tiere

Der Weg war ihr altbekannt, obwohl sie nicht sehr oft hinab zu den Kerkerzellen steigen wollte. Aus den Gesprächen von Xander und ihrer Mutter hatte Radunta erfahren, was mit ihrer Nichte dort unten wohl in der Zwischenzeit geschehen war.

Die Salbe war schnell gefunden und der Weg am Morgen frei. Sicherlich würde die Einreibung helfen, wenn es auch nur eine äußerliche Hilfe sein konnte.

Die Gewalt und die schlimmen Bilder davon konnte keine Salbe der Welt mehr aus dem Gedächtnis ihrer Nichte löschen.

Leichtfüßig eilte Radunta hinab und fand auch einen der Wachleute, der ihr die Tür zur Gefängniszelle aufschloss.

Ein Häufchen Elend lag am Boden, nur spärlich bedeckt. Die nackte, geschundene Haut der Nichte war durch einen Fetzen zu sehen, der wohl mal, bis zum Abend zuvor, ein wunderschönes Kleid gewesen war.

Ihr Vater war ein Unmensch! Niemand durfte einem anderen so etwas antun! Niemals! Unter keinen Umständen! Hätte sie nicht schon zuvor den Entschluss gefasst, der anderen Frau zu helfen, so wäre es dazu bestimmt jetzt gekommen.

Schnell war die Salbe aufgetragen und sie blieb noch einen Moment in der Zelle hocken, denn sie musste versuchen, die Nichte etwas abzulenken, damit das Mittel besser wirken konnte. Vielleicht half ein Gespräch?

Sie war die älteste der Töchter des Königs, die er mit Mildred, ihrer Mutter, hier hatte. Vor vielen Jahren hatte der König diese Burg besetzt, den Mann ihrer Mutter getötet und Mildred zu seiner Frau gemacht. Der Beweis dieser Inbesitznahme war sie, Radunta.

Sie war nicht wirklich ein Kind der Liebe, wohl eher die Frucht der Gewalt, obwohl die Mutter ihr gegenüber nie etwas dazu gesagt hatte.

„Warum hat er das getan?", fragte die andere Frau, die sich mit Sofia vorgestellt hatte.

„Er hasst deine Mutter so abgrundtief!"

„Aber ich kann doch nichts dafür. Ich bin geboren worden, als er schon lange hier war!", schluchzte Sofia.

Radunta musste sie einfach in den Arm nehmen. An ihrer Schulter weinte sich Sofia aus.

Die Verletzungen, die sie davongetragen hatte, waren ziemlich schwer und sicher auch sehr schmerzhaft gewesen.

Im nächsten Jahr würde Xander sie verheiraten wollen und im Moment grauste es ihr davor, solch einem Tier in die Hände zu fallen. Oder solch einem Menschen, denn dieser war schlimmer als ein Tier gewesen.

Bisher stand sie unter dem Schutz der Mutter, bis sie im nächsten Frühjahr neunzehn wurde und danach?

Saß gerade ihr eigenes Schicksal neben ihr? Das würde sie mit einem geeigneten Trunk zu verhindern wissen. Und sie musste noch etwas tun.

„Warte hier! Ich bin gleich zurück!", sagte sie und eilte davon.

Wenig später war sie mit einem Becher wieder zurück und drückte Sofia das Getränk in die Hand.

„Was ist das? Das stinkt ja widerlich!"

„Das sorgt dafür, dass sich der Samen des Mannes nicht in deinem Schoß verfängt!", erklärte Radunta.

Sofia hielt sich die Nase zu und schluckte das Gebräu ohne weitere Widerworte.

„Ich werde dir dann noch ein Kleid bringen lassen. Das da ist ja nicht mal mehr als Putzlappen zu gebrauchen!"

„Ich danke dir", entgegnete Sofia und gab ihr den Becher zurück.

Das Geräusch vieler Stiefel ließ sie beide zusammenzucken.

Ihr Vater baute sich vor dem Gitter auf und hatte seine Wachen dabei.

„Ich habe hier ein Schriftstück, das deine Mutter auffordert, im Gegenzug für deine Freilassung, das Königreich Mortunda wieder an mich zu übergeben. Unterschreibe es!", befahl Xander und hielt das Papier durch das Gitter.

Sofia zuckte bei seinen Forderungen regelrecht zusammen.

„Jetzt mach schon!", brüllte Xander sie an, als sie einen Moment länger dort sitzen blieb.

Nackt sprang sie auf die Füße, eilte zum Gitter und setzte kratzend ihre Unterschrift unter das Papier.

Eine ziemlich lange Locke von Sofias braunen Haaren schnitt Xander ihr auch noch einfach so ab.

„Sollte deine Mutter das ablehnen, so werden die acht Männer hier darum würfeln, in welcher Reihenfolge sie dich nehmen werden! Hast du mich verstanden?", blaffte Xander die Nichte an.

Ein klägliches „Ja" verließ den Mund der nackten und zitternden Sofia, die am Gitter stand und mit beiden Händen versuchte, ihre Blöße notdürftig zu bedecken.

„Und du da! Raus mit dir!", brüllte der Vater jetzt sie an.

Gemächlich erhob sich Radunta. Im Moment konnte ihr der Vater nichts tun.

„Ich bringe dir dann noch ein Kleid!", erzählte sie betont gemächlich und sah aus dem Augenwinkel, dass der Vater langsam die Beherrschung verlor, aber sie wusste ja, dass ihr nichts passieren konnte. Noch nicht!

Aber sollte sie ihr Schicksal so herausfordern?

Jetzt durfte sie nur keine Angst zeigen!

Betont gelassen ging sie auf die Gittertür zu, die der Wachposten vor ihr öffnete. Von draußen nickte sie Sofia zu und nahm noch einmal mit den Augen Maß. Eines ihrer Kleider dürfte passen!

Ebenfalls hervorgehoben langsam ging sie an den Männern vorbei. Alle acht waren loyale Gefolgsmänner von Xander und damit potenzielle Kandidaten dafür, im nächsten Frühjahr das mit ihr zu tun, was in der Nacht mit Sofia geschehen war.

Keinem dieser Kumpane wollte sie alleine im Dunklen begegnen müssen! Bärtige Gesichter und kräftige Hände, die ein Schwert gut zu führen wussten, und doch war einer darunter, der so etwas Furchtbares mit Sofia angestellt hatte.

Wer war es wohl gewesen?

Als sie die Reihe entlang gegangen war, sagte einer der Männer hinter ihr zu Sofia: „War deine Nacht so schön, wie meine?"

Sofia schrie panisch auf.

Die Männer lachten hämisch.

Radunta warf einen Blick über die Schulter zurück.

Es war Wolfger gewesen!

Radunta überlegte fieberhaft auf dem Rückweg zu ihrem Zimmer, welches Gebräu wohl am besten zu dieser Bestie in Menschengestalt passen würde. Vielleicht ein leckeres Abführmittel, damit auch seine nächste Nacht unvergleichbar werden würde!

Sie hatte da eine entsprechende Mischung vorbereitet. Geschmacks- und geruchlos, aber mit durchschlagender Wirkung.

„Na warte!", dachte sie, während sie ihr schönstes Kleid aus der Kiste nahm.

Sie strich noch einmal mit den Fingern darüber und zog die Falten glatt.

„Einer Prinzessin würdig!", sagte sie laut vor sich hin und drehte sich zur Tür.

Der Vater kam mit den Männern an ihrem Gemach vorbei.

„Wolfger, du Schwein! Ich kriege dich noch dran!", dachte sie und blickte zu ihrer Kräuterkiste.

Schnell eilte sie wieder hinab, aber der Posten durfte sie nicht mehr zu Sofia in die Zelle lassen.

Durch das Gitter reichte sie das Kleid hinein und nickte Sofia zu.

„Du musst gehen, bevor dich dein Vater hier sieht!", drängte sie der alte Kerkermeister Radaborg, der schon jahrzehntelang hier die Schlüssel verwahrte.

Nur widerwillig kam sie seiner Bitte nach und ging schließlich.

14. Kapitel
Bizarre Sitten

Lunara hatte ewig in dem Zelt gesessen, bevor der Mann am Abend endlich seine Behausung wieder betrat. So viele Fragen waren auf dem Weg in ihrem Kopf gewesen und momentan waren alle fort.

Lunara kam nicht umhin, ihn zu betrachten. Schön war er durchaus! Das Licht des Feuers funkelte in seinen Augen. Sie erhob sich und trat einen Schritt auf ihn zu.

„Wo ist Khan Archus?", kam die einzige Frage über ihre Lippen, die ihr Kopf ohne Verstand behalten hatte.

„Du kannst meine Sprache? Ich habe meinen Vater im letzten Herbst bei einem Zweikampf getötet und jetzt bin ich der Kahn!", erklärte er und begann sie zu umrunden.

Also doch! Das hier war ihr Bruder! Er musste es sein!

„Du bist recht hübsch und ich freue mich, dass du mir einen Sohn schenken wirst!", sagte er, hinter ihr stehend.

„Was?", fragte sie und fuhr herum.

„Das ist deine Aufgabe! Das, oder sterben!", erklärte ihr der Mann.

„Das geht nicht! Ich bin deine Schwester!", stieß sie entsetzt aus.

„Du lügst! Du kannst unmöglich meine Schwester sein! Ein Khan kann keine Tochter haben! Er muss sie töten! Sie und die Mutter, die ihm solch eine Schande antut!", erwiderte er.

„Schande? Eine Tochter ist doch keine Schande!", entgegnete Lunara.

„Für einen Kahn schon!", erklärte er und fuhr mit den Fingerspitzen durch ihr Haar, welches der Zopf aber noch zusammenhielt.

„Also? Warum lügst du? Hoffst du, damit deiner Pflicht zu entkommen?", erkundigte er sich.

Diese wundervollen Augen funkelten sie an!

Mit Kraft riss er ihr die Decke von den Schultern. Wollte er jetzt und hier seine Aufgabe beginnen? Das ging doch nicht! Niemals!

„Ich lüge nicht! Ich bin einen Atemzug älter als du! Wir waren Zwillinge! Archus hat mich und meine Mutter am Leben gelassen und dich behalten!", stieß sie schnell aus.

„Davon hat mir mein Vater nichts gesagt!", antwortete der Bruder und musterte sie ziemlich aufmerksam.

Lunara hob ihren Arm schützend vor ihre Brüste und sagte danach: „Vielleicht war die Schande zu groß für ihn gewesen!"

„Wie ist dein Name?", begann er und streifte mit seinen Fingerspitzen ihren nackten Bauch.

Eine Gänsehaut rollte über ihren Rücken, aber es war ein wohliger Schauer, keine Angst. Diese zärtliche Berührung war ganz anders, als sie es erwartet hatte.

Fragend blickte er sie an.

„Lunara! Und deiner?", antwortete sie schließlich.

„Khan Dodarus! Dein Name bedeutet in unserer Sprache, die, die den Weg zur Wahrheit kennt! Sagst du wirklich die Wahrheit?", erwiderte Dodarus.

„Ja!"

Erneut begann er, sie zu umrunden. Hinter ihr stehend löste er ihren Zopf und strich danach mit den Fingern durch ihr Haar. Offensichtlich überlegte er, was zu tun war.

„Was wird jetzt werden?", fragte sie nach einer Weile.

„Das sagte ich dir doch schon!"

„Was?"

„Du schenkst mir einen Sohn!", setzte Dodarus ihr entgegen.

„Aber", entfuhr es ihr.

„Kein aber! Gehorche!"

Er packte sie bei den Schultern und sie erblickte erneut das Funkeln in seinen Augen. Da war wieder dieser Spiegel, in dem sie sich verlieren konnte.

Aber sie durfte das doch nicht! Das war unmöglich! Trotzdem sauste da so ein seltsames Gefühl durch ihren Leib.

„Bitte erkläre es mir!", forderte sie.

Dodarus zog die Luft ein, ließ die Hände sinken und trat einen Schritt zurück. Seine Augen taxierten ihren nackten Körper und auch das fühlte sich sonderbar an. Ungewohnt, aber nicht unangenehm.

„Die alten Riten unseres Stammes schreiben vor, dass die Männer für den Khan eine Frau suchen und dieser mit ihr auf den Berg steigt, um dort einen Sohn zu zeugen. Er darf die Wahl einmal ablehnen. Nimmt er aber an, so gibt es keinen Ausweg mehr. Macht er dann einen Rückzieher, so kann ihn jeder zum Zweikampf fordern!"

„Hast du so unseren Vater bezwungen?", fragte sie.

Dodarus nickte.

„Und was ist, wenn sich die Frau weigert?", erkundigte sie sich jetzt.

„Dann muss er sie töten und kann wieder ein Jahr als Khan die vereinigten Stämme führen!"

„Dann blieben mir als Alternativen nur, der Tod oder mich dir dort oben hingeben?", bemerkte sie fast unhörbar, nur für sich.

Der Bruder nickte und trat noch einen Schritt zurück.

„Du hast eine Nacht Bedenkzeit. Ich lasse dich in diesem Zelt alleine, denn auch ich muss mich vorbereiten. Mein Platz wird in dieser Nacht bei unserem Schamanen sein, der Morgen auch unsere Verbindung für den Stamm bezeugen wird. Oder deinen Tod!", erklärte der Bruder.

Dodarus trat an den Ausgang des Zeltes und wandte sich, mit der Hand an der Plane, zu ihr zurück und sagte: „Dir eine angenehme Nacht zu wünschen, das wäre wohl jetzt nicht richtig. Es ist deine Wahl. Ich habe meine bereits getroffen und ich bereue sie nicht. Du bist wirklich wunderschön!"

Dann ging er und ließ sie ratlos zurück.

Nackt mitten im Zelt stehend rangen zwei Gedanken in ihrem Körper miteinander: Er war ihr Bruder und da durfte man doch nicht das Lager miteinander teilen, aber er war ein Mann und gefiel ihr auch noch ausgesprochen gut.

Dieses: „Das darfst du nicht!", und ein: „Ich möchte das aber!", hielten sie im Griff.

Und dazu noch die Wahl: Leben oder Tod!

Dodarus hatte ihr eindeutig eine Entscheidung gelassen. Nur wie sah diese aus?

Er würde zumindest mit seiner Vermutung recht haben, dass es keine angenehme Nacht für sie werden würde.

Sich ihm hingeben und leben, oder sich verweigern und sterben.

Dem Gewissen folgen oder dem Bauch, in welchem es so schön kribbelte, wenn sie nur an seine Augen dachte.

Es wäre doch so einfach, wenn sie der Kopf nicht ständig anbrüllen würde!

Lunara hob die Decke auf, legte sich diese wieder um die Schultern und setzte sich zurück an das Feuer.

Mit dem Blick in die Flammen hoffte sie, eine Antwort auf diese Ungewissheit zu erhalten. Auf eine Frage, die über ihr Leben entscheiden würde.

Hätte sie doch nur beim Zusammentreffen mit ihm gleich gesagt, dass sie seine Schwester war, dann hätte Dodarus diese Wahl seiner Leute ablehnen und sie einfach ganz normal wieder fortschicken können.

Doch jetzt saß sie in einer Falle zwischen Kopf und Bauch.

Die Mutter hatte ihr früher mal gesagt: Augen zu und durch, aber das war damals etwas anderes.

Die andere Frau betrat leise das Zelt und brachte ihr einen Rock, den sie wortlos auf das Bett legte.

„Ich danke dir!", erklärte Lunara und die Frau nickte nur.

Ohne eine einzige Silbe verschwand die Frau aus dem Zelt und Lunara blieb erneut ratlos mit ihren Fragen zurück.

Der Blick in das Feuer konnte nicht alle ihre Zweifel verbrennen.

Auf dem Weg hierher hatte sie sich gewünscht, den Bruder kennenzulernen, aber jetzt würde sie ihm näher sein, als sie es erwartet hatte.

Und den Vater würde sie niemals treffen können, weil der Bruder ihn getötet hatte.

Welche bizarren Sitten es doch hier gab!

Der Sohn tötet den Vater und schläft danach mit der Schwester, um mit ihr einen Sohn zu zeugen!

Seufzend ließ sich Lunara auf das Lager zurückfallen.

15. Kapitel
Hoffnung stirbt nicht!

Weinend kniete Sandra von dem Altar der großen Göttin in der Burg. Tage zuvor hatte Zondala ihr von Sofias Verschwinden berichtet und jetzt hatte dasselbe Unglück auch sie erreicht. Verletzt war Lisa am Abend zuvor wieder in der Burg eingetroffen und hatte ihr erzählt, dass die Tuck Lunara mitgenommen hatten.

Warum musste sich das Schicksal nur so grausam wiederholen?

Noch viel zu gut erinnerte sie sich an die Schmerzen, obwohl es zwanzig Jahre her war. Der lange verdrängte und schon fast vergessen geglaubte Schmerz kam wieder hoch. Was würde der Tochter geschehen?

Wenn sie Archus in die Hände fiel, dann waren ihre Tage sicher gezählt, wenn sie überhaupt noch am Leben war. Und Sandra konnte so überhaupt nichts für sie tun!

Nichts, außer zu beten, dass Archus eventuell die Tochter verschonen und zu ihr zurückschicken würde.

Selbst der Himmel über ihr hatte sich verdunkelt. Am Tag zuvor war noch der hellste Sonnenschein gewesen und jetzt schien es so, als ob auch das Himmelsgewölbe weinen wollte.

Ihr sorgenvoller Blick ging nach Süden, denn irgendwo dort befand sich Lunara jetzt, doch niemand konnte wissen, wo das genau war.

Sandra hatte in den neun Monaten ihres Aufenthaltes dort genug von der Sprache der Tuck aufgeschnappt und diese der Tochter beigebracht. Früher hatte sie Zweifel gehabt, ob sie das tun sollte, doch gerade war sie froh darüber, denn somit konnte Lunara den Männern erzählen, wer sie war.

Lisa kam zu ihr gehumpelt und legte ihr die Hand auf die Schulter. Es spendete einen Trost und doch war der Schmerz tief in ihrer Brust.

Eine neue Frage brandete durch ihren Geist: Wieso waren die Tuck eigentlich so weit im Norden gewesen? Und weshalb schon am Tag nach dem Erntefest? Es ergab keinen Sinn, denn es hätte ja sein können, dass das Korn noch auf dem Feld gewesen wäre!

Bisher hatten die Überfälle immer erst zwei Wochen nach diesem Fest begonnen. Deshalb hatte Sandra ja auch zum schnellen Aufbruch gedrängt, denn in Waldonien wäre die Tochter für die Reiter unerreichbar und vor ihnen sicher gewesen.

Nur ein einziges Mal war der Überfall am Tag des Erntefestes gewesen: Genau in jenem Jahr, das ihr Leben so gravierend verändert hatte.

Lag darin eine Absicht?

„Warum nur, große Göttin?", fragte Sandra laut, aber die geschnitzte Statue der Gottheit gab ihr keine Auskunft.

Sandra erhob sich schwankend und Lisa umarmte sie.

„Die Göttin wird ihre Hand über deine Tochter halten. Da bin ich mir ganz sicher!", erklärte Lisa.

„Und warum hat sie das nicht bereits auf dem Weg getan?", entgegnete Sandra und schluckte die Tränen herunter, die ihre Stimme belegt hatten.

„Es muss einen Grund geben, warum Lunara jetzt dort ist! Die Männer haben sie mitgenommen und sich nicht bereits dort an ihr vergangen, wie es mir und den anderen Frauen in der Siedlung geschehen ist!", antwortete Lisa.

Die schrecklichen Bilder des Überfalles kamen wieder hoch und ließen Sandra zittern. Ihre Wunden schienen geheilt gewesen zu sein, doch augenblicklich brachen diese wieder auf.

Die größte Wunde war in ihrem Herzen geblieben und das zog sich gerade krampfartig zusammen!

Es nahm ihr den Atem und sie fasste sich stöhnend an die Brust.

Die Frage nach dem Warum war im Moment nicht wichtig, nur die Frage, ob es Lunara gut ging, die zählte und obwohl die Tochter ewig weit fort war, spürte Sandra, dass dem so war.

Oder waren das nur der Wille und ihr Kopf, die ihr dies erzählen wollten?

Gemeinsam gingen die beiden Frauen zum Haupthaus der Burg hinüber. Aufeinander gestützt war dieser Weg unglaublich lang.

Alles erinnerte sie an Lunara! Der Stall, die kleine Schaukel, die Reinhold damals für sie hatte bauen lassen, und die bemalte Wand der Scheune, an der sich Lunara vor mehr als zehn Jahren mit Farbe und Pinsel ausgetobt hatte.

Sie hatte Reiter auf Pferden und viele verschiedene Tiere gezeichnet.

Vor dieser Wand stand Sandra jetzt und dachte all die Jahre zurück.

Die Ablehnung der Menschen, die Lunara wegen ihres fremdländischen Aussehens schon als Kind hatte spüren müssen, die hatte sie den Tieren näher gebracht. Sie war mit Pferden, Eseln und Hunden aufgewachsen. Hatte verletzte Vögel, Hasen und Igel gesundgepflegt und eine Distanz zu anderen Menschen wahren lassen.

Erst in den letzten Jahren war diese seelische Ferne geschmolzen, doch so richtig verschwunden war sie nicht.

Lunara war hier eine geduldete Person gewesen, weil Reinhold sie als Tochter akzeptiert hatte.

Doch sie war ein Kind der Steppe gewesen.

Jetzt war sie eventuell dort, wo man sie anerkannte. Vielleicht hatten die Männer der Tuck sie nur mitgenommen, weil sie gedacht hatten, sie wäre eine der ihrigen.

Vielleicht fand sie dort ihr Glück?

Wenn der Vater seine Hand schützend über sie hielt, ganz sicher und daran klammerte sich jetzt ihre Hoffnung.

Sandra trat an das Bild, von dem Lunara ihr damals erzählt hatte, dass es ihren Vater darstellen würde.

„Bitte Archus, passe auf sie auf!", bat sie das Gemälde.

Tief in sich vernahm sie die Stimme der Tochter, die ihr sagte: „Habe Vertrauen, Mama! Mir geht es gut!"

Damit war es an der Zeit, der Freundin zu helfen und deren Wunden zu heilen. In ein paar Tagen konnte sie dann höchstwahrscheinlich damit beginnen, das zu tun, was sie damals versäumt hatte.

Sandra hatte den Schmerz in sich verschlossen und der war immer noch in ihr.

Mit Lisa würde sie reden müssen, denn die Freundin wusste noch nicht, was Sandra bereits begriffen hatte: Die eigentliche Wunde ging tiefer, als die Kratzer auf der Haut.

Aber es gab diesen kleinen Funken Hoffnung, dass diese Wunde in ihrem Herzen heilen konnte.

Lisa stützend, setzte sie ihren Weg fort. Gemeinsam stiegen sie nach oben. Der erste Schritt war, die Verletzungen des Körpers zu heilen. Im zweiten Schritt kam die Seele dran und Sandra war jetzt bereit, diesen zweiten Schritt zu gehen.

Gemeinsam mit Lisa.

Und vielleicht war das Verschwinden der Tochter einfach nur ein Wink der großen Göttin, dass es Zeit zur Heilung war!

Durch das Fenster des Raumes sah sie, dass draußen der Regen eingesetzt hatte. Er würde den Staub aus der Luft spülen, so wie die Tränen den Kummer aus der Seele auswaschen konnten.

Doch diese wirklich tiefe Qual musste erst mal rauskommen, bevor die Tränen sie erreichen konnten.

16. Kapitel
Pfad des Herzens

Nicht einen einzigen Moment hatte Lunara in dieser Nacht die Augen schließen können. Soeben konnte sie über sich, in der Öffnung des Rauchabzuges, den Lichtschein des neuen Tages erspähen. Die Sonne hatte die Schatten der Nacht vertrieben, aber die Dunkelheit in ihren Gedanken hatte sie damit nicht ausgelöscht.

Noch immer wusste Lunara nicht, was sie tun sollte.

Sich verweigern und sterben, oder es zulassen und leben.

Leben oder Tod, das war doch eigentlich ganz einfach.

Eigentlich!

Wenn sie wirklich mit ihrem Bruder das Lager teilte, dann konnte sie der Mutter nie wieder unter die Augen treten und wenn sie den Tod wählte, dann würde sie Sandra nicht mehr wiedersehen.

Was blieb ihr eigentlich für eine Zukunft?

Sie würde in beiden Fällen für den Rest ihres Lebens hier bleiben müssen. Und bei einer Verweigerung wäre das hier ihr letzter Tag.

„So ein Mist!", stöhnte sie auf, erhob sich vom Bett und setzte sich zurück an das niedergebrannte Feuer.

Mit ein paar Holzscheiten entfachte sie die Flammen aus der Glut und dachte dabei an ihren Bruder.

Er war wirklich sehr schön und stattlich. Und seine Augen waren der Hammer, aber er war ihr Bruder! Wenn er das nicht gewesen wäre, dann hätte sie kein Problem damit gehabt, sich ihm freudig hinzugeben!

Konnte sie einfach die Augen schließen und nicht daran denken, dass sie schon einmal neun Monate lang nackt Haut an Haut mit ihm gelegen hatte?

Und bei diesen Überlegungen war dann auch dieses warme Gefühl in ihren Bauch als Entscheidungshilfe nicht sehr förderlich.

Wenn er hässlich gewesen wäre, oder sonst irgendwas, vielleicht gewalttätig ihr gegenüber, dann hätte sie sich selbst sagen können: Ich hatte keine Wahl!

Aber so?

Er hatte ihr ja diese Entscheidung gelassen. Warum nur?

Hätte er sie nicht einfach nur packen, auf das Lager werfen und zustoßen können?

Lunara blickte sich um und ihr Haar fiel ihr in die Stirn. Dodarus hatte es ihr am Abend gelöst und jetzt suchte sie einen Kamm, um diese lange Mähne wieder zu bändigen.

Die junge Frau vom Abend zuvor trat in das Zelt und brachte eine Schüssel.

„Kannst du mir bitte einen Kamm bringen?", bat sie die Frau und nahm ihr das Frühmahl aus der Hand.

Die Frau griff in einen Beutel an ihrem Gürtel und zog einen geschnitzten Holzkamm hervor, der wirklich wunderschön aussah.

„Soll ich dir helfen?", fragte sie mit einer melodischen Stimme.

Lunara hatte schon geglaubt, dass die andere Frau nicht sprechen konnte, doch jetzt antwortete sie ihr: „Das wäre nett von dir!"

In Gedanken versunken aß sie das Mahl, während die andere Frau ihr wortlos das Haar kämmte.

Gerade hätte sie etwas fragen oder erzählen können, doch Lunaras Gedanken hingen bei dieser einen Entscheidung fest. Und sie kam davon nicht los! Die Frau würde ihr da sicher auch nicht helfen können, denn sie war ja nicht in dieser verzwickten Lage!

„Du blöder Kopf! Lass los!", stöhnte sie.

Die andere Frau fragte: „Was bedrückt dich? Dass du da auf den Berg musst?"

„Ja und nein! Es ist mein Gewissen, dass mich plagt!", entgegnete Lunara seufzend.

„Wenn man jeden Tag ums Überleben kämpfen muss, dann kann man sich kein Gewissen leisten!", antwortete die Frau leise und trat vor sie hin.

„Und ich habe momentan das Problem, dass ich, wenn ich meinem Gewissen folge, heute sterben werde", erklärte Lunara.

„Willst du denn nicht leben? Warum wirfst du dein Leben fort? Wegen deines Gewissens?", fragte die Frau und schüttelte missbilligend den Kopf.

Es war wohl irgendwie schwierig ihr diese Situation zu erklären und eine Antwort von ihr zu erhalten. Oder hatte ihr die Frau gerade schon diese gegeben?

„Wie ist dein Name?"

„Sejla"

„Ich danke dir, Sejla. Du hast mir gerade sehr geholfen!", antwortete Lunara.

„Wenn du dich für das Leben entscheidest, so bin ich für die nächste Zeit deine Gehilfin", setzte Sejla hinzu und zeigte auf den Rock, den sie am Vorabend auf das Bett gelegt hatte.

Diese stumme Geste bedeutete wohl so etwas wie: „Es ist an der Zeit!"

Lunara nickte und erhob sich.

„Dein Halsband, welche Bedeutung hat es?", fragte sie über die Schulter.

Sejla antwortete: „Es kennzeichnet mich als Eigentum des Kahns. Du wirst ein ebensolches erhalten, wenn er dich holen kommt! Nur mit diesem Zeichen kannst du dich unbehelligt im Lager bewegen!"

Noch mehr sonderbare Sitten!

Offensichtlich war, wenn sie Sejlas Worte richtig gedeutet hatte, jede Frau ohne Halsband Freiwild für die Männer. Das sagte wohl mehr über den Zusammenhalt innerhalb des Stammes aus, als alle Gelehrten von Mirento hätten wissen können.

Mit einer Verbeugung ging Sejla aus dem Zelt und ließ sie erneut sprachlos zurück.

Lunara legte die Decke ab, nahm das Kleidungsstück und hielt es sich an. Ein ganz normaler knielanger Rock in einer bunten Farbe. Blumen und Vögel waren darauf abgebildet. Er war wirklich sehr schön, aber das würde ihr einziges Kleidungsstück sein.

Auch Sejla trug nur einen solchen Rock. Das entsprach wohl damit auch ihrer Schilderung. Rock und Halsband würden von jetzt an genügen.

Gewöhnungsbedürftig!

Bisher hatten die Männer in Wiesenland die Frauen immer mit Respekt behandelt. Sie waren Gefährtinnen, Freundinnen, Geliebte und Kameradinnen.

Und bei den Tuck? Entweder Gegenstand oder laufender Schoß!

Lunara schnaubte und zog sich den Rock an. Sie würde den Kopf abschalten und dem Herzen folgen.

Dodarus betrat das Zelt und er hatte das erwartete rote Band dabei, welches er ihr sofort um den Hals legte.

„Wie ist deine Wahl ausgefallen?", fragte er, offensichtlich wollte er schon jetzt ihre Antwort haben, obwohl sie ja noch viel Zeit haben würde, um sie ihm zu geben.

War er genauso, wie die Männer seines Stammes? Oder hatte das Blut der Mutter in ihm für etwas Mäßigung gesorgt?

Die Rücksicht und Anteilnahme des Vorabends ließ sie darauf hoffen.

„Ich möchte leben und dir einen Sohn schenken!", erklärte sie und ging auf ihn zu.

Lunara erspähte für einen Wimpernschlag das freudige Blitzen in seinen Augen, dann trat er zur Seite, zog die Plane zurück und gab ihr den Weg nach draußen frei.

Dutzende Menschen standen dort vor dem Zelt und bildeten eine Gasse, durch die sie schreiten sollte. Am anderen Ende stand ein Mann mit einem weißen Bart und einer Mütze, an deren beiden Seiten die Hörner einer Kuh befestigt waren.

Vermutlich war dies der Schamane.

An der Seite ihres Bruders ging sie zu dem Mann und verbeugte sich vor ihm, wie es Dodarus ebenfalls tat.

Dodarus nahm sie auf die Arme, der Schamane verband ihr die Augen und sie hörte den Jubel der Menschen rings um sie herum.

Jetzt würde sie dem Weg ihres Herzens folgen müssen, aber ein bisschen mulmig war ihr schon dabei.

17. Kapitel
Mutter oder Königin

*D*ieser Brief hatte eingeschlagen, wie ein Blitz aus heiterem Himmel. Zondala ließ das Blatt sinken und sah zum Fenster hinüber. Zwar hatte sie vermutet, dass der Vater irgendwo noch lebte, aber diese Zeilen hatten ihr die Gewissheit gegeben, dass er hinter dieser Sache steckte und sich Sofia momentan in seiner Gewalt befand.

Und er hatte es nicht auf die Tochter abgesehen, sondern auf sie. Nach all den Jahren war seine Wut immer noch nicht verflogen.

Schwarz auf Gelb stand hier: „Übergib mir dein Reich!"

Und er hatte noch nicht einmal dazu gesetzt, dass er im Austausch dafür die Tochter wieder freilassen würde. Die abgeschnittene Haarsträhne war vermutlich das Letzte, was Zondala jemals wieder von Sofia sehen würde.

Bis gerade eben hatte sie noch die Hoffnung, dass irgendein Freibeuter nur einen Sack voller Münzen haben wollte, jetzt war ihr klar, dass die Tochter vermutlich schon nicht mehr lebte.

Oder doch? Vielleicht! Und an dieses Wort klammerte sie sich jetzt.

„Ich werde eine Antwort finden! Kommt in einer Woche zurück!", sagte sie laut.

Der Bote verneigte sich und ging.

Kaum war er aus dem Raum, ließ sie nach Barbara schicken.

Unendlich lange dauerte es, bis die Freundin im Zimmer eingetroffen war.

Sie würde Barbara nicht sagen, dass es ihr Vater war, der Sofia entführt hatte. Der Hass auf Xander, der immer noch in Barbara steckte, würde die Heerführerin vielleicht zu einer unkontrollierbaren Reaktion verleiten.

„Ich habe eine Nachricht erhalten. Der König von Brilarum hat Sofia in seiner Gewalt und fordert von mir, dass ich ihm unser Königreich übergebe. Nimm dir so viele Kämpfer, wie du brauchst und mache dich auf den Weg! Hole mir meine Tochter zurück und zeige ihm, dass man mit uns nicht spaßen kann!", wies sie Barbara an.

„Das werde ich tun!", entgegnete Barbara und eilte aus dem Raum.

Zondala folgte ihr mit dem Blick und überlegte, was noch zu tun war. Es war wahrscheinlich, dass Xander es nicht nur darauf beruhen ließ, sie mit Sofia zu erpressen. Er wollte sie schließlich vor sich auf den Knien sehen!

Vielleicht würde der Vater einen neuen Angriff auf die Burg wagen und daher war etwas Vorbereitung nötig.

In den vergangenen Tagen hatte Barbara die Wachen auf das Doppelte aufgestockt. Gerade sah sich Zondala genötigt, noch mehr Kämpfer in die Burg zu holen. Wie viele würden wohl genügen?

Xander hatte als König geschrieben und besaß eine ansehnliche Flotte von kleinen Kaperschiffen.

Hundert Kämpfer konnte die Burg sicher verteidigen, aber besser wären zweihundert! Und während Barbara ihre Männer und Frauen zusammenzog, schickte Zondala ein paar Boten aus, um die benötigten Kämpfer in die Burg zu beordern.

Damit berief sie dann allerdings den Schutz von den Dörfern ab!

Es war ein riskantes Spiel, denn noch immer brannten des nächtens die Häuser an der Küste.

Offensichtlich wollte Xander ihre Kräfte zersplittern und sie zwingen, sich zu verzetteln. Vielleicht wäre ein konzentrierter Stoß gegen den Vater da die richtige Antwort?

Gewalt gegen Gewalt!

Hinüber setzen und Xanders Räuberbanden auf dem Festland der Insel Brilarum zerschlagen, denn dort würden ihnen die schnellen Boote nicht helfen.

Oder erwartete Xander genau das? Seine Taktik bisher ließ dies nicht ersehen.

Hätte sie Barbara dennoch warnen sollen? Oder lief die Freundin nun sehenden Auges in eine Falle?

Zondala würde der erfahrenen Heerführerin einfach vertrauen müssen und im Moment krampfte sich ihr Mutterherz viel zu sehr zusammen.

Es tat so unglaublich weh, Sofia nicht helfen zu können. Und alles, was sie tun konnte, das würde der Tochter nicht von Nutzen sein. Selbst wenn Zondala auf Knien nach Brilarum rutschen würde, würde Xander sie nicht aus ihrer Rache entlassen. Sein Hass auf sie hatte sich jetzt auch auf Sofia erstreckt und sicherlich demnächst auch auf den Rest der Familie, wenn Sofia ihm erzählen würde, dass sie noch einen Bruder und eine Schwester hatte.

„Andreas! Franziska!", rief Zondala und die beiden Kinder kamen zu ihr gelaufen.

„Ab sofort verlasst ihr die Burg nicht mehr!", legte sie fest.

„Aber ich will auf die Blumenwiese!", quengelte Franziska.

„Und mein Pferd? Soll ich im Burghof reiten?", fragte Andreas.

„Ihr wisst, dass Sofia verschwunden ist? Ich will nicht, dass euch beiden dasselbe passiert!"

„Ach, Mama!", jammerte die Tochter.

„Schluss!", wies Zondala sie an und gab der Amme die Weisung, auf die beiden Kinder aufzupassen. Der Schutz der Kinder hatte jetzt die höchste Priorität. Zumindest bis zu jenem Moment, wenn Barbara zurückkommen würde, um ihr den Tod des Vaters und Sofias Befreiung zu verkünden.

Mühsam schob sich Zondala aus dem Stuhl. Gerade jetzt war auch noch Achim bei den Verhandlungen mit dem Königreich Cenobia und sie hätte seine Schulter zum Anlehnen gerade so sehr gebraucht.

Es war nicht so einfach, immer die starke Frau zu sein. Sie wollte sich im Moment verkriechen, aber die Audienz mit den Menschen von Mortunda stand an. In wenigen Augenblicken würden wieder Regierungsgeschäfte auf die Königin zukommen und damit würde die Mutter eine Weile in den Hintergrund treten müssen, obwohl sie ja alle Menschen hier mehr als ihre Kinder sah.

Da war es wohl die schwerste Entscheidung, auf Sofia zu verzichten, damit es den anderen besser ging.

Welche Mutter konnte schon solch eine Wahl treffen?

„Frau Königin?", fragte eine der Zofen hinter ihr.

Zondala hatten den Blick noch aus dem Fenster gerichtet. Dort unten sattelte Barbara gerade ihr Pferd, um die Tochter zu retten. Und das ganze Königreich.

„Viel Glück!", flüsterte sie und drehte sich zur Zofe um.

Die Frau hatte den Mantel für die Audienz in der Hand.

Einen Moment später war Zondala auf dem Weg in den Thronsaal. Für ein paar Stunden musste sie wieder stark sein, denn niemand sollte ihre Schwäche sehen. Wenn Xander davon erfahren würde, dann hätte er gewonnen, denn eine schwache Königin wollte keiner haben.

Erst am Abend würde sie sich in ihrem Bett die Decke über den Kopf ziehen und ihre Tränen würden erneut das Betttuch durchtränken.

Mit hocherhobenen Kopf betrat sie den Raum, alle machten eine Verbeugung und Zondala setzte sich. Mit einer Handbewegung holte sie die erste Bittstellerin zu sich.

18. Kapitel
Schmerz und Lust

*D*er Weg war unendlich lang gewesen, zumindest hatte es sich für Lunara so angefühlt, denn Dodarus hatte sie auf der ganzen Strecke getragen und nicht ein einziges Mal abgesetzt.

Momentan hatte sie wieder festen Boden unter den Füßen und der Bruder löste ihr die Augenbinde. Offensichtlich sollte niemand den Pfad zu diesem heiligen Platz kennen, außer dem Khan und seinem Schamanen.

Kurz kniff sie die Augen vor der gleißenden Helligkeit zusammen, bevor sie sich umsah.

Der alte Mann tanzte vor ihr auf der Spitze des Berges herum und es war ein Plateau, das aussah, als hätte jemand die Bergspitze mit einem Messer gekappt.

Dodarus trat zu dem Schamanen und sie ließ ihren Blick weiter umherschweifen. Es war ein Platz, hoch oben in den Bergen und von hier aus konnte sie die Ebene weit überblicken. So ähnlich hatte es Sandra ihr damals beschrieben.

Offenbar war dies die Stätte, an welcher sie gezeugt und geboren war! Sogar der kniehohe steinerne Tisch, den die Mutter in ihren Erzählungen ein paar Mal erwähnt hatte, befand sich hier, nur zehn Schritte von ihr entfernt.

Es war ein seltsames Gefühl, an diesem Ort zu sein, an dem ihr Leben begonnen hatte und an welchem das der Mutter eine solche Wendung genommen hatte. Zwanzig Jahre musste das her sein. Vermutlich auf den Tag genau!

Es mochte früher Nachmittag sein, denn die Sonne stand hoch über ihr. Die Mutter hatte ihr damals von der Abenddämmerung erzählt. Offensichtlich machte Dodarus es anders.

Der Bruder kam freundlich lächelnd auf sie zu und reichte ihr einen Trinkschlauch.

Lunara nahm einen großen Schluck von dem Getränk und es war ein starker Wein, der ihr sofort in den Kopf stieg. Vielleicht sollte er die Angst von ihr nehmen, denn er sorgte für eine leichte Benommenheit.

Und er half dabei auch noch für etwas anderes, denn da mit ihm der Kopf die Kontrolle verloren hatte, begann sie rein instinktiv zu reagieren.

Nachdem sie dem Bruder den Schlauch zurückgegeben hatte, spürte sie, wie sich ihr Blut in ihrem Schoß sammelte. Sie konnte ihren Herzschlag dort spüren. Es pochte so unglaublich stark darin! Ohne dass er sie dazu aufgefordert hätte, streifte sie sich den Rock ab und trat einen Schritt nach vorn.

Die Sonne schien ihren Körper aufzuheizen, denn es wurde ihr fast unerträglich heiß.

Oder war das die Wirkung des Weines?

Der Schamane kam auf sie zu und nahm den Weinschlauch von Dodarus an sich. Dann trat der alte Mann zur Seite und gab für Lunara den Weg zu diesem steinernen Tisch frei.

Seine Handbewegung sollte sie wohl dazu auffordern, sich daraufzusetzen und sie kam dem sofort nach.

Der warme Tag hatte auch diesen Stein erhitzt.

Über die Schulter blickte sie zu den beiden Männern zurück, die am Anfang des Felsplateaus stehen geblieben waren. Worauf warteten die beiden denn? Sie war hier und endlich bereit, das zu tun, wovor sie sich die ganze Nacht gefürchtet hatte.

Mit der Hand strich Lunara über den Platz ihrer Geburt.

Der alte Mann vollführte irgendwelche komischen Rituale und sie konnte es soeben eigentlich nicht mehr erwarten, dass Dodarus endlich zu ihr kommen würde.

Schließlich streifte er sich die Hose herunter und legte diese zu ihrem Rock.

Am Tage zuvor hatte sie ja schon seinen Oberkörper bewundert, doch Dodarus war auch unten rum sehr ansehnlich. Allerdings fehlten ihr da die Vergleichsmöglichkeiten. Mit der Mutter hatte sie damals, als sie das Fest zur Aufnahme in den Bund der Frauen gefeiert hatte, darüber geredet, was jetzt auf sie zukommen würde.

Und im Moment kam ihr eigener Bruder auf sie zu!

Seine breite Brust war kaum behaart und vom Nabel zog sich ein dünner Strich von Haaren nach unten. Dieser zeigte auf etwas, was beachtlich aussah. Direkt vor ihr blieb er stehen und sie hatte seine Leibesmitte unmittelbar vor den Augen.

Lunara wollte sich zurückfallen lassen, um ihm den Zugang zu ihrem Schoß zu gewähren, als er sie an der Schulter festhielt.

Der Schamane trat zu ihnen und Dodarus bedeutete: „Knie dich hin, den Bauch flach auf dem Stein!"

Lunara erhob sich, drehte sich um und begab sich in die gewünschte Position.

Der Bruder kniete sich hinter sie, schob ihre Beine ein Stück auseinander und drückte kurz darauf gegen ihren Schoß.

Er hielt sie an den Hüften fest, stieß unvermittelt zu und Lunara spürte, wie irgendetwas in ihr zerriss. Trotz der betäubenden Wirkung des Weines schrie sie ihren Schmerz heraus.

Dodarus verharrte für einen Augenblick tief in ihrer Scheide, bevor es sich in ihr zu bewegen begann.

Dieses Gefühl war ungewohnt, aber ebenfalls nicht unangenehm. Nur der Schmerz seiner tiefen Stöße war irritierend. Jetzt war Lunara wirklich eine Frau!

Sie erspähte aus dem Augenwinkel, dass der Schamane ging und bemerkte, dass Dodarus sich anschließend aus ihrem Unterleib zurückzog.

Fragend blickte sie über die Schulter zurück. War es das schon gewesen?

Dodarus erhob sich und sie erblickte die mit ihrem Blut benetzte Spitze seines prallen Gliedes, das gerade noch in ihr gesteckt hatte.

„Jetzt darfst du dich mit dem Rücken auf den Stein legen!", erklärte der Bruder.

Offenbar war das zuvor nur Teil des Ritus gewesen und Dodarus hatte sicherlich bemerkt, dass ihr die andere Position besser gefallen hatte.

Es war sonderbar, wie rücksichtsvoll er war. Jeder andere Mann hätte sie vermutlich einfach in dieser Lage belassen!

Schwankend kam Lunara auf die Füße, drehte sich zu ihm um und gab ihm einen Kuss, vor dem er zurückzuckte. Doch sie setzte nach, legte ihm eine Hand in den Nacken und hielt ihn fest. Ihre Augen waren in den seinen versunken.

Er legte seine Arme um sie, zog sie fest an sich und hielt sie damit aufrecht, denn ihre Knie zitterten zu stark. Jetzt ließ er es zu, dass sich ihre Lippen fanden.

Der Kopf wollte es verbieten, doch was war schon ein Kuss? Es war einfach nur der Himmel! So unbeschreiblich schön! Dieser Kuss, und wohl auch die Wirkung des berauschenden Getränkes, ließen den Schmerz in ihrem Schoß unverzüglich abklingen.

Lunara löste sich mit sanftem Druck aus seinen Armen und setzte sich zurück. Mit dem Blick zu ihm hinauf legte sie sich auf dem Stein zurück und dessen Wärme war angenehm an ihrem Rücken.

Sie zog die Knie nach oben und öffnete sich für ihn. Es war eine Aufforderung, die ihr Herz ihm aussprach. Verlangend blickte sie von unten auf seinen vom Schweiß glänzenden wunderschönen Leib.

„Komm zu mir!", hauchte sie und spürte einen Augenblick später seinen Körper auf sich gleiten.

Bauch an Bauch, wie sie bis zu jenem Tag auf diesem Stein im Schoß der Mutter gelegen hatten, so lagen sie jetzt auch wieder vereint hier.

Dieser Ort der Trennung wurde ein Platz des Wiederfindens, der Vereinigung!

Lunara legte die Hände auf die Schultern des Bruders, um ihn enger an sich zu ziehen. Sie zuckte zusammen, als sein steifes Glied die Innenseite ihrer gespreizten Schenkel streifte. Von dort aus glitt er zu ihrer Mitte, wo das Verlangen bereits ein Feuer entflammt hatte, welches nur er noch löschen konnte.

Die unbändige Lust hatte ihre Scham mit einer ungewohnten Feuchte überzogen, die sie jetzt dort spürte.

Stöhnend schob er sich in sie und füllt sie vollständig aus.

Der Schmerz war weit entfernt, der Kopf schwieg und sie gab sich dem puren Verlangen hin, das von ihrem Schoß in ihren gesamten Körper ausstrahlt.

Langsam begann er sich erneut in ihr zu bewegen und die Berge schienen um sie herum zu tanzen. Nie hätte sie gedacht, dass es so schön sein konnte!

Alles löste sich in einem gemeinsamen Schrei, den das Echo der Gipfel zu ihr zurückwarf, als Dodarus seinen Samen in ihren Leib schoss.

19. Kapitel
Auf schwankendem Holz

Mit dem Blick nach oben, wo Zondala an ihrem Fenster stand, dachte Barbara nach, was sie hatte und was sie brauchte. Sie hatte genug Kämpfer, um ganz Brilarum dem Erdboden gleichzumachen, aber nur drei wackelige Schiffe.

Der Feind hatte zahlreiche Schiffe, aber nicht so viele Männer!

In der Abwägung aus der Transportkapazität und der Zeit, die ihr für Sofias Befreiung blieb, rechnete Barbara aus, dass hundert Ritter und fünfzig Knappen reichen mussten.

Allerdings ohne Pferde! Beim Aufsitzen fiel ihr Blick auf den jungen Mann, der ihr vor einer Weile schon einmal aufgefallen war. Wie war noch sein Name? Julian! Sie rief ihn zu sich und legte fest, dass er ihr folgen sollte.

In seinen Augen hatte sie wahrgenommen, dass er eventuell das Zeug haben würde, ein würdiger Nachfolger für sie zu sein. Er war mutig und besonnen. Und er konnte sich einen Fehler eingestehen. Das hatte ihr am meisten imponiert.

Jeder andere Mann an seiner Stelle hätte sicher anders reagiert.

Mit der kleinen Abordnung machte sie sich auf den Weg zum Hafen, wo sich die drei Schiffe befanden. Boten brachen auf, um die benötigten Ritter ebenfalls dorthin zu rufen.

Schon vom weiter war die Festung zu sehen, die den Hafen von der Seeseite aus beschützte. Dieser Hafen und die Ortschaft davor war noch nie von den Räubern überfallen worden.

Die Schiffe lagen geschützt in einer natürlichen Bucht, die zusätzlich mit einer Mauer befestigt war und eine dicke Kette sicherte den Eingang des Ankerplatzes von der Seeseite aus.

Als Barbara das Stadttor passiert hatte, sah sie schon die hoch aufragenden Masten der Segelschiffe. Es waren sicherlich mehr wie zehn, die dort ankerten, denn auch Händler kamen regelmäßig in diese Stadt, um hier Handel zu treiben. Und natürlich, um hier Schutz zu finden.

Im Schritt ließ sie die Pferde durch die Gassen laufen und schon bald waren sie an dem Landungsplatz angekommen. Links schwammen die Schiffe der Händler: Stolze Segler, mit bunt bemalten Bordwänden. Viele Tragtieren und Menschen eilten momentan dorthin oder kamen von dort.

Rechts dümpelten die Schiffe der Marine herum und beim Anblick dieser Seelenverkäufer wusste Barbara sofort wieder ganz genau, warum es nie geklappt hatte, auch nur einen der Seeräuber zu fangen. Diese Kähne sahen nicht wirklich seetauglich aus! Nicht mal beim mildesten Wind würden die sich auch nur eine Stunde auf dem Wasser halten können. Und dennoch lag die ganze Hoffnung des Königreiches jetzt auf diesen morschen Planken.

„Ach du Schreck!", bemerkte Julian, als er neben ihr vom Pferd stieg.

Besser hätte auch sie es nicht formulieren können.

Ein paar Schritte weiter standen sie an dem ersten Schiff.

„Wir könnten aus drei Schiffen zwei machen!", erklärte der vorlaute Knappe und legte seine Hand gegen das Holz. „Oder eher eines aus drei!", setzte er hinzu, als bei dieser vorsichtigen Berührung ein Stück Holz abbrach.

„Du sollst hier nicht unsere Flotte versenken!", entgegnete Barbara spöttisch, um den Druck loszuwerden.

Einer der Kapitäne kam zu ihr, um Bericht zu erstatten.

Offenbar war der erste Vorschlag des Knappen gar nicht so verkehrt gewesen.

Zwei der Segelschiffe konnten über Nacht seeklar gemacht werden, aber das würde nicht reichen.

Barbaras Blick zog es zu den anderen Schiffen. Konnte man nicht einen der Händler mit etwas Gold oder anderen Privilegien dazu überreden, ihre Männer zu transportieren?

Das würde dann auch den Vorteil haben, dass man möglicherweise einen erfahrenen Seemann finden konnte, der die Gewässer vor der Küste der Insel Brilarum kannte.

„Überlege dir was, wir laufen morgen früh aus!", legte sie dem Kapitän gegenüber fest und wandte sich den anderen Schiffen zu.

Langsam lief sie den Pier entlang und sah den Händlern zu. Mit ihrer Menschenkenntnis suchte sich nach den Anzeichen dafür, dass der Mann genau der sein sollte, den sie brauchte.

In einer Schänke, die zur Straße hin offen war, erblickte sie die wachen Augen eines Mannes.

Barbara setzte sich zu ihm und gab ihm einen Trunk aus.

In dem folgenden Gespräch merkte sie schnell, dass er der richtige Mann dafür war und ein Beutel mit Goldmünzen versöhnte ihn noch viel schneller mit der Tatsache, dass er einfach nur Männer statt Waren transportieren sollte.

Schon oft war er in Londinum gewesen und schließlich wurden sie sich schnell handelseinig.

Mit einem Handschlag besiegelten sie die Absprache und er wollte das Schiff noch am Abend auf die andere Seite des Hafens bugsieren lassen.

Jetzt war es Zeit, um bei den anderen Segelschiffen zu sehen, wie weit die Vorbereitungen schon gegangen waren.

Immer mehr Ritter und Knappen trafen im Hafen ein und wurden sofort von Barbara dazu verpflichtet, bei den Ausbesserungen mitzuhelfen.

Emsiges Gewimmel war auf dem Schiffsanlegeplatz zu sehen und Julian packte tatkräftig zu, wie sie wohlwollend bemerkte. Er hatte die Arbeiten an einem der Schiffe an sich gerissen und es schien ihm nichts auszumachen, Ritter zu kommandieren, die deutlich älter waren, als er selbst.

Barbaras Wahl schien gestimmt zu haben.

Hämmern, sägen und laute Rufe erfüllten schon bald den Bereich des Kriegshafens. Das Handelsschiff wurde zu ihnen herübergezogen und sah deutlich besser aus, als der Haufen morsches Holz, der ihre Marine darstellte.

Jedes Schiff musste dreißig Ritter und zwanzig Knappen für mindestens einen Tag über Wasser halten können. Das war die Aufgabe, die ihnen Zondala gegeben hatte und die Barbara unbedingt ausführen wollte.

Nachdem jeder begriffen hatte, was von ihm abhing, machte sich auch die Heerführerin daran, einen Hammer zu schwingen.

Was die Männer der Marine in Jahren nicht hinbekommen hatten, das schafften jetzt alle zusammen in einer einzigen Aktion. Es war eine Freude, mit anzusehen, wie sich alle an die Arbeit machten.

Da gab es kein Murren und kein Klagen über die Tätigkeiten, die eines Ritters nicht wirklich angemessen waren. Aber da Barbara ja ebenfalls mit anpackte, waren die Männer wohl etwas milder gestimmt. Und vielleicht sorgte auch die Tatsache für die Begeisterung, dass man es endlich diesen Seeräubern heimzahlen konnte, die man schon ewig umsonst verfolgte.

Als am Abend die Sonne im Meer versank, da waren die Segelschiffe wieder soweit seetüchtig, dass sie am nächsten Morgen mit der Flut auslaufen konnten.

In dieser Nacht würde wohl jeder der Männer gut schlafen und dass die Piraten in der Dunkelheit freie Bahn haben würden, das würde zu verschmerzen sein, weil man sie in ein paar Tagen erledigen würde!

20. Kapitel
Frieden oder Glück?

Da Barbara mit dem Heer unterwegs war, fühlte es sich für Zondala nur umso schmerzhafter an, dass sie rein gar nichts mehr tun konnte. Nur noch abwarten und nach Westen aus dem Fenster schauen! Da hinten, jenseits des Horizontes, da entschied sich gerade das Schicksal der Tochter. Oder war es schon entschieden worden, als Barbara das Schiff betreten hatte?

Xander würde das Anlanden des Heeres als Provokation werten und die Tochter dafür bestrafen. Zu gut kannte sie den Vater und seinen Jähzorn.

Es war diese Abwägung gewesen, die es so schwer gemacht hatte: Das Königreich dem Vater zum Fraß vorwerfen, möglicherweise damit die Tochter opfern und darauf den Frieden in Mirento zerstören, oder Xander töten, Sofia retten und die Harmonie erhalten!

Wer konnte solch eine Entscheidung treffen? Das Leben der Tochter gegen tausende Leben! Es trieb ihr die Tränen in die Augen, jede Nacht verkroch sie sich unter der Bettdecke und heulte ihren Schmerz heraus.

Ein klitzekleiner Funken Hoffnung blieb noch, dass es Barbara dennoch schaffen würde, Sofia zu befreien: Wenn die Freundin schnell und überraschend zuschlug und Xander nur die Flucht ließ, dann hatte Sofia eine Chance.

Es war schlichtweg zum Verzweifeln und sie wollte den anderen beiden Kindern auch nicht zeigen, wie schlecht es wirklich um deren Schwester stand. Es war schon schwierig, ihnen erklären zu müssen, dass sie nur innerhalb der Mauern der Burg in Sicherheit waren.

Ihr Leben lang hatten die Kinder keine Furcht gekannt. Sie waren hinter der Burg im Blumenfeld gewesen oder hatten auf der Wiese davor gespielt. Gegenwärtig war da immer die Gefahr, dass ihnen etwas geschehen konnte. Und ständig zehn Ritter mit Franziska zum Blumenpflücken loszuschicken, dazu konnte sich Zondala auch nicht durchringen. Zumal auch niemand wissen konnte, ob zehn Männer genügen würden.

Zum Glück kam Achim gegen Mittag zurück in die Burg und konnte ihr ein wenig den Rücken freihalten. Doch damit hatte sie dann auch mehr Zeit zum Nachdenken.

Oder zur Flucht? Würde Xander sie finden, wenn sie in Wiesenland war? Oder irgendwo in den finsteren Wäldern Waldoniens?

Der Kummer würde sie dort finden, aber der Vater wohl kaum!

Vielleicht sollte sie die Kinder nehmen und für eine Weile untertauchen! Einfach fort und an nichts mehr denken. Zu Lisa in den Wald? Das wäre höchstwahrscheinlich die Alternative zum Warten hier. Und sie konnte in der Drachenhöhle möglicherweise ein paar Antworten auf die vielen Fragen bekommen.

Schon lange war sie nicht mehr dort gewesen, obwohl sie sich damals gegenseitig versprochen hatten, sich regelmäßig an der Höhle zu treffen.

Sie übergab die Kinder an den Mann, zog sich ein schlichtes Gewand an und schwang sich auf den Rücken ihrer Stute.

Unerkannt ritt sie durch ihr eigenes Königreich bis zur Furt über den Tassaros. Das Wasser stand hoch und es reichte dem Reittier bis fast zum Halse.

Schwimmend erreichten sie das andere Ufer, an welchem es nur noch ein paar hundert Schritte waren, bevor der dichte Wald begann. Unmittelbar davor lagerte sie, da es schon auf den Abend ging.

Zondala trocknete das Kleid am Feuer und bereitete sich ihr Abendmahl zu. Sie würde in dieser Nacht alleine am Lagerfeuer sein. Ein bisschen Angst machte ihr das schon, aber es war sicherer, als wenn sie ein dutzend Ritter dabei gehabt hätte. Wen sollte ein einzelnes Feuer am Waldrand schon interessieren?

Einst war sie hier mit Achim unterwegs gewesen. Damals waren sie immer in der Nacht gezogen, aber das Pferd konnte nachts nichts sehen und Zondala wollte es auch nicht hier zurücklassen.

Nur ein paar Schritte hinter ihr graste das Tier und war mit seinen feinen Sinnen auch noch eine Art von Wachhund. Zondala musste nur auf das Schnauben der Stute achten und wäre vor allen Gefahren gewarnt.

Die Sonne versank im Westen hinter dem Delta des Tassaros und mit Zondalas Blick zur roten Sonne schaute sie quasi zur Tochter hinüber.

Wieder kamen die Zweifel in ihr hoch. Hätte sie etwas anders machen können? Irgendeine Entscheidung anders treffen? Warum hatte die große Göttin ihr nicht ein Zeichen gegeben, als sie die Tochter alleine in der Burg zurückgelassen hatte? Oder war ihre eigene Abwesenheit an jenem verhängnisvollen Tag schon das Zeichen gewesen?

Das waren Fragen, die sie der großen Schlange stellen würde und auf die sie hoffentlich eine Antwort bekam.

In die Flammen sehend waren ihre Gedanken weit fort, bei Barbara und bei Sofia. Noch würde die Freundin nicht auf der Insel Brilarum sein.

„Bitte bringe mir meine Tochter wieder zurück!", murmelte Zondala und gab ein Gebet an die große Göttin ab.

Noch eine große Frage drängte sich ihr auf: warum stellte die Göttin sie vor solch eine Wahl? Frieden oder Glück? Konnte sie denn nicht endlich beides haben?

Die Schamanin Ursula in Waldonien konnte ihr vielleicht die Antwort geben. Oder doch die Schlange? Zuerst die Schamanin! Sie war eine der drei Hüterinnen der Schlange und diese zu stören war mitunter gefährlich! Vor allem dann, wenn es nur um eine persönliche Frage ging.

Zondala schob noch ein paar Äste in das Feuer, sah den Funken hinterher, die aus dem Holzfeuer nach oben stiegen und rollte sich anschließend neben dem Feuer unter einer Decke zusammen. Die Stute war vollkommen entspannt und ruhig. Alles war gut.

Mitten in der Nacht holte sie die kalte Nase des Pferdes aus dem Schlaf. Zondala schreckte hoch und horchte in die Finsternis. Was hatte das Tier unruhig werden lassen?

Ein Wolf heulte in der Dunkelheit, aber das schien weit entfernt zu sein. Hatte das Raubtier trotzdem die feine Nase des Pferdes erreicht? Oder waren noch andere nächtliche Herumtreiber in der Nähe?

Zondalas Hand suchte den Griff des Dolches an ihrer Seite und sie schob ein paar Äste in das niedergebrannte Feuer. Hell flammte es wieder auf und Zondalas Blick ging in Richtung Waldrand.

Irgendwo knackte es und die Stute scheute. Entschlossen riss Zondala den Dolch aus der Scheide und stellte sich mit einer Fackel so hin, dass sie das Feuer hinter und den Wald vor sich hatte.

Das hier war ein fassbares Wagnis. Dagegen konnte sie etwas tun. Gegen die Gefahr für die Tochter war sie machtlos. Vielleicht war es genau das, was ihr die große Göttin zeigen wollte.

Ein einzelner großer Wolf schob sich aus dem Wald. Er knurrte das Feuer an und verharrte dort. War er alleine? Oder steckten seine Kumpane im Gehölz und versuchten sich seitlich anzuschleichen?

Sein Interesse schien der Stute zu gelten, die sich gerade ängstlich an ihre Seite schob.

„Verschwinde! Und lass uns in Frieden!", brüllte Zondala das Raubtier an.

Langsam verschwand der Wolf nach hinten. Hier half es, die Angst herauszubrüllen, als Königin durfte sie das nicht!

21. Kapitel
Seelenverkäufer

Nur einen Tag hatten die Schiffe für die Überfahrt über das Nordmeer gebraucht und es hatte keinen Sturm gegeben. Zum Glück, denn einen starken Wind hätten die schwimmenden Bretterhaufen wohl kaum überstanden. Auch so waren Schäden zu verzeichnen und einzig das Schiff des Händlers hatte keine davon getragen. Die beiden anderen waren trotz der ruhigen See beschädigt worden.

Soeben kam die Küste in Sicht und der Händler führte sie, da er den Weg kannte. Sie wollten aber nicht nach Londinum, sondern zur Burg des Königs, denn dort würde Sofia wahrscheinlich gefangen gehalten. Doch auch dafür kannte der Kaufmann eine Bucht an der Mündung des Thamasius in das Nordmeer.

Barbara war froh, den erfahrenen Mann an ihrer Seite zu haben und er hatte ihr versprochen, die anderen Schiffe bis zur Rückfahrt mit seinen Männern zu überholen.

Langsam glitten die Segelschiffe vor dem Wind durch die Mündung des Flusses und legten danach an der südlichen Seite des Thamasius an. Diese Bucht war wirklich ideal für ihre Anlandung.

Momentan war jeder der Ritter froh, endlich wieder festes Land unter den Füßen zu haben. Das Anlanden konnte daher nicht schnell genug gehen und da sie keine Pferde hatten, waren auch schon wenig später alle von Bord.

Für die Nacht wurde ein Lager in der Nähe des Ufers aufgeschlagen und die Feuer entzündet. Damit war der Moment gekommen, die Ausrüstung für den nächsten Tag zu kontrollieren. Schließlich war diese ja auch ihre Lebensversicherung im folgenden Kampf.

Am Feuer sitzend holte Barbara ihre Rüstung aus den Packsäcken und säuberte die Eisenteile vom Flugrost, den das Salzwasser trotz der guten Verpackung auf dem Metall angesetzt hatte.

Mit Öl und Lappen rieb sie die Panzerplatten ein und kontrollierte anschließend Kettenhemd, Schild und Schwert. Als alles wieder verpackt war, machte sie einen Kontrollgang an den Lagerfeuern der Männer und Frauen.

Hier wurde gelacht, gescherzt und gesungen. Jeder brannte jetzt darauf, diesen Seeräuberspuk ein für alle Mal zu beenden.

An einem der Feuer saß Julian und schärfte die gewaltige Streitaxt. Er sah nachdenklich aus und deshalb sprach sie ihn darauf an.

„Das wird mein erster Kampf und ich weiß nicht, was auf mich zukommt!", offenbarte er ihr seine Gedanken.

„Für jeden und jede hier war es einmal der erste Kampf. Selbst für mich, obwohl das schon ewig her zu sein scheint. Halte die Formation und bleibe bei deinem Nebenmann!", erklärte sie und legte ihm die Hand auf die Schulter. „Und vertraue deiner Axt!", setzte sie noch hinzu.

Der junge Knappe nickte. „Das will ich wohl tun!", entgegnete er daraufhin zuversichtlich.

Weiter ging ihr Weg um die Feuer.

Überall brachte sie Mut in die Kämpfer und Kämpferinnen. Wein und Essen wurden von den Schiffen geholt und an den Feuern verteilt. Jeder stärkte sich damit, denn es würde ein anstrengender Tag werden.

Ein paar Späher machten sich auf den Weg, um die Burg zu beobachten.

Jetzt setzte sich auch Barbara an ein Feuer und langte zu. Alte Lieder flogen in den Himmel und die Umrisse der Seelenverkäufer waren gegen den etwas helleren Horizont zu erkennen.

Sollten sie ein paar Männer hier lassen, damit die Seeräuber nicht die Schiffe, die sie für die Rückreise benötigen würden, zerstören konnten? Allerdings würde das ihre Kräfte für den anstehenden Kampf schwächen.

Aber sie konnten nach dem Sieg auch einfach die Boote der Räuber nehmen, die sicherlich hinter Londinum irgendwo am Ufer festgemacht waren. Oder die vielleicht im Moment auf dem Weg nach Mortunda waren, um dort Beute zu machen.

Mit der Dunkelheit kamen die ersten zwei Späher zurück und berichteten von etwa fünfhundert Männern, die dort für den Kampf bereitstehen würden. Das wäre ein Verhältnis von fünf zu eins gegen sie, aber Barbara hatte die besten Kämpfer mitgenommen. Das würde ihre Unterzahl sicher wieder wettmachen.

Die nächste Runde an den Feuern wurde von ihr gemacht und sie schickte die meisten ihrer Leute zur Ruhe, denn sie mussten am nächsten Morgen fit und ausgeschlafen sein.

Ein paar der Männer suchten ihr Glück bei einigen Frauen und manch einer fand auch wirklich bei der einen oder anderen willkommenen Einlass. Das Schnaufen abseits der Feuer zeugte davon, aber das war bei einem gemischten Heer einfach normal. Männer und Frauen eben, das blieben sie auch als Kämpfer.

Wieder zurück an ihrem Lagerplatz dachte Barbara an all die Kämpfe zurück, die sie schon bestritten hatte und schwor sich, dass dieser Kampf ihr letzter sein würde.

Es wurde Zeit für einen Nachfolger. Vielleicht war das wirklich Julian, den ihre Augen soeben suchten. Sie war sicher, dass er wohl kaum schlafen würde. Schließlich war dies sein erster Kampf! Da ging das wohl kaum.

Am Feuer nebenan sah sie sein Gesicht. Wenn er sich gut schlagen würde, dann würde sie ihn am folgenden Abend zu ihrem Adjutanten machen und ihm beibringen, was er wissen musste und dann wäre sein erster Kampf ihr letzter.

Das wäre ziemlich passend.

Barbara griff sich ihr Schwert, das ihr Meister Dakora vor ewigen Zeiten übergeben hatte. Es würde Zeit für einen neuen Besitzer dieser Waffe.

Über die Flammen nahm sie Kontakt zu Dakora auf und fragte ihn über ihre Idee aus.

Der letzte der Späher traf ein und holte sie aus ihrer Trance. Er hatte den Platz für die Schlacht am nächsten Tag erkundet. Eine flache Wiese ohne große Löcher im Boden. Gut zum Rennen und für den Angriff der Ritter.

Die anderen Kämpfer auf der Gegenseite hatten kaum Rüstungen und nur leichte Bewaffnung und wenn alles so ablaufen würde, wie sie es sich gerade vorstellte, dann würde der Angriff leicht.

Damit wurde es jetzt auch für sie Zeit zum Schlafen, doch zuerst schickte sie Julian zur Ruhe.

Wenig später lag auch Barbara unter ihrer Decke. Mit dem Blick zu den Sternen war sie dennoch wach und irgendetwas ließ sie nicht einschlafen.

Sie grübelte, ob sie etwas übersehen hatte? Sollte sie den Landeplatz sichern und die Schiffe noch ein paar Mal zurückschicken, bis die Verhältnisse ausgeglichen waren? Aber mit jedem Tag wuchs das Risiko für Sofia.

Und nach der gewonnenen Schlacht auf dem Feld musste sie auch noch die Burg stürmen, denn dort war Zondalas Tochter! Sie mussten schnell handeln, wenn Sofia eine Chance zum Überleben haben sollte und es musste so aussehen, als ob der Feind gewinnen konnte. Das war ihre Aufgabe!

Für diesen Sieg und Sofias Rettung würde sie notfalls auch ihre Seele verkaufen!

22. Kapitel
Die Macht der Frauen

Seit Lunara wieder vom Berg hinab in das Tal gestiegen, oder besser getragen worden, war, hatte Dodarus praktisch jeden freien Moment des Tages damit verbracht, seiner Aufgabe als Khan nachzukommen. Er sollte einen Sohn zeugen und das versuchten sie beide fleißig.

Jeglicher Zweifel daran war in Lunara verschwunden. Diese intensiven Momente, da oben auf dem Gipfel, hatten ihr Herz mit solch einer intensiven Liebe gefüllt, dass der Verstand keine Möglichkeit mehr hatte, sich gegen dieses Gefühl durchzusetzen.

Und dem Mann schien es ähnlich zu gehen, denn als Pflicht hätte es genügt, sich nur ein einziges Mal am Tage zu treffen.

Doch das reichte ihr nicht und ihm anscheinend ebenfalls nicht!

Und dieser nicht vorhandene Verstand blendete natürlich auch die Konsequenzen dessen aus, was sie hier taten, denn wenn sie zur Frühlingssonnenwende noch nicht schwanger sein würde, dann würde sie dennoch den Tod finden.

Und ebenso bei der Geburt einer Tochter, denn auch das hatte ihr Dodarus erklärt, als sie wieder im Tal gewesen waren.

Doch bis zum Frühling war noch viel Zeit zum Üben! Und es wäre ein Ding der Unmöglichkeit, bei so vielen Versuchen nicht schwanger zu werden.

In den letzten Tagen war Sejla ihr eine gute Freundin geworden und zwischen diesem Beisammensein mit dem Bruder führte sie lange Gespräche mit der nur zwei Jahre älteren Frau.

Die Schweigsamkeit des ersten Abends war weit fort.

Auf der Kante des Bettes nebeneinander sitzend, redeten sie über alles Mögliche. Und natürlich auch darüber, wie sich das Leben in Wiesenland von dem bei den Tuck unterschied. Es war nicht nur der Gegensatz zwischen Sesshaftigkeit und ständiger Wanderschaft, denn Sejla hatte ihr erklärt, dass dies hier nur das Winterlager war. Die markanteste Verschiedenheit war genau das, was Lunara bereits am ersten Tag bemerkt hatte: die Ungleichheit zwischen Mann und Frau!

In Wiesenland waren es die unterschiedlichen Aufgaben des Tages, die zur unterschiedlichen Verteilung der Angelegenheiten und Pflichten führte, hier waren es die völlig abweichenden Stellungen innerhalb der Hierarchie!

Durch die Halsbänder gekennzeichnet konnten sie sich beide ungehindert innerhalb des Zeltlagers bewegen und so sah Lunara täglich, wie die Männer hier die Frauen behandelten.

Zu ihrem Glück war Dodarus anders! Vermutlich hatte er mehr von der Mutter mitbekommen, als er sich selbst eingestanden hatte.

Jeden Abend betete sie ein Dankgebet an die große Göttin, dass sie nicht an einen der anderen Männer geraten war.

Mittlerweile hatte sie sich daran gewöhnt, mit nackten Brüsten umherzugehen, aber sie spürte dennoch die abschätzenden Blicke der Männer auf sich.

Es war hier ganz normal, dass sich jeder alles nehmen konnte, was er wollte. Und dazu gehörten eben auch die Frauen. Es gab keine Familienverbände, wie es in Wiesenland normal gewesen war. Wer eine Frau wollte, der zog sie sich einfach in sein Zelt.

Oder nahm sie einfach direkt davor!

Wenn der Mann ihrer überdrüssig war, so konnte er sie einfach hinauswerfen und sie ging in eines der Zelte der Frauen, falls sie bis dahin kam.

Praktisch waren da nur die hochschwangeren Frauen.

Die Kinder gehörten zu den Frauen, weil ja ohnehin keiner der Männer sagen konnte, wer wohl wessen Vater war.

Doch das wohl überraschendste für Lunara war, dass es in diesen Zelten der Frauen so eine Art von anderem Stamm gab. Die

110

Frauen halfen sich und standen sich gegenseitig bei den Geburten bei. Ohne diese Frauenzelte hätte der Stamm sicher schon vor Jahrhunderten aufgehört zu existieren. Die alten Frauen kümmerten sich um die jüngeren und manchmal um deren Kinder, denn der Umstand, ein Kind zu haben, der schützte nicht im Mindesten vor den Nachstellungen und zum Teil brutalen Übergriffen der Männer.

Jetzt erst verstand sie wirklich Sejlas Worte, dass man sich nur ein Gewissen leisten kann, wenn man nicht jeden Tag ums nackte Überleben kämpfen musste.

Und dabei wussten diese Frauen noch nicht einmal um die Stärke, die sie eigentlich hatten.

Die wahre Macht der Frauen lag zwischen ihren Schenkeln! Dieser empfangende Schoß, der Leben spenden konnte, der machte das Überleben der Gemeinschaft aus.

Vielleicht war es ihre Aufgabe, hier etwas zu bewirken, was keiner Frau vor ihr gelungen war.

Sie sah aus, wie eine von ihnen, sie kannte die Sprache und sicherlich würde sie bei Dodarus ein offenes Ohr finden, wenn sie ihm ihre Ansichten näherbrachte.

Wer, wenn nicht der Khan, konnte diese alten Sitten über Bord werfen, welche die Hälfte des Stammes benachteiligten? Und sie wusste ja, wie es besser sein konnte.

In der Art, wie bei ihr und Dodarus!

Er war ihr Seelengefährte und sie verstanden sich fast ohne Worte. Und schon wieder sehnte sie sich zurück in seine Arme!

Vielleicht sollte sie die Zeit, die ihr hier blieb, nicht nur dazu benutzen, in seinen Armen dahinzuschmelzen, sondern auch etwas am Los der Frauen hier zu ändern.

Wenn die große Göttin sie schon hierhergeführt hatte, dann musste sie sich doch etwas dabei gedacht haben.

Wie gerufen erschien der Mann im Zelt und sie flog in seine Arme.

Sejla konnte gerade noch das Zelt verlassen, bevor Dodarus schon in ihren Schoß eintauchte und die tanzenden Sterne um sie herum alles andere verdrängten.

Als die Lust in ihnen beiden zur Ruhe gekommen war, lagen sie Arm in Arm in dem Bett. Er hatte sie mit einem warmen Fell zugedeckt und Lunara kuschelte sich an seine Brust.

Alles in ihr drängte sie gerade dazu, ihm ihre Vorschläge mitzuteilen, doch er begann schon nach ein paar Worten zu schnarchen.

Lunara musste etwas Geduld haben und den richtigen Zeitpunkt finden. Jetzt war die Zeit, um sich die zutreffenden Worte zu überlegen. Doch sie brauchte nicht die Konsequenzen ihre Vorschläge abwägen, denn Dodarus hatte ihr schon ein paar Mal gezeigt, dass er ihr zuhören konnte.

Ihre tastenden Fingerspitzen strichen über die Brust des geliebten Mannes und nur manchmal kam noch die Erkenntnis durch, dass sie vom selben Fleisch waren, dass dasselbe Blut durch ihre Adern lief.

Sie waren beide eins, und zwar immer und nicht nur, wenn er sich mit ihr vereinigt hatte.

Langsam wanderte ihre Hand abwärts und glitt unter das Fell. Sie suchte dieses im Moment seidig weiche Glied, das ihr solch eine Freude bringen konnte und das ihr die Macht gab, etwas zu bewirken.

Mit diesem Zepter regierte sie über die Tuck!

23. Kapitel
Im Kampf für die Ehre

uf der anderen Seite der kleinen Ebene war der Feind aufmarschiert, obwohl aufmarschieren wohl kaum das richtige Wort sein würde. Ein ungeordneter Haufen von Männern hatte sich über das eine Ende der Fläche verteilt. Es mochten wohl mehr wie fünfhundert Männer sein, aber alle nur leicht bewaffnet und kaum gepanzert.

Hinter Barbara waren gerade ihre hundert Ritter angetreten. Die besten Kämpfer von Mortunda! Ein jeder kampferprobt und gepanzert. Nur ein paar der Knechte trugen Kettenhemden und hatten Äxte in den Fäusten, um den Rest zu erledigen, wenn die Ritter vor ihnen eine Schneise durch den Feind geschlagen haben würden.

Das war eine lange erprobte Taktik und sie würde auch hier ihren Erfolg nicht verfehlen.

Sie warf einen letzten prüfenden Blick auf ihre Kämpfer, dann zog Barbara das Schwert und schrie: „Auf sie!"

Das Klappern der Rüstungen war ihr in all den Kämpfen der letzten Zeit vertraut geworden. Bei jedem Schritt schepperten die Panzerplatten gegeneinander und jetzt gerade war dieses wohlbekannte Geräusch hundertfach zu hören.

An der Spitze ihrer Truppe stürmte Barbara über das Feld und der Feind formierte sich langsam zu einer breiten Reihe. In der Mitte nur zwei Männer hintereinander, an den Seiten etwas mehr. Es sollte wohl so eine Art von Umzingelung werden, was in den Kämpfen gegen einen ungepanzerten Gegner wohl auch funktionieren konnte, aber nicht gegen die Kämpfer von Mortunda!

Wie die Spitze eines Pfeiles zog Barbara ihre Spur genau auf die Mitte der anderen Formation zu.

Ihre Ritter waren zu beiden Seiten nach hinten gestaffelt und hielten mit ihr Schritt, sehen konnte sie die Kämpfer wegen ihres Helms zwar nicht, aber sie waren deutlich zu hören.

Noch zehn Schritte! Die Wärme des Tages und die Anstrengung des schnellen Laufes ließen Barbara schnaufen.

Dann traf sie auf die andere Reihe.

Ihr Schwert sauste nach vorn und traf die Feinde. Die anderen Männer waren schnell, aber in ihrer Formation konnten sie ihren Hieben nicht ausweichen. Das gute Schwert forderte einen blutigen Tribut ein.

Nach ein paar Hieben wandte sich Barbara nach rechts und versuchte die Formation der Feinde von der Mitte aus aufzurollen.

Aber die meisten ihrer Schläge gingen jetzt ins Leere. Die leicht gepanzerten Männer wichen ihr aus. Kaum einer stellte sich einem Zweikampf.

„Verdammt!", schimpfte Barbara und kämpfte sich vorwärts.

Aus dem Augenwinkel sah sie, dass ihre Männer auf der anderen Seite noch kämpften. War sie etwa alleine in die Reihen der Feinde eingebrochen? Der Helm hinderte sie daran, sich umzusehen, doch es schien wohl so zu sein!

Sie musste nach rechts, um wieder bei ihren eigenen Kämpfern zu sein, denn selbst der stärkste Wolf verlor gegen ein großes Rudel Schakale!

Alleine war sie verloren!

Angst raste durch ihren Körper. Es war ein für sie bis gerade eben noch unbekanntes Gefühl, allerdings war es nicht die Angst um ihr Leben, sondern die Furcht davor, zu versagen und damit Zondala zu enttäuschen!

Gerade wollte sich Barbara zur Seite wenden, als ein Pfeil die Panzerung über ihrer rechten Brust durchdrang. Das aus kürzester Entfernung abgeschossene Projektil hatte die Rüstung wie Butter durchschlagen.

Sie riss den Schild hoch und kappte den Holzstiel, aber die Spitze steckte zu tief in ihrem Körper. Barbara spürte, wie ihr Blut unter dem Panzer an ihr herablief und sie bekam kaum noch Luft.

Röchelnd brach sie in die Knie und sofort war sie von Feinden umringt. Einer zerrte ihr den Helm vom Kopf und unverzüglich traf eine behandschuhte Faust ihren Kiefer.

Der Schlag riss ihren Kopf zur Seite und sie spuckte Blut.

Zwei Männer packten ihre Arme und nahmen ihr Schwert und Schild ab. Der Mann vor ihr sah den sauber geflochtenen Zopf, der jetzt nach vorn hing und nahm diesen zwischen seine Finger.

Offenbar war er gerade ziemlich verwundert darüber, dass der gefangene Ritter eine Frau war.

Mit einem kurzen Dolch begann er die Haltebänder der Rüstung zu durchtrennen und riss ihr Stück für Stück der Panzerung vom Leib.

Zum Schluss zerrte er ihr das Kettenhemd und den wollenen Gambeson in einem Rutsch über den Kopf.

Im Unterhemd schleiften die Männer sie nach hinten, fort von den eigenen Kämpfern, die ihr eventuell noch zur Hilfe kommen konnten.

Mittlerweile war das knielange Unterhemd vorn blutrot.

Die Schaftspitze steckte noch in ihrer Brust und immer schwerer fiel es Barbara, zu atmen. Durch den Blutverlust hatten sie die Kräfte verlassen und sie hätte sich nicht mehr gegen einen der Männer wehren können, die sie gerade noch aufrecht hielten.

Links und rechts stützten je ein Kämpfer ihre Arme und hielt sie damit auf den Füßen.

Barbaras Kopf sank kraftlos vorn herab, mit dem Kinn auf ihre Brust und sie erkannte, wie einer der Kämpfer ihr vorn in das Unterkleid griff und es mit beiden Händen der Länge nach entzwei riss.

Offenbar wollte er sich jetzt wirklich davon überzeugen, dass er es hier mit einer Frau zu tun hatte.

Oder wollte er noch mehr?

Mühsam hob sie den Kopf und sah in die zu schmalen Schlitzen zusammengezogenen Augen ihres Gegenübers. Der Mann grinste sie hämisch an und würde sie sicherlich nicht schonen. Sie war seine Beute, seine Trophäe!

Nur einen Augenblick später lag sie auf dem Rücken im Gras und die beiden Männer pressten ihre Arme zu Boden, doch das hätten sie gar nicht machen müssen, denn sie hätte sowieso keine Kraft zur Gegenwehr mehr gehabt.

Der Mann, der jetzt vor ihr stand, öffnete sich die Hose und streifte diese herunter.

Barbaras Verachtung traf ihn sofort, aber sie würde erdulden müssen, was jetzt auf sie zukam.

Während nur einen Steinwurf entfernt ihre Kämpfer um ihr Leben rangen, rammte der Mann ihr seine nackten Knie zwischen die Beine, drückte ihr die Schenkel auseinander und ließ sich auf sie fallen.

Unter Schnaufen schob er sich in ihren Schoß, den sie verzweifelt zusammenzupressen versuchte, aber selbst dafür reichte ihre Kraft nicht mehr aus.

Die beiden anderen Männer packten jetzt ihre Knie und hielten sie auch daran fest.

Auf den Boden gepresst und sterbend musste sie diese Schändung ertragen und zum ersten Mal in ihrem Leben liefen ihr Tränen über die Wangen.

Während der Mann stöhnend seinen Samen in ihren Leib schoss und ein anderer sich die Hose herunterzog, entschwand sie in das Reich der Ahnen.

Alles wurde still und friedlich um sie herum.

Wärme, Frieden und Geborgenheit hüllten sie ein.

116

24. Kapitel
Neue Ansichten, neue Wege?

Schnaufend zog sich Dodarus aus dem Schoß der Frau zurück und ließ sich neben sie auf das Lager fallen. Sofort lag sie mit dem Kopf auf seiner Brust und sah ihn von unten her an. Da war so ein stilles Glück in ihr, das man nicht mit Worten beschreiben konnte. Mit Blicken vielleicht!

Als er Lunara das erste Mal gesehen hatte, da hatte er noch nicht begriffen, welches Glück er in ihr gefunden hatte. Er hatte nur ihren schönen Körper gesehen und sich darauf gefreut, sich mit ihr paaren zu können.

Doch die Nacht bei dem Schamanen hatte ihm die Augen geöffnet. Und natürlich hatte es ihm gefallen, dass sie nicht den Tod gewählt hatte.

Im Schein des Feuers schaute er in ihre großen, dunklen Augen. Die ganze Welt schien darin zu liegen.

Mit leiser Stimme erzählte sie ihm von einer Idee, die auch ihm schon viele Male zuvor durch den Kopf gegangen war. Es war eine Art von Verbindung ihrer Seelen.

Sie erzählte von Wiesenland und er dachte an die grünen Wiesen und die Kornfelder in dem Nachbarreich.

Schon seit ein paar Jahren war es immer schwieriger geworden, dort das zu holen, was sie für das Überleben brauchten. Seit sich die großen Reiche im Norden zusammengetan hatten und ihre Grenze zu seinem Land gemeinsam bewachten, war jeder Zug in die Ebene hinaus ein Ritt ohne gesicherte Wiederkehr.

Zu den Zeiten seines Großvaters war das noch anders gewesen. Damals war es ein weites Land unter den Hufen der schnellen Pferde. Das Recht gehörte dem schnelleren, dem mutigeren!

Und was war jetzt?

Schon bei seinem Vater war es anders geworden! Und augenblicklich hörte er in Lunaras Worten, dass auch sie schon nach so kurzer Zeit hier im Lager erkannt hatte, dass es so nicht mehr weiterging.

Vielleicht hatte es auch Archus schon begriffen, als er im letzten Jahr die Wahl seiner Männer zweimal abgelehnt hatte und sich danach auch noch so tollpatschig beim Zweikampf angestellt hatte, dass es fast eine Einladung für ihn gewesen war, den tödlichen Streich gegen den Vater auszuführen.

Hatte Archus das mit Absicht getan, weil er erkannt hatte, dass es ein Ende haben würde, aber er nicht die Kraft für eine Wende hatte? Im Nachhinein schien es wohl so gewesen zu sein.

Und gerade kraulte Lunara seine Brust und erzählte ihm mit ihren Worten das, was er selbst dachte: Bei den derzeitigen Verlusten würde der Stamm wohl noch für zehn Jahre Männer haben und dann wären die Tuck ein Stamm von Frauen. Von Kriegerinnen, die sich das nehmen mussten, was sie brauchen würden.

Oder es musste einen konsequenten Schnitt geben, damit sie weiter als Stammesverband überleben können.

Allerdings musste diese Entscheidung bald fallen, denn schon jetzt waren es zwei Drittel Frauen in ihrem Stamm, wie ein Gang durch das Lager eindrucksvoll belegte.

Zwar wurden etwa gleich viele Mädchen wie Jungen geboren, doch es wurden immer jüngere Männer zu den Überfällen geschickt und diese unerfahrenen Jungen hatten keine Chance zu überleben.

Er selbst war vor vier Jahren auf seinen ersten Zug gegangen. Mit fünfzehn! Am Tage zuvor waren sogar zwei zwölfjährige mit nach Wiesenland geritten! Und mehr als deutlich zeigte jeder Tag, dass das Verhältnis im Frühjahr wohl so verschoben sein würde, dass dann drei Viertel Frauen waren.

Bisher hatte nie ein Khan auf eine Frau gehört. Er tat es! Allerdings war er noch jung und den Rückhalt bei den alten Männern, den sein Vater gehabt hatte, den musste er sich erst noch erarbeiten.

Und das würde schwierig, wenn er versuchte, die einzige Einnahmequelle der Stämme zum Versiegen zu bringen.

Auch da musste eine Alternative gefunden werden, denn nur mit Ziegenmilch würde der Stamm nicht überleben können.

Augenblicklich grübelten sie beide, nackt im Bett aneinander geschmiegt, was sein Volk hatte. Jede Menge Steine, aber diese würde keiner brauchen. Vieh auf den Hochweiden, aber auch die würden wohl nur für den Eigenverzehr reichen, denn Vieh gab es auch in Wiesenland.

Die Weiden dort waren fruchtbar und ertragreich. Und ihre? Eher nicht!

Vielleicht konnte ein Blick in das Feuer des Schamanen hilfreich sein und zu dem alten Mann würde er, zusammen mit Lunara, am nächsten Morgen gehen.

Jetzt kam erst einmal die Nacht. Und ein Kuss von Lunara, den er gern erwiderte. Auch das war neu! Oben auf dem Berg war er beim ersten Kuss regelrecht zusammengezuckt.

Zärtlichkeit zwischen Mann und Frau? Küsse austauschen und Streicheleinheiten? Unmöglich! Undenkbar!

Die alten Männer nahmen sich, was sie wollten und die jungen taten es ihnen nach. Auch hier musste ein Umdenken beginnen, damit es in Zukunft für alle nicht noch schwerer wurde.

Vermutlich hatte Archus erkannt, dass er anders war. Das nur er etwas ändern konnte und Gott hatte ihm die Schwester zur Seite gestellt, um zusammen diese Stämme zu führen.

Ein neuer Gedanke sauste durch seinen Kopf: der, von einer dauerhaften Verbindung zwischen dem Khan und einer Frau! Nicht nur für ein paar Tage, sondern für immer!

War auch das schon wieder ein Umbruch? Vielleicht.

Seine Finger tasteten sich zu ihrer Brust voran. Verlangend legte sich Lunara in Position. Sie beide würden kooperieren müssen, nicht nur kopulieren!

Doch im Moment konnte er sowieso nichts tun, außer den Körper dieser Frau zu streicheln. Zu sehen, wie empfindsam sie auf ihr reagierte. Zu hören, wie sie aufstöhnte und zu spüren, wie sie sich seinen Händen entgegendrückte. Fast mit Scham dachte er gerade daran, wie er mit fünfzehn Jahren die ersten Frauen in Wiesenland genommen hatte. Die Frauen hatten ebenfalls gezittert, aber nicht vor Lust, wie es gerade eben bei Lunara geschah! Dort war es Gewalt und Angst gewesen.

Wenn wirklich alles einen Sinn haben sollte, dann doch wohl vor allem ihr Zusammentreffen!

Alles zusammen konnte kein Zufall sein! Es waren so viele Schritte notwendig gewesen, dass sie beiden jetzt hier in diesem Bett lagen, dass es eindeutig Schicksal war. Oder Karma, wie der Schamane immer zu sagen pflegte.

Nichts in der Natur geschah ohne Grund!

Dodarus nahm Lunaras Kopf in beide Hände und drückte seine Lippen auf die ihren. Alles war gut in diesem Moment. Sie zog ihn über sich und schob ihn dahin, wohin er sollte.

Die glänzende Feuchte ihrer Scham lud ihn ein, in sie einzudringen. Es war ein stilles Flehen ihres Körpers, um seine Zärtlichkeiten. Und sein Dank war ein Aufbäumen von Lunara, als er der Aufforderung nachkam.

25. Kapitel
Ein blaues Kleid

Es war ein furchtbares Gemetzel! Nachdem der Feind ihre Anführerin von ihnen getrennt hatte, war ihr Angriff zusammengebrochen. Julian war kein Ritter, er gehörte zu den Knappen und eigentlich sollte er hinter den Rittern dafür sorgen, dass die verletzten Feinde nicht zu lange zu leiden hatten.

Dafür hatte er eine scharf geschliffene Streitaxt in den Händen, aber er war nicht mehr im Kampf.

Vielleicht hätte man sagen können, er wäre desertiert, aber Julian sagte sich einfach nur, dass er überleben musste, um das hier berichten zu können!

Aus einem Gebüsch heraus beobachtete er, wie fünf Männer gerade die alte Heerführerin schändeten. Mitten im Gefecht hatten die da drüben nichts anderes zu tun, als das da!

Es war wohl eine Art von Demütigung für den von ihnen gefangenen Feind!

Julian umklammerte den Holzstiel und sah aus der Deckung zurück zu den Rittern. Aus kürzester Entfernung wurden diese mit Pfeilen oder Armbrustbolzen außer Gefecht gesetzt und es würden sicher nicht mehr wie zwanzig das Blutbad überleben.

Wenn überhaupt einer das da überleben konnte!

Erneut ging sein Blick zurück zu der Anführerin. Nackt und hilflos lag sie nur zwanzig Schritte von ihm entfernt und er konnte nichts für sie tun, denn wenn er sich erhoben hätte, so hätte ihn ein Pfeil getroffen.

Bis zum Beginn des Angriffes hatten sich die Pfeilschützen in einem Waldstück versteckt und waren erst auf die Ebene gestürmt, als der vordere Teil der Ritter in die Front der Feinde eingebrochen war.

Nur vier Ritter hatten es geschafft, überhaupt auf Schwertlänge an den Feind heranzukommen. Warum hatten sie denn eigentlich keine Bogenschützen mit?

Eine Frau mit flammend rotem Haar trat auf die Fläche heraus, blickte sich um und ging auf die fünf Männer zu, die immer noch die Anführerin vergewaltigten.

Mit Fußtritten verscheuchte sie die Rüpel von ihrem wehrlosen Opfer und kniete sich danach vor die verletzt am Boden liegende Frau.

Die rothaarige Frau war wunderschön und er konnte keinen Blick mehr von ihr lassen. Sie trug ein blaues Kleid und einen goldfarbenen Gürtel, an welchem ein prachtvoller und glänzender Dolch hing. Die Haare hatte sie zu einem langen Zopf geflochten, der ihr bei ihrer Tätigkeit immer wieder nach vorn fiel.

Sie begann aus einer Tasche irgendwelche Dinge zu holen und damit die Pfeilspitze zu entfernen.

Offensichtlich wollte sie nicht, dass die getroffene Frau starb. Ihre Handgriffe waren präzise und schon wenig später warf sie die Spitze fort. Geschickt legte sie einen Verband an und winkte zwei der Männer zu sich, die in der Nähe stehen geblieben waren. Die beiden packten die Anführerin des Heeres an Armen und Beinen und trugen sie hinter der Frau her, die langsam von der Ebene zum Waldrand hinüberging.

In tiefster Gangart folgte Julian ihr mit etwas Abstand, denn er wollte wissen, wo sie hingingen.

Vielleicht war dort auch die Tochter des Königs zu finden, die sie ja eigentlich hatten retten wollen.

Mit jedem Schritt wurde der Schlachtenlärm leiser und als Julian den Waldrand erreichte, waren nur noch die Vögel des Waldes zu hören. Nichts erinnerte ihn soeben daran, dass da irgendwo hinter ihm gerade Menschen starben. Es war hier so friedlich, dass es fast seltsam war.

Vorsichtig setzte er seine Füße auf den Boden, um kein unnötiges Geräusch zu machen.

Das blaue Kleid zeigte ihm den Weg und er folgte der Frau.

Im Wald kannte er sich gut aus, zwar nicht in diesem, aber ursprünglich stammte er aus Waldonien. Fast seine ganze Kindheit hatte er in den Wäldern verbracht, bis die Mutter vor fünf Jahren mit ihm nach Mortunda gezogen war.

Jetzt war er achtzehn und hatte den Tod gesehen!

Es würde ihn nicht wundern, wenn sein Haar weiß werden würde, bei all dem Grauen, welches seine Augen an diesem Tag erblickt hatten.

Zwei seiner Freunde waren neben ihm gestorben und direkt vor ihm war ein Ritter im Pfeilhagel zusammengebrochen. Hätte der Mann nur eine Handbreit weiter links gestanden, so wäre Julian jetzt ebenfalls nicht mehr am Leben.

So schmal konnte die Grenze zwischen Leben und Tod sein. Nur so breit, wie eine Hand.

Lautlos schob er sich nach vorn und holte etwas Abstand auf.

Wenige Augenblicke später war er nur noch fünf Schritte hinter der Frau. Ihre Bewegungen waren anmutig und grazil. Und es schien auch eine Art von gewaltiger Kraft in ihr zu stecken. Vielleicht ein Zauber? Zumindest war sie eine Heilerin, denn die Männer würden ja keine tote Frau so weit schleppen.

Direkt vor ihm hatten die beiden Krieger, die ja zuvor dieselbe Frau geschändet hatten, die Anführerin an Armen und Beinen gepackt und trugen sie durch diesen Laubwald. Wo würden sie hingehen?

Es hatte ewig gedauert, bevor sich der Wald vor ihnen endlich gelichtet hatte. Momentan stand Julian direkt am Waldrand und sah auf die freie Fläche hinaus.

Nicht weit entfernt erhob sich eine mächtige Burg mitten im flachen Land. Nicht auf einem Hügel, wie es in Waldonien gewesen war. Ein gewaltiger Turm ragte dort empor und rings darum herum zog sich eine hohe Mauer.

Die Frau und ihre beiden Begleiter gingen zielstrebig auf das Tor dieser Burg zu und ihr Kleid leuchtete dabei im Sonnenlicht. Es war fast wie ein Leuchtsignal für ihn, aber er durfte sich nicht auf die freie Fläche hinauswagen.

Julian konnte ihr nicht mehr folgen. Zumindest nicht am Tag! Er brauchte ein Versteck im Wald, aus welchem er das Tor beobachten konnte und nicht gefunden wurde.

Noch stand die Sonne hoch am Himmel und er wusste jetzt, wo er sie wiederfinden konnte.

Vielleicht war dort auch die Prinzessin!

Langsam zog er sich zurück und begann mit der Erkundung des Waldes.

Nach einer ganzen Weile wurde er fündig und versteckte sich in einer kleinen Höhle. Vor vielen Jahren musste hier wohl mal jemand gelebt haben, denn die hölzernen Stühle waren alle morsch. Aber sie würden sicher gut brennen. Jetzt im Herbst konnte es nachts schon empfindlich kühl werden.

Schweigend setzte er sich an die Höhlenwand und gedachte all derer, die diesen Tag nicht überlebt hatten. Dabei gingen seine Gedanken aber immer wieder zu der geheimnisvollen Frau, die ohne Worte solch einen Zauber über ihn ausgesprochen hatte.

Ihr Blick hatte ihn verzaubert und dabei war er ihr doch noch gar nicht so nahe gekommen, dass er ihre Augen hätte sehen können.

Mit dem Gedanken an dieses blaue Kleid und ihre roten Haare schlief Julian schließlich ein.

26. Kapitel
Zukunft in Flammen

Nicht einen Augenblick hatte Dodarus in dieser Nacht geschlafen. Und das nicht nur, weil Lunara abermals den ganzen Mann gefordert hatte. Die Schwester schien unersättlich und nach ihm ausgehungert zu sein. Aber in den Augenblicken, die sie sich zur Erholung gegönnt hatten, da hatte er über ihre Worte nachdenken müssen.

Ihre Erklärung war zuvor auch seinen Gedanken entsprungen.

Diese Frau war einfach unglaublich und natürlich wunderschön!

Momentan sah er am rötlichen Schein im Windfang über sich, dass die Sonne gerade aufging. Der Moment kam, in welchem er zum Schamanen gehen wollte und seine Gedanken gingen ihm schon mal voran.

Der alte Mann, niemand wusste, wie alt er wirklich war, hatte sein Zelt am Rande des Winterlagers. Er lebte das ganze Jahr an diesem Platz, während der restliche Stamm nur den Winter hier verbrachte.

Der Alte war sonderlich und auch sonderbar. Vielleicht war es der Einsamkeit geschuldet, der er oft ausgesetzt war, aber eigentlich wollte niemand etwas mit ihm zu tun haben. Man ging ihm geflissentlich aus dem Weg, aber er hatte die direkte Verbindung zum großen Büffelgott!

Nur er, der Khan, musste ihn aufsuchen, um ein Orakel einzuholen oder wichtige Fragen, den Stamm betreffend, mit dem Gott über ihn zu klären.

Und jetzt brannte eine der wichtigsten Fragen in der Geschichte der Tuck auf seinen Nägeln: Wie sollte es in Zukunft weitergehen?

Lunara erwachte mit einem Gähnen und sah ihn herausfordernd an. So etwas wie: „Bitte noch einmal!", lag da in ihrem Blick und er konnte ihr diese stumme Bitte nicht verweigern.

„Begleitest du mich zum Schamanen?", fragte er sie später, als sie wieder in seinem Armen ruhte und sie nickte.

Schließlich war es ja auch ihre Idee gewesen und gemeinsam konnten sie vielleicht eine Lösung finden.

Sejla betrat das Zelt und brachte das Frühmahl, das sie zusammen, am Rande des Bettes sitzend, einnahmen. Er brauchte noch ein Geschenk für den Gott als Opfer und dachte darüber nach.

„Unsere Göttin mag Blumen ganz gern!", entgegnete Lunara, ohne dass er ihr gesagt hätte, worüber er grübelte.

Er rief: „Sejla!", und die junge Frau erschien.

Doch noch bevor er ihr etwas sagen konnte, begann Lunara und erklärte: „Ich werde sie auf der Wiese sammeln und Sejla wird mich begleiten."

Schon waren die beiden Frauen aus dem Zelt und ließen ihn für einen Moment dort nachdenkend zurück. Waren Blumen wirklich ein Geschenk für einen Gott? Ein Büffel würde sich sicher darüber freuen.

Dodarus erhob sich von seinem Platz, zog sich an und trat vor das Zelt. Von dort aus ließ er seinen Blick über die Gemeinschaft gleiten, deren Schicksal gerade von diesen hundert Schritten bis zum anderen Ende des Lagers abhing.

Eigentlich war alles klar, denn so, wie es bisher gegangen war, so ging es einfach nicht mehr weiter. Aber wie dann? Was hatte sein Stamm, was die Länder im Norden dringend haben wollten?

Frieden wollten sie auf alle Fälle, aber konnte er dafür Geld fordern? Das fühlte sich irgendwie falsch an, blieb aber eine Option.

Zuerst musste er sehen, was der Schamane dazu sagen würde.

Lunara kam zu ihm zurück. Jetzt trug sie einen großen Strauß Herbstblumen im Arm und einen Blütenkranz im Haar. Sie stellte sich vor ihn und fragte: „Können wir?"

Sie schien keine Angst vor dem alten Mann zu haben, aber vielleicht kannte sie ihn einfach nur noch nicht.

Von den zwei Mal, dass sie ihm begegnet war, konnte sich Lunara sicherlich kein Urteil über den Alten bilden.

Sejla blieb zurück am Zelt und sie gingen nebeneinander hinüber.

„Ich habe euch schon erwartet!", sagte der alte Mann, der mit verfilztem Haar vor seinem Zelt hockte und zu Boden sah.

Mit der Hand gab er ihnen zu verstehen, dass sie sich neben ihn setzen sollten.

Einen Moment sah der Alte ihn danach fragend an und Dodarus teilte ihm seine Befürchtungen mit.

Während Dodarus erzählte, gingen die Blicke des alten Mannes unstet über die Zelte, so, als ob er diese Worte überprüfen wolle, aber sicherlich hatte auch der Alte das schon lange festgestellt.

„Lasst uns nach drinnen gehen und den großen Büffelgott befragen!", bemerkte der Schamane sonderbar friedlich.

Der alte Mann ließ sogar Lunara den Vortritt. War seine bisherige Bissigkeit nur der Tatsache geschuldet gewesen, dass auch er den Untergang des Stammes schon vor den Augen hatte?

Als sie nebeneinander am Feuer saßen, warf der Schamane ein paar Kräuter in die Flammen hinein und ein beißender Gestank zog durch sein Zelt.

Es trieb Lunara sichtbar die Tränen in die Augen und auch er hatte zu kämpfen.

Sein Blick verschleierte sich und das Zelt um ihn herum wurde undeutlich.

Der Schamane begann einen Singsang und schlug dabei eine Trommel. Dieser Gesang und der schnelle Takt der Trommel packten Dodarus und vor seinen Augen konnte er in hellen Blitzen sehen, was kommen würde. Aber das wusste er ja schon! Frauen auf Pferden! Kriegerinnen, die mit dem Schwert in der Hand davon stürmten, während ein paar Männer am Zelt blieben und auf die Kinder aufpassen würden.

Das war das, was passieren würde, wenn sie nichts ändern, doch das hatte er ja bereits begriffen.

Er wollte wissen, was er ändern musste, um dieses Schicksal abzuwenden.

Doch noch bevor er eine Antwort darauf hatte, brach der Schamane ab und der Nebel hob sich.

Augenblicklich konnte Dodarus wieder klar sehen.

Lunara lag auf dem Rücken und atmete schwer.

Schnell sprang er zu ihr hinüber und half ihr auf.

„Ich weiß nicht, ob ich das kann!", schluchzte sie.

„Was denn? Hast du nicht das Gleiche gesehen, was auch ich sah?", fragte er.

„Nein!", sagte der Schamane und setzte fort: „Ein jeder hat das gesehen, was für ihn wichtig ist. Ich habe den Tod des Stammes gesehen, du sicherlich, wie es weiter gehen wird, falls sich nichts ändert und Lunara sah die Aufgabe, die auf sie zukommen wird!"

„Welche Aufgabe?", fragte er sie und sie musste schlucken.

„Das kann ich dir nicht sagen. Es war zu schrecklich!", erklärte Lunara fast tonlos.

„Und unser Kind?", erkundigte er sich weiter. Sie antwortete nicht. Schwankend erhob sich Lunara vom Feuer, verbeugte sich vor dem Schamanen und ging, ohne auf ihn zu warten.

„Was kann ich tun?", fragte Dodarus den Schamanen.

„Du hast deinen Teil der Zukunft gesehen!", entgegnete der alte Mann, was wohl heißen sollte, dass der Kahn gar nichts tun konnte.

Entsetzt blickte er Lunara hinterher. Alles hing jetzt an ihr!

27. Kapitel
Visionen des Todes!

*L*unara konnte nichts mehr sagen, denn es hatte ihr die Sprache verschlagen. Diese grausigen Bilder, die das Kraut des Schamanen in ihrem Kopf ausgelöst hatte, waren unbeschreiblich. Tod, Zerstörung, Feuer, Schlangen, furchtbare Dämonen und schreckliche Drachen. Alles war dabei gewesen und sie hatte ihren eigenen Tod gesehen.

Bedeutete das, dass sie sterben musste, um den Stamm zu retten?

Seit ihrer Rückkehr zum Zelt saß sie schweigend und in sich gekehrt auf einem umgestürzten Eimer vor dessen Eingang und weinte.

Warum hatte sie es nur wissen wollen?

Die Frage war doch nur gewesen, was der Stamm hatte und was sie den anderen Reichen im Tausch gegen die Sachen, die sie zum Leben brauchten, anbieten konnten.

Aber dass es ihr eigenes Leben sein sollte, das allen Völkern von Mirento den Frieden bringen würde, das hatte sie nicht gedacht.

Und sie hatte den Tod des Kindes gesehen, das jetzt schon in ihrem Leib heranwuchs, auch wenn sie es bis gerade eben noch nicht gewusst hatte.

Das durfte doch alles nicht sein!

Gerade eben erst hatte sie mit Dodarus die Liebe ihres Lebens gefunden und jetzt waren dieses Leben, und damit diese riesengroße Liebe, auch schon wieder vorüber! Warum nur?

Was hatte sie denn Schlimmes getan? Außer ihren Bruder zu lieben!

War das den ihren Tod wert?

Sejla versuchte, sie zu trösten.

Dodarus hielt sich damit aus gutem Grund zurück, da sie draußen war und es wohl komisch aussah, wenn der Anführer der Tuck eine Frau umarmte und tröstete.

Eine Art von Fatalismus bemächtigte sich ihrer.

Eigentlich war sie bereits gestorben und nur der Zeitpunkt ihres Ablebens noch nicht geklärt. Ihr Blick wanderte zum Schamanen, der ihr gegenüber wieder vor seinem Zelt saß.

Schwankend stemmte sie sich hoch und taumelte in ihrem Schmerz zu ihm hinüber.

„Wann?", fragte sie den alten Mann nur.

Der Alte sagte, ohne zu ihr aufzusehen: „Wenn du dazu bereit bist! Du weißt, wohin und wirst dort erwartet!"

Schweigsam wandte sie sich zurück und ließ ihren Blick über das Lager schweifen. Noch nicht lange war sie hier und trotzdem fühlte sie sich hier zu Hause. Aufgenommen und willkommen unter Frauen, die schon nach den paar Tagen wie Freundinnen geworden waren.

Sollte sie es so schnell wie möglich hinter sich bringen? Oder die verbliebene Zeit so gut wie nur irgend möglich nutzen?

Sie sollte gehen, wenn sie dafür bereit war, aber konnte man für den Tod bereit sein?

„Nutze die Zeit, die dir noch bleibt!", äußerte der Schamane hinter ihr.

Lunara nickte stumm vor sich hin. Es gab da noch ein paar Dinge zu klären, einiges vorzubereiten und sie musste mit sich selbst ins Reine kommen.

Ihr Schicksal lag klar vor ihr und es war unabwendbar!

Gefasst machte sie sich auf den Rückweg und blieb auf dem Weg dorthin bei einem der Frauenzelte stehen. Alantra saß vor diesem und spielte mit einem Kleinkind.

Alantra war die älteste Frau des Stammes und sicher fast genauso alt, wie der Schamane.

130

An einem ihrer ersten Tage hier hatte die alte Frau sie einfach in den Arm genommen und ihr alles erklärt. Sie war die heimliche Führerin der Frauen. Jede Frau kam zu ihr, wenn sie Nöte und Sorgen hatte. Wenn man so wollte, so führte eigentlich Alantra den Stamm.

„Was ist?", fragte sie von unten, denn die Tränen auf Lunaras Wangen waren wohl kaum zu übersehen.

Lunara hockte sich neben die Alte, zog sich das Kind auf ihren Schoß und spielte mit der Kleinen.

Ein neuer Kummer zog durch ihr Herz, denn nie würde sie ihr eigenes Kind in dieser Art auf den Knien haben können.

Tröstend tätschelte Alantra ihre Wange.

Wo es in Wiesenland oft täglich tausende Worte zwischen den Frauen gegeben hatte, da sagten die Frauen der Tuck alles mit einer Geste, einem Blick oder einer Berührung.

Trotzdem fand Lunara den Umgang zwischen den Frauen hier viel herzlicher, denn Zuneigung brauchte keine Sprache!

Die Kleine quiekte vor Freude. Sie mochte noch keine vier Sommer alt sein und auch dieses kleine Mädchen würde sie retten müssen.

Alantra zog sie an ihre Brust und die Tränen liefen erneut ihre Wangen herab. Warum nur? Gerade hatte sie ihren Frieden gefunden und jetzt war das auch schon wieder vorbei.

Mit dem Handrücken wischte sie sich die Tränen ab und setzte die Kleine auf den Boden zurück.

Augenblicklich hob Alantra das Mädchen auf und brachte sie vermutlich zu ihrer Mutter.

Erneut wanderte Lunaras Blick über das Lager.

Neben ihr zog ein Mann eine Frau zu Boden und das wollüstige Schnaufen der beiden erinnerte Lunara daran, dass sie noch etwas zu organisieren hatte.

Sie erhob sich von ihrem Platz und ging zurück zu ihrem Zelt.

Sejla stand daneben und hatte sie offenbar schon erwartet.

„Du bist doch meine Freundin?", begann Lunara.

„Ja. Was kann ich für dich tun?"

„Für mich kannst du nur indirekt etwas tun! Ich werde innerhalb der nächsten zwei Monde mein Kind, meine Liebe und mein Leben verlieren. Das hat der große Büffelgott mir gezeigt!", erklärte Lunara leise.

Sie sah Sejlas vor Entsetzen weit aufgerissene Augen und die Freundin fiel ihr um den Hals.

„Was kann ich tun?", fragte Sejla mit Tränen in der Stimme.

Lunara kam es im Moment seltsam vor, wie gefasst sie doch über ihren eigenen Tod war.

„Du musst Dodarus den Sohn schenken, den ich ihm nicht geben kann und den er zur Erhaltung seiner Macht braucht!", offenbarte Lunara gefasst.

Dodarus kam genau in diesem Moment zum Zelt.

Sejla nickte schluchzend.

Lunara blickte Dodarus in die Augen und die beiden sich liebenden Geschwister erzählten sich ohne Worte alles, was sie wissen mussten.

Schließlich ergriff Dodarus Sejlas Hand und zog sie hinter sich her.

Lunara setzte sich erneut auf den Eimer.

Alles war geklärt.

War sie aber gegenwärtig schon dafür bereit, den vorgezeigten Weg bis zum Ende zu gehen?

Noch nicht wirklich.

Das Schnaufen aus dem Zelt kündete von Dodarus Pflicht, doch Lunara wollte sich noch etwas an dem erfreuen, was sie schon bald verlieren würde.

Sie erhob sich, betrat das Zelt und streifte sich den Rock von den Hüften.

Für ein paar Tage wollte sie noch diese unglaublich große Liebe genießen und sie setzte sich dafür eine Frist.

Der große Büffelgott konnte noch ein paar Tage länger auf ihr Opfer warten.

Sie sah den nackten Hintern des Bruders zwischen Sejlas Schenkeln und legte sich zu den beiden Liebenden.

Dodarus küsste sie, während er noch in Sejlas Schoß steckte.

28. Kapitel
Ein Leben in Schande!

Ein Wasserguss holte Barbara aus dem Land der Ahnen zurück in dieses jämmerliche Leben. Alles tat ihr weh und sie lag nackt auf dem Boden eines fensterlosen Raumes. Fackeln an den Wänden beleuchteten sie und ein paar Männer, die um sie herum standen.

Sie spürte, dass eine Brust verbunden war und die Pfeilspitze schien auch nicht mehr in ihr zu stecken, aber sie konnte sich nicht rühren.

An Händen und Füßen hatte sie schwere Eisenketten, obwohl sie sowieso keine Kraft mehr hatte, um auch nur einen Finger zu rühren.

„Na, wenn haben wir denn da? Isodora, meine alte Küchenmagd? Oder Barbara, die nichtsnutzige Zofe meiner Frau? Oder etwa Barbara, die Anführerin des Heeres von Mortunda? Wenn nicht gar alle drei in einer Person?", hörte sie eine Stimme, die ihr wohlbekannte vorkam.

„König Xander! Ich hätte es wissen müssen, dass ihr hinter der ganzen Sache steckt!", brachte sie mühsam über die Lippen.

„Hat meine dreimal verfluchte Tochter Zondala dir das nicht gesagt? Ihr redet doch sonst immer über alles!", höhnte der Mann, der jetzt vor sie trat.

Einen Augenblick später stand er zwischen ihren Beinen, die durch die Ketten auseinander und zur Seite gezogen waren.

Mit letzter Kraft hob Barbara den Kopf, um ihn anzusehen. Das war Jahrzehnte her und dennoch hatte er sich sofort an sie erinnert. Oder hatte er es bereits zuvor gewusst und die Kämpfer hatten ihr eine Falle gestellt? Es war ja klar gewesen, dass sie sich an der Spitze der Männer in die Schlacht werfen würde.

Momentan lag sie hier wehrlos vor ihm. Hilflos seiner Rache ausgeliefert, aber würde er sie wenigstens schnell töten?

Die Versorgung der Wunde sprach wohl eher nicht dafür, denn das wäre dann nicht nötig gewesen. Der rachsüchtige König würde sie sicherlich quälen und leiden lassen!

Er beugte sich ein Stück nach vorn, um ihr in die Augen sehen zu können und zischte sie an: „Du bist eine von den drei Huren, die mir mein Königreich gestohlen haben. Die anderen beiden hole ich mir auch noch!"

„Und eine davon ist eure Tochter!", entgegnete Barbara.

„Auf solche Befindlichkeiten kann ich jetzt keine Rücksicht mehr nehmen. Du wolltest mit deinen Männern sicherlich Sofia befreien und damit ist das eigentlich ein Bruch des Abkommens! Damit hat mir Zondala praktisch ihre Tochter auf dem silbernen Tablett präsentiert!", erklärte Xander.

„Bitte lasst Sofia in Ruhe! Sie hat euch doch nichts getan!", brachte Barbara mit der letzten Kraft noch heraus.

„Ich werde sehen, was ich mit ihr anstellen werde. Was ich mit dir mache, das weiß ich dagegen bereits!", ließ er sich hämisch vernehmen.

Der König machte eine Pause und Barbaras Kopf sank auf den Steinboden zurück. Jetzt wartete sie nur noch auf ihr Todesurteil. Wie würde sie sterben?

Xander lachte höhnisch und richtete sich auf.

„Du bist eine Hure und du wirst fortan das Leben einer Hure führen. Wann immer einer meiner Männer ein Bedürfnis verspürt, so wird er es bei dir stillen können!", legte er fest.

Er wandte sich von ihr ab und sagte über die Schulter: „Packt sie und bereitet sie dafür vor!"

Augenblicklich hatte sie begriffen, dass König Xander ihr keinen schnellen, ehrenhaften Tod gewähren würde, sondern ein langes Leben in Schande. Als Hure für seine Männer!

Barbara blieb die Luft weg und sie brachte kein Wort des Protestes heraus. Es hätte sicherlich auch nichts mehr genutzt.

Xander hatte gesprochen und so würde es kommen.

Als der König den Raum verlassen hatte, lösten die Männer die Ketten an ihren Armen und Beinen, aber sie war zu schwach, um diesen Moment für eine Gegenwehr zu nutzen.

Nur einen Moment später hatten die Männer sie auf die Füße gezogen und zu einem Gestell geschleift, das sie erst jetzt sah. Eine hüfthohe Konstruktion aus Holz stand mitten in dem Raum und die Männer zogen sie über zwei quer liegende Holzbalken, wodurch sie an der Hüfte und vor der Brust quer gehalten wurde.

Bäuchlings über diesem Gestell liegend musste sie einfach zulassen, dass ihre Füße und Hände mit den Ketten unten am Holzgestell fixiert wurden. Danach zog einer der Männer ihren Kopf am Zopf zurück und von vorn wurde ihr eine Metallkonstruktion in den Mund geschoben.

Mit ein paar Schraubenwindungen zog der Mann ihre Kiefer auseinander und befestigte die Klammer danach mit einer Kette um ihren Hinterkopf. Mit dieser Kette wurde auch ihr Kopf in dieser Position befestigt.

Sie ahnte den Zweck dieser Klammer, denn sie hielt ihren Mund offen und verhinderte, dass sie zubeißen konnte.

Es war eine zusätzliche Demütigung von Xander für sie und der Zorn trieb ihr die Tränen in die Augen.

Gefesselt, praktisch geknebelt und ständig zugriffsbereit lag sie auf dem Holz.

„Da werden wir mal sehen, ob die Konstruktion hält!", erklärte einer der Männer und schlug ihr mit der flachen Hand auf den Hintern. Es klatschte laut und alle lachten.

Einen Augenblick später standen die fünf Männer direkt vor ihr und zogen sich aus. Sie taten das absichtlich so langsam wie nur irgend möglich, vermutlich, um sich an ihrer Furcht zu weiden.

Schließlich stellte sich einer vor sie hin und schob sein Gemächt in ihren Mund.

„Ein bisschen enger!", sagte er und einer der anderen Männer löste die Schraube ein kleines Stück.

„So ist es besser!", stellte der Mann schließlich fest und rammte sich bis in ihren Hals.

Barbara musste würgen und konnte doch gar nichts dagegen tun.

„Und so ein herrlicher Arsch!", hörte sie einen anderen Mann rufen, der gerade offensichtlich hinter sie getreten war. Und während sie noch würgte, stieß der Mann hinter ihr zu. Doch er benutzte nicht ihren für ihn offenen Schoß, sondern stieß in den zweiten, viel engeren Zugang zu ihrem Unterleib.

Der unbeschreibliche Schmerz raubte Barbara fast die Sinne, doch sie wollte den Männern nicht die Genugtuung geben, sie wimmern zu hören.

Es dauerte eine ganze Weile, bis auch der fünfte Mann mit ihr fertig war und sie im Dunklen über dem Holzgestell hing.

Sie war zu einem schrecklichen Schicksal verurteilt worden und konnte nichts dagegen tun, außer irgendwann zu verdursten oder zu verhungern.

Wie lange konnte das dauern?

Eine Woche höchstens, denn von diesem Gestell würden die Männer sie nicht mehr losmachen wollen. Eine hoffentlich kurze Zeit und sie ließ die Tränen laufen, aber sie weinte nicht um sich, sondern um Sofia, die sie mit ihrem Einsatz nicht hatte befreien können.

Die junge Frau war Xander gegenwärtig schutzlos ausgeliefert. Würde er sie stellvertretend für Zondala bestrafen? Dann würde die Prinzessin sicher nach ihr hier so knien.

29. Kapitel
Blutige Tränen

*D*ie Reise nach Waldonien hatte Zondala nur bedingt weiter gebracht. Sie hatte weder Lisa noch Ursula angetroffen und zur Schlange wollte sie nicht gehen. Eigentlich hatte der Wolf am ersten Abend bereits alle Fragen geklärt. Als Mensch hätte sie sicherlich anders reagiert, als sie es als Königin tun durfte.

Gerade kam auch noch die Mitteilung, vom Scheitern der Freundin und mit Barbaras Tod war auch Sofia verloren.

Nur eine Handvoll Ritter hatten es überhaupt wieder bis zu ihr zurückgeschafft. Wohl nur absichtlich verschont, um ihr die Nachricht von Barbaras Ende zu überbringen.

Xena stand verletzt vor ihr und erzählte mit Tränen in den Augen vom Gemetzel. Sie war eine starke Frau und die Tränen sagten mehr, als all ihre Erzählungen und Beschreibungen es vermochten.

Und in diesem Schmerz und der Trauer hinein tauchte Xanders Bote auf. Erneut präsentierte er einen Brief, in welchem der Vater abermals die Übergabe des Königreiches von ihr forderte.

Sofia wurde in diesem Schreiben mit keiner Silbe erwähnt und das hieß wohl, dass die Tochter nicht mehr lebte.

Die einzig richtige Antwort auf dieses Schreiben war, den Boten einen Kopf kürzer zu machen und Xander diesen Kopf zurückzusenden, um ihre Haltung konsequent zu untermalen.

Und auch, um den Schmerz irgendwie loszuwerden. Es war eine brutale Tat, aber es minderte ein wenig die Trauer, eine Art von Rache für den Tod von Tochter und Freundin.

Dieses Gefühl der Vergeltung war noch nie zuvor in ihr gewesen und fast schämte sie sich danach dafür.

Achim nahm sie in den Arm und bestärkte sie in der Ansicht, alles richtig gemacht zu haben, obwohl sie daran immer weiter zweifelte. Jetzt würden aber die Piratenüberfälle sicher wieder beginnen und sie hatte keinen Heerführer mehr!

Xena wäre sicher eine gute Wahl, doch sie war noch verletzt. Sollte sich Zondala auch noch mit der Führung des Heeres beschäftigen? Bisher war sie mit der Teilung der Aufgaben zwischen sich und Barbara immer gut ausgekommen.

Noch einmal holte sie Xena zu sich und fragte die junge Frau, ob sie diese Aufgabe übernehmen könnte. Mit dem Arm in der Schlinge stimmte sie nach einer Weile der Besinnung schließlich zu.

Gleichzeitig berichtet sie davon, dass Barbaras Tod die Armee ziemlich getroffen hatte. Jeder hatte die alte Frau gekannt und gemocht. Und derzeitig brannte jeder darauf, sie zu rächen.

Nur wie?

Wochenlang hatten sie versucht, die Räuber zu fangen. Dieses unselige Katz und Maus Spiel hatte ihre Kräfte zermürbt und nur mit List konnte man diese „Maus" in eine Falle locken.

Aber wie sollte das gelingen?

Zusammen mit der neuen Heerführerin überlegte Zondala alleine im Thronsaal, was man tun konnte. Womit stellte man den Räubern einen Hinterhalt? Mit einer Beute, die so verlockend war, dass es jedes Risiko wert sein würde.

Der Köder wäre schnell gefunden, doch wie sagte man dem Feind: „Hier ist was zu holen?"

Wenn sie irgendwo eine Kiste mit Gold an den Strand stellen würde, dann wäre die Falle viel zu offensichtlich! Kein normal denkender Mensch würde da hineintappen.

Und was machte ein gieriger Pirat? Konnte man nicht in allen Dörfern ein Gerücht streuen und dann hoffen, dass beim nächsten Überfall die Piraten Wind von der Sache bekommen würden?

Was wollte der Vater unbedingt haben? Zondala!

Sollte sie sich selbst als Köder vor seine Nase setzten lassen? Mit einem Urlaub am Meer!

Xander würde sich diese Gelegenheit sicher nicht entgehen lassen! Direkt an der westlichen Küste Mortundas, an der Mündung des Tassaros in das Nordmeer, also praktisch Xanders Insel am nächsten, gab es einen kleinen Ort, der durch eine Palisade geschützt war. Diesen Ort hatten die Räuber noch nicht überfallen, aber er war perfekt als Platz, an dem sie warten konnte.

Sofort schickte Xena hundert Ritter, einzeln und als Reisende getarnt, mit ein paar Wagen dorthin.

Etwas später erschien Xena wieder und jetzt wurde es Zeit für Zondala, mit ihrem Pferd und einer kleinen Wachmannschaft aufzubrechen.

Am Tor sagte sie auffällig laut, dass sie in den Ort ritt, um dort nach dem rechten zu schauen, sie sagte es aber so, dass auch ein reisender Händler und ein paar Marktfrauen es hören konnten. Dann ritten sie los.

Xena ritt neben ihr und sie beide hofften, dass die gestellte Falle funktionieren würde. Sicherlich würde es zwei Tage dauern, bis Xander seine Leute schicken würde.

In seiner Rache würde er sich die lang ersehnte Beute sicher nicht entgehen lassen.

Irgendwie war es ein komisches Gefühl, sehenden Auges in eine Falle zu reiten, obgleich man diese selbst gestellt hatte.

Als am Abend die Dämmerung über das Land fiel, erreichten die Reiter das Dorf. Dort wurde sie schon vom Dorfmeier empfangen. Im Gasthof des Ortes waren bereits ziemlich viele Reisende untergekommen und nur sie, sowie Xena, wussten, dass es sich dabei um die anderen Ritter handelte. Nicht einmal ihre Begleitung hatte sie darüber informiert.

Zondala erhielt ein Zimmer im Hause des Meiers und die Hausherrin beeilte sich, alles für sie vorzubereiten.

Vom Fenster des Zimmers aus war das Meer zu sehen und damit ging Zondalas Blick direkt hinüber zu der Insel. Kein Land war mehr zwischen ihr und Xander!

„Komm schon Vater! Ich warte auf dich!", flüsterte sie, als sie dann alleine in dem Raum stand.

Wie lange würde sie wohl warten müssen, bis dort draußen die schlanken Schiffsrümpfe der Räuber erscheinen würden? Und wie viele dieser Seeräuberboote würde der Vater schicken?

Zuerst kam aber die Frau des Meiers und holte sie und Xena zum Abendmahl ab. In der kurzen Zeit, die sie für die Vorbereitung gehabt hatte, hatte sie es geschafft, ein köstliches Essen auf den Tisch zu zaubern.

Auch die Fenster dieses Raumes gingen nach Westen hinaus.

Vermutlich war das Absicht, um während des Mahls die See beobachten zu können, doch Zondala hatte derzeitig einfach nur den Platz im Blick, an welchem die Tochter gestorben war.

Und erneut brach eine Träne auf und lief über die Wange der Königin. Schnell drehte sie sich von der anderen Frau fort, um es sie nicht sehen zu lassen. Dabei blickte sie Xena an und die junge Frau nickte ihr verstehend zu.

Geschwind hatte Xena die Stühle anders geschoben, womit Zondala mit der Seite zum Fenster sitzen konnte.

Xena wurde mit jedem Augenblick mehr zu einer Freundin für Zondala und das bestätige sie in der Annahme, dass die Wahl richtig gewesen war.

30. Kapitel
Opfer für Opfer!

Länger als Barbara jemals gedacht hätte, war sie bereits hier in dieser Kammer gefangen. Noch immer war sie auf dem Holz in genau jener Position fixiert, die Xander angewiesen hatte und in welcher alle ihre Körperöffnungen jedem Mann sofort zugänglich waren. Die Drohung von Xander war wirklich ernst gemeint gewesen und in der vergangenen Zeit war jeder Mann der Burgbesatzung sicherlich schon ein paar Mal bei ihr gewesen.

Allerdings machte es ihr nichts mehr aus! Zwar fühlte sie sich benutzt und weinte oft, wenn sie in der Dunkelheit alleine zurückblieb, aber andererseits wusste sie auch, dass, solange sie hier war, nicht Sofia hier sein würde.

Diese Drohung Xanders war noch gut in ihrem Ohr und sie opferte sich somit für diejenige, die ihr im Moment am meisten am Herzen lag.

Gelegentlich kam eine Magd zu ihr, die ihr dann, da sie in dieser Position bleiben musste, einen Schlauch bis in den Magen schob, um ihr einen Brei und Wasser zu verabreichen. Sie brauchte nicht zu kauen und sie hätte es wohl auch nicht mehr gekonnt.

Die Kiefersperre hatte ihre Muskeln vollkommen erlahmen lassen.

Die Magd wischte ihr auch das Gesicht ab und darin war so eine liebevolle Geste zu spüren. Am Schlimmsten war für Barbara aber, dass sie auch die Notdurft in dieser erniedrigenden Haltung verrichten musste. Es war furchtbar, stundenlang in den eigenen Exkrementen zu knien, bevor die Magd es wegmachen kam.

Die Männer interessierten sich herzlich wenig dafür, denen ging es nur um ihren Trieb!

Die Schmerzen der ersten Tage waren lange vergessen. Sie spürte nichts mehr und wenn die Magd sie losgemacht hätte, dann hätte sie weiter in dieser Lage bleiben müssen. Hände und Füße fühlten sich taub an. Alles andere kribbelte gelegentlich noch.

Immer wenn das Licht in ihre Dunkelheit fiel, dann begann für sie abermals das Martyrium.

In der Finsternis hatte sie aber Gelegenheit, um zu ihrem alten Schwertmeister und zu den Ahnen aufzubrechen. In stiller Zwiesprache führten sie dann endlos Gespräche über alles Mögliche. Einst hatte Dakora ihr diese Techniken beigebracht und jetzt reiste sie täglich in das Land der Toten.

Am Anfang hatte er ihr erzählt, dass die Ahnen ihre Aufnahme in die Halle der Krieger abgelehnt hatten, weil sie auf dem Schlachtfeld noch bei Bewusstsein geschändet wurde und sich nicht gewehrt hatte. Ihr Einspruch, dass es nicht gegangen war, wurde von den Altvorderen abgelehnt.

Hätte sie nur einen Augenblick eher den Tod gefunden, dann wäre ihr diese Bank erspart geblieben.

Die Piraten hatten dies aber vermutlich ebenfalls gewusst, denn ihr zielstrebiges Handeln sprach dafür, dass schon wieder eine Hexe oder Zauberin an Xanders Seite war und Barbaras Schicksalsfaden in der Hand hielt.

Die Frage blieb nur, ob es zu ihrem Nutzen oder Schaden geschah, aber für Sofia sicherlich zum Vorteil. Und nur daran klammerte sich Barbara.

Jedenfalls hatte sie oft Gelegenheit, um zu den Ahnen zu gehen, aber sie musste Dakora vor der goldenen Halle treffen, denn eine Hure durfte nicht hinein. Ihre Füße würden den geheiligten Boden entweihen.

Schließlich kam der Moment, vor dem sie sich schon die ganze Zeit gefürchtet hatte.

Xander baute sich vor ihr auf und verkündete: „Ich muss dich jetzt leider von deinem Platz vertreiben, aber meine Männer wollen etwas Jüngeres und knackiges in ihre Hände bekommen!"

Auf sein Handzeichen lösten zwei Männer zuerst ihre Fußfesseln und danach die Ketten an ihren Händen.

Ein paar Augenblicke später schleiften die Männer sie nackt durch einen dunklen Gang und warfen sie in eine Kerkerzelle.

Unfähig sich zu bewegen, lag sie dort auf dem Rücken und musste hilflos zusehen, wie man die schreiende Sofia an ihrer Zelle vorbei schleifte.

„Xander! Diesmal entkommst du meiner Rache nicht! Ich werde dich in Stücke reißen!", sauste der einzige Gedanke durch ihren Kopf, der jetzt noch möglich war.

Sie wollte ihre Genugtuung haben!

Ein Unterhemd wurde in die Zelle geworfen, aber Barbara konnte sich nicht rühren. Ein Sturzbach von Tränen schoss aus ihren Augen und ihr Herz krampfte sich zusammen.

Eine junge Frau trat zu ihr und kniete sich neben sie.

„Ich würde gern deine Verletzung kontrollieren!", sagte sie und riss den Verband von Barbaras Brust.

Der Stoff hatte sich mit der Wunde verklebt und Barbara blieb für einen Augenblick die Luft fort. Sie hätte diese junge Frau gern nach Sofia gefragt, doch ihre Kiefer gehorchten ihr nicht mehr.

Mit offen stehendem Mund ertrug sie den Schmerz der Behandlung und musste daran denken, was wohl im Augenblick mit der Prinzessin geschah.

Sie hatte nur noch ihre Rache und würde nur noch dafür leben!

Bis zum letzten Atemzug würde sie dafür kämpfen, Xander zu vernichten.

Die junge Frau streichelte ihre Wange und das war wohl das Zeichen dafür, dass die Behandlung vorbei war.

Mit einer unheimlichen Kraftanstrengung und offenen Mund versuchte Barbara „Sofia" zu sagen, aber das klang nur nach einem lallen.

Die junge Frau hatte es aber offenbar trotzdem verstanden, denn sie beugte sich zu ihr herab und flüsterte: „Ich werde auf meine Nichte Sofia aufpassen! Das verspreche ich dir!"

Ein genuscheltes „Danke!", verließ Barbaras Mund und sie versuchte die Hand der jungen Frau zu greifen, aber es blieb bei dem Versuch. Ihre Muskeln waren nach der unendlich langen Tortur steif und unbenutzbar.

Augenblicklich griff das Mädchen ihrerseits ihre Hand und mit unglaublicher Kraftanstrengung drückte Barbara ihre Finger zusammen.

Die rothaarige Frau nickte ihr zu und streichelte noch einmal ihre Wange. Danach erhob sie sich und ging.

Barbara musste darauf vertrauen, dass das die Frau Sofia beschützen konnte, im Moment konnte sie selbst es nicht!

In einer Meditation verband sie sich wieder mit ihrem Meister Dakora und dieser ging in ihren Körper. Der Geist des Schwertmeisters begann, ihren Leib zu heilen.

Als sie die Augen wieder aufschlug, konnte sie ihre Hand schon etwas bewegen. Sie ballte sie mühsam zur Faust und schwor sich, Xander für seine Verbrechen zu richten. Danach übernahm Dakoras Geist die weitere Heilung.

Im Dunkel des Übergangs zum Totenreich schwebte Barbara ihrer Rache entgegen.

31. Kapitel
Am Ende der Kraft

Bei jedem Geräusch war Sofia zusammengezuckt. Es waren Tage, wenn nicht sogar Wochen vergangen, seit man sie hier in dieses Loch geworfen hatte, aber die Männer hatten sich nicht noch einmal ihrem Gefängnis genähert. Offensichtlich war der Brief zu ihrer Mutter unterwegs und Xander schonte sie, solange er auf eine Antwort wartete.

Doch wie würde diese Nachricht ausfallen? Und würde der Großvater seine Drohung dann dennoch wahr machen?

Radunta war in der Zwischenzeit oft bei ihr gewesen, aber sie durfte die Zelle nicht mehr betreten. Am Gitter stehend hatten sie lange Gespräche geführt und von Zeit zu Zeit hatte die Tante, die mittlerweile zu einer Freundin geworden war, ihr kleine Geschenke zugesteckt. Mal einen Kamm, mal eine Blume oder eine Köstlichkeit aus der Küche, die sie wohl irgendwo stibitzt hatte.

Es fühlte sich irgendwie komisch an, sie als Tante zu sehen, weil Radunta ein paar Monate jünger war, als sie selbst, aber es war nun mal so und sie war der einzige Lichtblick in dieser Finsternis.

Ohne diese Gespräche wäre Sofia schon lange vor Angst wahnsinnig geworden, denn jederzeit konnte Xander wieder mit den acht Männern erscheinen und sie ihrem Schicksal überlassen.

Die eine Nacht mit Wolfger war schon der blanke Horror gewesen und es hatte Tage gedauert, bis die Wunden davon verheilt waren.

Radunta wusste allerdings auch nicht viel über den Stand der Verhandlungen. Oder sagte die Freundin nur nichts darüber, um sie nicht zu beunruhigen?

Sofia wollte sie aber nicht zur Rede stellen, denn ohne sie wäre es hier nicht auszuhalten.

Ihr kleines Reich war indessen nur noch vier Mal fünf Schritte groß. Inzwischen kannte sie jeden Stein und jede Ritze im Mauerwerk.

An einer Stelle hatte wohl ein Vorbewohner ein Frauenbild in den Stein geritzt. Nur noch schwach war es zu erkennen und dennoch nutzte Sofia dieses kleine Symbol dafür, um zur großen Göttin zu beten, wann immer es ihr danach war.

Da ihr Verlies kein Fenster hatte, wusste sie auch nicht, welche Tageszeit es wohl gerade war und wie der Tag verging, denn das Licht der Fackeln brannte ständig im Gang.

Und abermals stand Sofia am Gitter und redete mit Radunta.

Die Freundin hatte ihr dieses Mal eine Rose mitgebracht, deren Duft Sofia gerade genüsslich in die Nase zog. Diese Blume erinnerte sie an das Rosenbeet, das sie im Sommer mit der Mutter und Franziska hinter der heimatlichen Burg angelegt hatte. Diese Sträucher mussten jetzt gerade ebenfalls blühen.

Und just in diesem Moment, in welchem sie so sehr an die Mutter dachte, marschierten die Wachen auf und König Xander trat vor ihr Gitter.

Selbst Radunta zuckte vor seinem Gesichtsausdruck zurück und die Tante war gewöhnlich durch nichts zu erschüttern.

Sofia blieb fast das Herz stehen und sie wich langsam zur hinteren Wand, die ihren Rückzug aber nach drei Schritten jäh stoppte.

Ihr Großvater stemmte die Hände in die Hüften, holte tief Luft und begann brüllend: „Alles, was jetzt kommt, das hast du einzig und alleine deiner verdammten Mutter zuzuschreiben!"

Sofias Hand krampfte sich um den Stiel der Rose herum zusammen, aber der Schmerz der Dornen erreichte ihr Gehirn nicht.

Das war ihr Todesurteil!

„Auf meine erste Nachricht hin hat Zondala ein Heer geschickt, welches ich geschlagen habe. Auf meine zweite, dringendere Botschaft hat sie damit geantwortet, dass sie mir den Kopf des Kuriers in einem Sack zurückgeschickt hat! Was glaubst du wohl, was jetzt mit dir geschehen wird?", schrie Xander.

Sofia gefror das Blut bei seinem Mienenspiel.

Der alte Mann wandte sich seinen Männern zu und rief: „Schnappt sie euch und bereitet sie vor!"

Quietschend öffnete sich das Gitter, zwei der Männer stürzten auf sie zu und packten sie an den Armen. Die Rose entglitt ihrer Hand und einen Augenblick später folgte das zerfetzte Kleid der Blume auf den Zellenboden.

Nackt wurde Sofia aus der Zelle gezerrt und ihr Schrei verklang nutzlos in dem Kellergang.

Radunta hatte ihre Hand vor den Mund geschlagen und stand entsetzt neben ihr, als die Männer sie dort entlang schleiften.

Einige Dutzend Schritte später befand sich Sofia in einem Kellerraum vor einem Holzgestell, welches wie ein Prügelbock aussah.

„Das wäre eigentlich der Platz deiner Mutter gewesen, doch sie hat es vorgezogen, dich zu opfern! So wirst du von jetzt an also an ihrer Stelle als Hure für meine Männer dafür sorgen, dass es ihnen an nichts fehlt!", stieß Xander aus.

Ihre verzweifelte Gegenwehr war nutzlos. Die Männer zogen sie über das Holz und fixierten sie daran mit Ketten.

Xander sagte hämisch: „Ich wünsche dir viel Spaß!", und ging aus dem Raum.

Danach fielen die Bestien über sie her.

Wimmernd hing sie in der Dunkelheit über dem Holz. Es hatte unendlich lange gedauert, bis die Männer endlich von ihr abgelassen hatten und gegangen waren. Sofia wollte nur noch schnell sterben, um es hinter sich zu haben, aber da sie immer noch hier lag, würden die Unmenschen sicher wiederkommen.

Zumindest hatte sie Xanders Worte so gedeutet.

Die Tür vor ihr knarrte, Sofia hob den Kopf und sah in den Schein einer Fackel. Sie hatte keine Kraft mehr, um zu schreien. Würde die Tortur jetzt schon weitergehen?

Mit von Tränen verschleiertem Blick schaute sie die Gestalt an, die sich ihr näherte.

Es schien eine Frau zu sein, denn sie trug ein Kleid.

„Mein Gott! Was haben sie mit dir gemacht?", hörte sie die Stimme.

Es war Radunta, die sich vor sie kniete.

„Bitte! Bitte, töte mich! Lass es zu Ende sein!", flehte Sofia die Freundin vor Schmerzen wimmernd an.

„Nein! Das kann ich nicht!"

„Bitte! Ich will das nicht mehr!", stöhnte Sofia, ihr Kopf sank kraftlos herab und sie sah, wie Radunta die Ketten an ihren Händen löste.

Die Freundin wechselte nach hinten und Sofia hörte nur, dass auch die Ketten an ihren Füßen zu Boden fielen.

Gefühl hatte sie in den Beinen nicht mehr, denn alles unterhalb ihres Nabels fühlte sich taub an.

„Ich habe deiner Freundin Barbara versprochen, dich unter meinen Schutz zu stellen!", bemerkte Radunta, die sich jetzt neben sie kniete.

„Hier kann es keinen Schutz für mich geben!", hauchte Sofia kraftlos.

„Hier nicht! Aber bei mir!", entgegnete die Freundin und hob Sofias geschundenen Leib auf ihre Arme.

Radunta trug sie, als wäre sie leicht, wie eine Feder.

Sofia schlang ihre Arme um Raduntas Hals und hoffte, dass die Freundin wusste, was sie hier tat.

Mit einem Auge schielte sie zum Dolch am Gürtel der Freundin. Das wäre dann der letzte Ausweg, denn den brutalen Männern wollte sie nicht noch einmal in die Hände fallen.

32. Kapitel
Auf dem Rücken des Windes

*L*ange hatte Radunta warten müssen, bis sie in der Nacht endlich unbemerkt in den Keller hinabsteigen konnte. Momentan stand sie vor Sofia und schämte sich dafür, dass es so lange gedauert hatte.

In den letzten Tagen war ein Entschluss in ihr gereift und sie hatte nur einen Anlass benötigt, um ihn in die Tat umzusetzen.

Keinen Augenblick länger wollte sie hier in dieser Burg bleiben, aber ihr Zögern hatte Sofia unbeschreibliches Leiden zugefügt. Hätte Radunta doch nur einen Tag eher gewusst, dass sie gehen wollte!

Mit Sofias geschundenen Leib auf ihren Armen betrat sie den Gang wieder. Am anderen Ende tauchte eine Wache auf und ihr blieb fast das Herz stehen.

Im Näherkommen erkannte sie Radaborg, der ihr nur zunickte, als wäre es das normalste der Welt, dass sie hier mit der nackten Sofia im Arm herumstand.

„Kannst du mir eine Decke für sie geben?", fragte sie schnell.

Der alte Mann führte sie in einen Raum, in welchem sie Sofia in eine warme Decke hüllen konnte.

Die Freundin versuchte dabei, ihr den Dolch aus dem Gürtel zu reißen, doch Radunta konnte ihr im letzten Moment noch die Hand zur Seite schlagen.

„Ich bringe dich von hier fort!", sagte sie und sah den panischen Blick in Sofias Gesicht. Ihre Augen waren auf Radaborg gerichtet und ihr Mund zitterte vor Angst.

„Nur wie?", entgegnete Radaborg und setzte hinzu: „Dein Vater ist sehr jähzornig und wenn er dich mit ihr hier erwischt, dann kniest du da drüben über dem Holz. Tochter hin oder her, dann schützt dich auch deine Mutter nicht mehr!"

Ein Schauer fuhr durch Raduntas Körper. Gerade jetzt wurde sie sich erst der Tragweite des Entschlusses bewusst. Alleine zu fliehen wäre vielleicht noch ohne Strafe gegangen, aber dem Vater die Rache zu verderben, das würde seinen Hass auch auf ihr Haupt ziehen.

„Lass mich einfach zurück und gib mir deinen Dolch!", flehte Sofia und brach in Tränen aus.

Ihre Qual musste wirklich unmenschlich sein.

„Kennst du nicht einen Weg? Du hast doch diese Burg sicherlich mit erbaut?", befragte Radunta den alten Kerkermeister.

„Ich bin zwar alt, aber so alt nun wirklich noch nicht. Ich kann dir freilich eine Möglichkeit zur Flucht aus diesem Kerker auf den Burghof zeigen, aber es ist Nacht und das Tor ist zu. Wie willst du hinausgelangen?", erwiderte Radaborg.

„Lass das mal meine Sorge sein!", entgegnete Radunta entschlossen.

„Dann kommt!"

Der alte Mann trat zurück in den Kellergang und Radunta hob sich die wimmernde Freundin auf die Arme.

Sie folgten Radaborg zu einer Tür, die sie erst im letzten Moment im Mauerwerk erkennen konnte.

„Seid still!", ermahnte Radaborg sie, als er in ein Treppenhaus trat, das Radunta noch nie zuvor gesehen hatte.

Es war schmal und mit Sofia auf ihrem Arm nicht wirklich gut zu passieren. Eine gewundene Treppe führte innerhalb der Burgmauern nach oben und es war finster. Radaborgs Fackel holte immer nur ein kleines Stück des Gewölbes aus der Finsternis.

Dann stieß Radunta mit Sofias Körper irgendwo an und die Freundin schrie auf.

Sofort war Radaborg bei ihr und hielt ihr den Mund zu.

„Wir sind hier neben dem Saal! Xander sitzt nur zwei Schritte neben euch!", wisperte der alte Mann fast unhörbar.

Augenblicklich legte Radunta ihre Hand auf Sofias Mund und sie folgten weiter dem unbekannten Pfad, doch Radunta setzte jetzt nur noch die Zehenspitzen auf.

Unendlich viele Treppen und Gänge später öffnete sich vor ihr der Hof der Burg und sie waren fast an der erhofften Stelle wieder an die frische Luft gekommen, denn der Stall befand sich direkt neben ihr.

Sie nickte Radaborg zu, der danach wieder in den dunklen Schacht zurückstieg.

Fackeln beleuchteten den Burghof, aber sie blieb in dem finsteren Bereich an der Mauer.

Ein dutzend Schritte später hockte sie im Stall und legte die Freundin in das Stroh der Pferdebox.

„Sei bitte still!", flüsterte sie Sofia zu und erhob sich.

Neben ihr stand ihre wunderschöne Schimmelstute und Radunta strich dem Tier über die Nase. Jetzt musste sie warten, dass es Morgen wurde und sich das Burgtor öffnete.

Aber was würde geschehen, wenn in der Zwischenzeit Sofias Verschwinden festgestellt werden würde? Wenn einen der acht Männer wieder ein Bedürfnis in den Keller zog?

Daran wollte sie gerade nicht denken und dennoch stellten sich ihr dabei die Nackenhaare auf.

Ein Blick auf Sofias geschundenen Leib hatte ihr schon gereicht, um zu wissen, dass sie das niemals ertragen konnte. Lieber würde sie sich in den Dolch stürzen, statt dort in der Finsternis zu knien!

Ihre Finger tasteten sich zu dem silbernen Griff der Waffe hinab, die an ihrem Gürtel hing. Die Klinge war scharf, lang und spitz. Es würde schnell gehen, aber blieb dann Zeit für sie beide?

Das Schnauben der Stute holte sie wieder zurück aus ihren Ängsten.

„Ach Steppenwind, wenn es doch schon Morgen wäre!", flüsterte sie dem Tier ins Ohr.

Ein paar Dinge waren aber bis dahin noch vorzubereiten. Radunta holte den Sattel und eine der Pferdedecken. In diese Decke würde sie dann Sofia einwickeln, damit keiner der Posten merken würde, dass sie mit der anderen Frau floh.

An der Seite der Box lehnte schon eine Tasche mit dem, was sie mitnehmen wollte.

Radunta beugte sich zu Sofia hinab, um ihr den Plan zu erklären. Oder zumindest den Teil, der ganz sicher funktionieren würde. Es würde keinen Sinn ergeben, der geschundenen Freundin auch noch zusätzlich Angst zu machen.

Im Mondlicht, das durch eines der Fenster in den Pferdestall hereinfiel, sah sie auch so die Bestürzung in Sofias Augen.

„Ich habe auch eine schmerzstillende Salbe, mit der ich deine Wunden gern versorgen würde!", sagte sie und schämte sich im selben Moment dafür, dass ihr das erst jetzt einfiel.

Vorsichtig verteilte sie mit den Fingerspitzen den Balsam auf Sofias Körper, doch selbst diese sanfte Berührung ließ die Freundin aufstöhnen.

Endlich begann das Morgenlicht durch das Fenster zu fallen.

Radunta sattelte die Stute, packte Sofia in die Decke und legte sich die Freundin quer vor den Sattel.

Leise führte sie das Pferd zur Tür und spähte hinaus.

In dem Moment, in welchem sich das Burgtor öffnete, schwang sie sich auf das Tier und jagte vom Hof.

Die Wachen sprangen panisch zur Seite und sie waren frei.

Augenblicklich flogen sie mit donnernden Hufen über das weite Land. Diese Stute konnte keiner einholen! Aber sie mussten sich dennoch beeilen!

33. Kapitel
Spuren im Gras

Wie jeden Morgen hatte Julian auch an diesem die Burg beobachtete. Immer wieder war die junge Frau auf die Wiesen vor der Burg gekommen, um dort Kräuter zu suchen und manchmal war er nur ein paar Schritte von ihr entfernt. Trotzdem hatte sie ihn nie bemerkt, denn ihre Körperhaltung war jedes Mal ziemlich entspannt gewesen.

Mittlerweile hatte er sein Versteck im Wald an seine Bedürfnisse angepasst. Nachts schlich er in der Gegend umher und besorgte sich die Dinge, die er brauchte. Er durfte zwar im Wald keinen Lärm machen, aber er fand alles, was er benötigte in der näheren Umgebung.

Mit Pfeil und Bogen, die er sich selbst gebaut hatte, war er ziemlich treffsicher und der Wald war reich an Wild.

Es mussten schon Wochen sein, dass er hier lebte. Hatte er am Anfang noch gedacht, dass er die Prinzessin alleine befreien würde, so war er gegenwärtig vom Zauber dieser rothaarigen Frau vollkommen umfangen. Diesem konnte er sich nicht entziehen und er wollte es auch nicht.

Am Tage suchte sein Blick sie und nachts träumte er von ihr. Mittlerweile hatte er auch ihre Augen gesehen! Groß und dunkelgrün waren sie. Leicht schräg stehen, wie die eines Luchses!

Seine Gedanken flogen zu der Frau und genau in diesem Moment öffnete sich das Burgtor und sie jagte auf einem Schimmel davon.

Dieser Ritt sah gehetzt aus, wie eine Flucht und er sorgte sich um sie. Er musste ihr helfen und daher würde er ihr folgen.

Unter Zurücklassung aller seiner Waffen rannte er zu einem Stall, von dem er wusste, dass dort auch ein Reitpferd zu finden war.

Noch waren die Bauern nicht wach, aber es konnte nur noch Augenblicke dauern, bevor die Verfolgung schon im Ansatz scheitern konnte.

Eilig war das Tier gesattelt und Julian ritt durch die geschlossene Stalltür. Die Holzteile davon trafen den Bauern, der ihn aufhalten wollte, doch auf den getroffenen Mann konnte er keine Rücksicht nehmen.

Er hetzte der Frau seines Herzens hinterher.

Zwar war sein Pferd nicht mal halb so schnell, wie der Schimmel vor ihm, aber Julian konnte dessen Spur deutlich im Heidekraut lesen. Schnurgerade zeigte diese nach Westen!

Sie musste schon einen großen Vorsprung haben, denn er konnte sie nirgendwo sehen. Nur die Fährte zeigte ihm den Weg und diese Abdrücke würden sicher nicht mehr lange zu sehen sein.

Wenn sie von dieser Richtung abbiegen würde, dann musste er wissen, wohin sie ritt!

Er trieb das Pferd unerbittlich an und versuchte immer weiter in der Ferne diesen kleinen Punkt zu sehen, welcher die Frau mit den roten Haaren und dem blauen Kleid war.

Wo wollte sie hin? Und vor wem war sie auf der Flucht?

Zumindest war ihr bisher noch niemand gefolgt und in ein paar Stunden wäre die Fährte wieder geschlossen. Der nächste Regenguss würde dafür sorgen, dass die Pferdespur nur noch von ihm zu lesen sein würde, aber dann auch nicht mehr vom Rücken des Hengstes aus, der jetzt schon schwer atmete und bereits Schaum vor dem Maul hatte.

Das Tier brauchte dringen eine Pause und er suchte nach einem Gewässer als Tränke.

Vor ihm bog die Spur ab und wenig später hatte er einen Bach erreicht. Offensichtlich war auch die Frau hierher geeilt, um ihr Tier zu tränken, doch Julian fand auch Blut im Gras und nach den Spuren schien es nicht von dem Pferd der Frau zu stammen!

Während sein Hengst gierig trank, suchte er im Gras die Stelle ab. Er sah die Abdrücke von zwei Menschen, aber auf dem Pferd war ja nur die Frau gewesen. Wo kam die zweite Person her? Und wer von beiden war verletzt?

Noch viel besorgter als zuvor trieb er sein Pferd zur Eile an.

Tief auf den Pferdehals gebeugt suchte er die Fährte vor sich.

Nach der Tränke schwenkte sie wieder nach Westen. Was würde ihn dort erwarten? In dieser grenzenlosen Steppe war ein Reiter weit zu sehen und es konnte sein, dass er dadurch in eine Falle reiten würde, aber die Sorge trieb ihn trotzdem voran.

Ein leichter Nieselregen setzte ein und würde damit auch seine Spur verwischen. Wer bis jetzt noch nicht hinter ihnen war, der würde die Fährte sicher nicht wiederfinden können.

Vom Galopp wechselte er in einen leichten Trab. Das Pferd dankte es ihm schnaubend.

Mit dem Blick eine Pferdelänge vor sich auf den Boden folgte Julian dem sich bereits aufrichtenden Gras.

Würde die Frau über Nacht irgendwo in der Steppe bleiben? Dann brauchte sie ein Feuer und Holz, aber ringsum war kaum mal ein Strauch und die brannten sicherlich denkbar schlecht.

Sie würde zu einer Baumgruppe reiten müssen oder in eine Siedlung, allerdings gab es hier noch nicht mal eine Andeutung dafür, dass da irgendwo jemals ein Mensch gewesen war.

Wenn er die Pferdespur nicht gehabt hätte, dann hätte selbst er das nicht geglaubt. Wo lebten denn hier die Einwohner?

Sie konnte doch nicht alleine, ob verletzt oder nicht, in eine menschenleere Ödnis reiten! Doch genau das schien die Frau zu tun. Vor wem versteckte sie sich?

Langsam senkte sich vor ihm die Sonne zum Horizont herab und noch immer hatte Julian sie nicht eingeholt. Einen ganzen Tagesritt, ohne auch nur eine einzige Hütte oder einen einzigen Menschen zu sehen! Das gab es weder in Mortunda, noch in Wiesenland.

Das Gras wurde gerade deutlich höher und reichte fast bis an den Bauch des Pferdes. Julian bremste das Tier, beugte sich herab und griff in das Gras. Es war Schilfgras! Im Dunklen konnte man da nicht reiten. Das wäre zu gefährlich.

Allerdings konnte die Frau doch da ebenfalls den Weg nicht sehen und ein Fehltritt des Tieres würde reichen, um für immer im Moor zu verschwinden. Hatte sie wirklich einen solch großen Vorsprung?

Sogleich stieg Julian von seinem Pferd und führte es hinter sich her am Zügel.

Es wurde immer dunkler und er suchte im letzten Licht eine Bleibe für die Nacht.

Der Untergrund war auch schon etwas schwankend.

Bei jedem zweiten Schritt gluckste Sumpfwasser unter seinem Fuß hervor und das Pferd scheute sich auch, die Hufe weiter auf solch einen unsicheren Untergrund zu setzen.

Schließlich versank die Sonne und im Dämmerlicht sah er weit vor sich ein Licht. Es schien das erleuchtete Fenster einer Hütte zu sein.

Vielleicht war die Frau dort, zumindest mussten dort Menschen sein.

34. Kapitel
Blutmond

Raduntas Handgriffe waren hektisch, denn Sofias Wunden waren schlimmer, als es in der Nacht zuvor den Anschein gehabt hatte. Während des Rittes hatte die Freundin viel Blut verloren und Radunta hatte es nur mit Mühe bis zu der kleinen Hütte geschafft. Momentan waren sie bei ihrer alten Lehrerin, der Schamanin Voltura, und sie arbeiteten fieberhaft, um das Leben in Sofias geschundenem Leib zu behalten.

„Solche Bestien!", murmelte die alte Frau und versuchte mühevoll, die Blutungen zu stoppen.

Raduntas Weg war von Anfang an so geplant gewesen, dass er bei Voltura enden würde, aber dass sie hier hermusste, um das Leben der Nichte zu retten, das hätte sie am Morgen noch nicht gedacht.

Zum Glück war Steppenwind schnell genug gewesen, denn draußen in der Einöde hätte sie alleine wohl kaum helfen können.

Schon alleine die Rast an der Tränke hatte sie an den Rand der Verzweiflung gebracht. Sie hatte ihr eigenes Unterkleid in Fetzen gerissen, um damit Sofias Wunden zu verbinden.

Sie hätte sich selbst ohrfeigen können, dass sie die Situation so falsch eingeschätzt hatte, aber Sofia wäre in der Burg sicherlich gestorben. Eine weitere Nacht im Kerker hätte sie niemals überlebt.

Bleich und bewegungslos lag Sofia im Moment auf dem Lager der Schamanin und sie beide arbeiteten Hand in Hand. Jede wusste, was zu tun war und trotzdem war es schwierig.

Dann waren die Wunden endlich vernäht.

Die Schamanin murmelte ihre Beschwörungsformeln, während Radunta sich die Hände in dem Wasser wusch, welches sie gerade auf dem Herd heiß gemacht hatte.

„Wenn sie die Nacht überlebt, dann könnte sie es mit viel Glück schaffen!", offenbarte die Schamanin und das klang schon mal wenig erfolgversprechend, denn Voltura war eigentlich eine hoffnungslose Optimistin.

„Kann ich noch was für sie tun?", fragte Radunta besorgt.

„Beten!", entgegnete die Schamanin und setzte sich an das Kopfende des Lagers.

Radunta faltete ihre Hände und blickte zum Vollmond, der sich am Fenster zeigte. Selbst der Mond färbte sich augenblicklich blutrot ein. Sein Licht zog jetzt auch den Blick der Schamanin nach draußen und Radunta sah, wie sich die Stirn der alten Frau besorgniserregend runzelte.

„Das ist kein gutes Omen!", murmelte Voltura und sah Radunta an.

„Ich habe sie doch nicht gerettet, damit sie unter meinen Händen stirbt!", stieß Radunta verzweifelt aus.

„Alles liegt in der Hand der großen Göttin. Du kannst nichts gegen sie erreichen! Nur mit ihr!", erklärte Voltura leise und hob die Hände zu einem Gebet.

„Das weiß ich! Aber", setzte Radunta an.

„Nichts aber! Bete zu ihr, dass Sofias Lebenslicht noch ein paar Jahre weiterbrennen darf. Etwas anderes können wir nicht mehr für sie tun!", unterbrach die Schamanin sie.

„Ich kann doch hier nicht tatenlos herumstehen!", antwortete Radunta, den Tränen nahe.

„Deshalb sollst du ja auch beten!", fuhr die Schamanin sie scharf an.

„Ich gehe zu deinem Altar! Ich muss hier raus!", brach es aus Radunta hervor und sie rannte aus der Hütte.

Im rötlichen Mondlicht sah sie den kleinen Teich mit dem Altarstein davor. Das Wasser sah momentan ebenfalls wie Blut aus! Sie lief zu dem Altar und kniete sich dort vor den steinernen Tisch, den sie vor Jahren das letzte Mal berührt hatte. Damals hatte ihr die Schamanin auf diesem Stein die Weihe erteilt und nun bettelte sie davor um das Leben der Nichte.

Wut, Verzweiflung und Zorn rasten durch ihren Leib. Und sie hatte an all dem die Schuld. Durch ihr Säumen war Sofia Leben in Gefahr!

Es konnte doch nicht sein, dass die große Göttin dieses blutige Opfer verlangen würde!

„Wenn du ein Leben nehmen musst, dann nimm bitte meines!", schrie sie in ihrem Schmerz heraus.

Verzweifelt riss sie sich den Dolch aus der Lederscheide am Gürtel und setzte die Spitze der Klinge auf ihre Brust. Auch diese Waffe war der großen Göttin geweiht. Hier auf diesem Altar hatte die Schamanin vor Jahren das Ritual vollzogen.

Mit beiden Händen umklammerte Radunta den Griff, holte aus und sah auf den Teich hinaus.

Das Wasser geriet in Bewegung und ein Wind kam auf, der ihr so stark entgegenwehte, dass der Zopf nach hinten flog. Durch den Schleier ihrer Tränen hindurch bemerkte Radunta eine Gestalt, die sich ganz langsam aus dem Gewässer erhob und auf sie zukam.

Es war eine wunderschöne Frau mit langen blonden Haaren in einem weißen, fast durchsichtigen Kleid. Das musste die Göttin höchstpersönlich sein!

Der Dolch wurde Radunta aus den Händen gerissen und flog auf den Altar, wo die Waffe liegenblieb.

Radunta warf sich vor der Gottheit auf den Boden und bettelte erneut verzweifelt um Sofias Leben.

„Ich weiß, dass du ein gutes Herz hast und ich werde deine Freundin verschonen!", hörte sie eine liebliche Stimme in ihrem Kopf.

„Was soll ich dafür tun?", fragte Radunta und blickte weiter zum Boden. Direkt in ihrem Blick hatte sie jetzt die Füße der Göttin.

„Erhebe dich!", sagte die Göttin.

Mühsam kam Radunta auf die Füße. Zuvor war sie noch leichtfüßig aus der Hütte gerannt. Etwas drückte auf ihre Schultern und
sie erkannte, dass es die Hand der Göttin war, die auf ihrer Schulter lag.

„Streife dein Kleid von deinem Körper!", hörte sie in sich.

Sie befolgte den Befehl der Göttin augenblicklich.

„Jetzt drehe deinen Rücken zu mir!"

Auch dem kam sie unverzüglich nach und im selben Moment
spürte sie, wie die Klinge ihres Dolches in ihre rechte Schulter
schnitt.

Radunta schrie vor Schmerz auf und fiel nach vorn. Die Gestalt
der Göttin löste sich einfach auf und der Wundschmerz in ihrer
Schulter ließ nur langsam nach.

Doch wenn das der Preis für Sofias Rettung war, dann war sie
gern dazu bereit, dieses Leiden zu ertragen.

Nackt lag sie vor dem Altar und konnte sich nicht mehr bewegen. Der Druck auf ihren Körper war gerade noch viel größer geworden.

Mit dem Blick zum Mond erkannte sie, dass er sich von dem
einen Rand langsam wieder in Silber verwandelte. Der rote Schein
wurde immer weniger und der Bereich des silbernen Lichtes schob
sich zu ihr herüber. Und je weiter dieses sich zu ihr verschob, umso mehr löste sich der Druck von ihrem Körper.

Als auch der Teich in Silber getaucht war, konnte sie sich endlich wieder erheben.

Schwankend kam aus auf die Beine, verbeugte sich vor dem
Altar und hob danach Kleid, Gürtel und Dolch auf.

Mit ihren Sachen in der Hand lief sie zur Hütte, um sich von
Voltura die Wunde versorgen zu lassen.

„Warum bist du nackt?", fragte die Schamanin, als sie den Un-
terschlupf betrat.

„Die große Göttin hat mein Blut genommen, um Sofia zu retten. Schau!", erklärte Radunta und nahm die Hand von der blutenden Schulter.

„Sie hat dir eine große Schlängellinie auf deine Schulter geschrieben!", stellte die alte Frau fest, versorgte die Wunde und im selben Moment bewegte Sofia ihre Hand.

Weinend vor Glück warf sich Radunta über Sofias Leib.

Die Freundin würde überleben!

„Große Göttin! Ich danke dir!", sagte Radunta unter Tränen.

35. Kapitel
In der Falle!

Es hatte beinahe eine Woche gedauert und Zondala hatte schon fast ihre Mission abbrechen wollen, doch dann waren eines Nachts im schwachen Mondlicht die Schatten der schlanken Bootsrümpfe zu sehen gewesen.

Xander hatte zehn Boote geschickt! Wenn jedes nur zehn Kämpfer gebracht hatte, so waren die Kräfte ausgeglichen! Aber es waren viel mehr!

Dutzende Fackeln erleuchteten den Strand und der Alarmruf holte die Ritter auf die Palisaden. Diese waren aber nicht so hoch! Mit einer Leiter konnte man sie leicht übersteigen. Und die Ritter trugen nur Kettenhemden und Schilde zu ihrem Schutz, denn die schwere Panzerung hatte nicht mehr auf die Wagen gepasst!

Nun galt es! Sieg oder Tod!

Die Bewohner des Dorfes hatten offensichtlich die Gefahr erkannt und standen jetzt, Seite an Seite mit den Rittern, ebenfalls oben auf der Palisade. Mit Mistgabeln und Knüppeln erwarteten sie den Feind auf ihrem Wehrgang!

Hier würden die Räuber kein so leichtes Spiel haben, aber die in Aussicht gestellte Beute trieb sie voran. Ohne Zondalas Anwesenheit hätten sie sicher ein anderes Ziel gesucht, aber so wurden sie wagemutig.

Zum Glück für Zondala kam keiner ihrer Untertanen auf die Idee, das eigene Leben zu schützen, indem er die Königin opferte.

Verbissen kämpften sie von oben herab gegen die Männer, die von unten genauso hartnäckig gegen das Dorf anstürmten.

Irgendwann flogen dann Fackeln über die Palisade und augenblicklich mussten die Frauen die entstehenden Brände löschen. Auch Zondala reichte Eimer weiter, die vom Brunnen zu den

Brandherden gegeben wurden. So war sie auch etwas von der Anstrengung abgelenkt.

Nur aus dem Augenwinkel konnte sie erkennen, wie Xena die Leute führte. Mit einem Arm das Schwert haltend kämpfte sie und brüllte gleichzeitig Befehle.

Immer mehr setzte sich die Erkenntnis bei Zondala durch, dass hier eine würdige Nachfolgerin für Barbara die Verteidigung leitete. Und natürlich wollte jeder die alte Heerführerin rächen.

Zusätzlich kam noch der Zorn darüber, dass die Räuber sie so lange zum Narren gehalten hatten. Nicht einen wollten sie entkommen lassen!

Welle um Welle warfen sich die Angreifer ihnen entgegen und ihr Brüllen erschreckte die Frauen.

Mitten in diesen Kampf tauchten mit einem Mal berittene Ritter auf. Xena hatte offensichtlich einige hundert Kämpfer in einem Versteck gehalten, die jetzt das Kriegsglück zu ihren Gunsten wandelten.

Gleichzeitig schnitten diese Reiter dem Feind den Rückzug zum Strand ab.

Zwischen die Fronten geraten, brach bei den Seeräubern Panik aus, was dafür sorgte, dass der Kampf viel schneller entschieden war, als Zondala es erwartet hatte.

Wenig später standen die ersten Schiffe am Strand in Flammen. Damit wurde den Männern der Rückweg komplett abgeschnitten. Diese Feuer waren ein Fanal für die Verteidiger!

Zondala rannte auf den Wehrgang hinauf und konnte von dort aus sehen, wie das Tor geöffnet wurde und die Verteidiger hinausströmten.

Die Wut der Bauern und Fischer kannte jetzt kein Halten mehr!

Jäh erfüllten die panischen Schreie der Räuber den Bereich vor dem Dorf. Mit Knüppeln, Messern und Mistgabeln beendeten die Einwohner den Angriff.

Schließlich lagen nur noch tote Seeräuber vor dem Dorf und alle Schiffe standen lichterloh in Flammen. Ein schauerliches Siegesgebrüll wehte zu Zondala herüber, in welches die Ritter einstimmten.

Barbara und Sofia waren gerächt und zehn Boote, mit weit über zweihundert Räubern, waren vernichtet worden.

Die Falle hatte perfekt funktioniert und Xenas Geheimhaltung hatte sogar vor Zondala funktioniert.

„Ich danke dir!", sagte Zondala und legte ihrer neuen Heerführerin die Hand auf die Schulter.

Obwohl es wenig königlich war, musste sie die junge Frau einfach umarmen. Zondala zog sie an ihre Brust!

Auch die Ritter umringten sie und beglückwünschten Xena für diesen Sieg. Obgleich es relativ dunkel war, konnte Zondala trotzdem erkennen, wie peinlich der jungen Frau dieses Lob war.

Das Morgengrauen beschien ein Leichenfeld!

Die Ritter gingen hinaus, um die eigenen Kameraden zu holen und die Leichen der Seeräuber auf einen Stapel zu schichten.

Zwanzig getötete Ritter und Bauern standen einem mehr als zehnfachen Verlust der Angreifer gegenüber.

Mit den beiden Wagen wurden die getöteten Ritter zurückgeschickt, während man die toten Seeräuber mit den Fischerbooten auf See brachte, um sie dort dem Meer als letzte Ruhestätte anzuvertrauen.

Erst mit dem Licht der Sonne konnte Zondala in einem Wassereimer ihr vom Ruß geschwärztes Gesicht waschen.

Die Frau des Meiers hatte in der Nacht an ihrer Seite diese Brände gelöscht und war gerade dabei, das Badehaus für die Königin vorzubereiten.

Doch bevor Zondala in die Wanne stieg, ordnete sie eine große Feier für den Abend an, denn solch ein Sieg musste ordentlich begossen werden.

Mit Freude gingen die Frauen auch sofort an ihr Werk.

In Zondalas Badestube drang das Lachen der Frauen.

Nachdem sie aus der Wanne gestiegen war, holte sie Xena in den Raum und drückte die junge Frau trotz Gegenwehr in die Wanne mit dem warmen Wasser.

Mit nur einem Arm konnte Xena auch nicht verhindern, dass Zondala ihr den Rücken und das Haar wusch. Der Protest der jungen Frau war allerdings auch nur halbherzig.

Zondala nahm sich für dieses Fest vor, die Ernennung Xenas zur Heerführerin vor allen dabei anwesenden Menschen bekannt zu geben.

Ihre Gedanken gingen hinaus auf das Meer.

Würden die Überfälle damit enden? Noch einmal würde der Feind nicht auf solch eine simple Falle hereinfallen.

Offensichtlich bemerkte Xena ihr grübeln, denn sie erklärte von unten: „Wir werden die Patrouillen verstärken! Die werden nicht mehr so ein leichtes Spiel haben! Vielleicht sollten wir Wachtürme an der Küste errichten, dann sieht man die Schiffe eher!"

„Das ist eine geniale Idee! Gleich morgen werden wir die Türme aufstellen!", pflichtete Zondala ihr bei.

Abermals errötete die junge Frau.

Schließlich sprang sie aus der Wanne, trocknete sich hastig ab und eilte, halb angezogen, aus dem Badehaus.

Während Zondala sich die Haare kämmte, drangen von draußen die ersten Hammerschläge an ihr Ohr. Sie musste schmunzeln, denn Xena wartete nicht das Fest ab, sondern ging sofort an die Arbeit.

Als Zondala das Badehaus verließ, sah sie, dass die nicht mit der Vorbereitung des Festes beschäftigten Ritter den Turm errichteten. Mit einem Arm dirigierte Xena die Männer, die zum Teil doppelt so alt waren, wie sie selbst.

36. Kapitel
Ein Fanal zum Aufbruch

Sie schlug die Augen auf und sah Dodarus neben sich schlafen. Auf dessen anderer Seite schnarchte Sejla leise. Das Leben eines Kahns konnte sicherlich schwieriger sein, als zwischen zwei Frauen zu liegen. Eine für die Pflicht und eine für die Lust.

Seit einigen Tagen teilten sie jetzt schon zu dritt dieses Lager und es gefiel Lunara mit jedem Tag besser und dennoch war das Ende dessen absehbar gewesen!

Lunara hatte dem Büffelgott versprochen, mit dem Vollmond aufzubrechen und der war heute! Zwar würde bald erneut ein Vollmond kommen, und danach sicher viele weitere, aber es wurde Zeit.

Sie wollte nicht zu lange warten, denn mit jeder Nacht wurde es schwieriger, sich von dem Geliebten zu trennen und die ständige Übelkeit am Morgen zeigte, dass die erste Vision des Gottes bereits eingetreten war.

Und natürlich wusste sie auch, dass sie das Kind wieder verlieren würde, denn das war die zweite Erscheinung gewesen. Und mit jedem Tag, der verging, stieg das Risiko, dass sie das noch erleben würde.

Da sie aber sowieso sterben würde, wollte sie doch lieber zusammen mit dem Kind dahinscheiden! Und dabei einen Teil von Dodarus für die Ewigkeit in sich behalten!

Langsam setzte sie sich auf und sah zu ihrer Freundin hinüber. Sie kannten sich eigentlich noch gar nicht so lange und dennoch war da solch eine tiefe Vertrautheit in ihrem Umgang, die kaum zu glauben war. Noch nie hatte sie sich jemanden so nah gefühlt, wie diesen beiden Schläfern in ihrem Bett.

Heute also würde es enden! Dies war ihr Todestag!

Die furchtbare Absolutheit dieser Konsequenz machte sie traurig. Nie wieder würde sie in den Armen des Geliebten einschlafen und am Morgen selig aufwachen, mit seinem Gesicht vor den Augen.

Leise setzte sie die Füße aus dem Bett und die daraufhin folgenden Schritte war sie in Gedanken schon ein paar dutzend Mal gegangen: Zuerst den Rock anziehen, das Zelt verlassen und zur Quelle gehen, um sich dort rituell zu reinigen.

Es war eine Art von Reinigungsritual, welches auch die Mutter ihr vor Jahren einmal gezeigt hatte. Zwar war es für den Dienst an der großen Göttin, aber es konnte auch für den Büffelgott nicht falsch sein.

Ohne ein Geräusch zu machen, schlüpfte sie aus dem Zelt und ging über den erwachenden Lagerplatz zur Quelle hinüber.

Im Gras rund um die Wasserstelle war noch der Raureif der Nacht, der ihre nackten Zehen bei jedem Schritt mit kaltem Nass benetzte. Der Wind war frisch und Lunara fror. Der nahe Winter kündigte sich bereits an.

Auf der nahen Weide dampften die Pferde vor sich hin und Donnerschlag kam auf sie zugelaufen. Sie begrüßte ihren treuen Hengst und streichelte ihm die Nase. Auch von ihm würde sie sich heute verabschieden müssen. Sie kannte ihn seit dem ersten Tag und sie war sogar damals bei seiner Geburt gewesen.

Donnerschlag nickte ihr zu und lief danach zurück zur Herde.

Das frische Quellwasser, das aus dem Berg in das Becken lief, war eiskalt und Lunara zuckte zurück, als sie die Zehen hineingesteckt hatte, aber es musste sein!

Sie streifte sich den Rock ab und stieg in die Quelle.

Die Kälte nahm ihr den Atem, als sie mit beiden Beinen bis zur Hüfte in das Wasser gestiegen war. In der Burg des Vaters wurde das Waschwasser täglich erwärmt, hier dampfte im Moment nur ihre Haut, aber nicht vor Hitze!

Bedacht langsam wusch sie sich, dann drehte sie sich zur Sonne, die über dem Gipfel eines kleineren Berges stand, und grüßte sie mit erhobenen Händen.

Danach sprang sie schnell wieder aus dem kalten Gewässer heraus! Mit dem Rock in der Hand rannte sie nackt die Strecke wieder zurück, um sich im Zelt abzutrocknen und einzuölen.

Sejla war erwacht und sah sie mit großen Augen an.

Sie nickten sich beide zu und alles war gesagt.

Die Freundin hüpfte aus dem Bett und eilte aus dem Zelt. Sie würde jetzt das Frühstück vorbereiten, während Lunara die kalte Haut wieder warm rubbelte und danach am Feuer kniete.

Dodarus schlief noch und sie konnte ihren Blick nicht von seinem Gesicht lösen. Die Trennung schmerzte so unendlich, aber es musste sein!

Die Wärme des Feuers durchdrang ihren Körper und sie rieb sich mit einem duftenden Öl ein, anschließend zog sie sich den Rock wieder an.

Sejla kam mit dem Essen zurück und umarmte sie.

„Begleitest du mich? Ich würde dir Donnerschlag gern mit zurückgeben", sagte Lunara.

„Ich komme gern mit!", erwiderte die Freundin.

Als sie mit dem Essen fertig waren, erwachte Dodarus.

Er gab ihr einen Kuss und wollte ihr einen Gürtel mit einem Messer für den Weg geben, aber das würde ihr nichts nutzen und daher lehnte sie die Waffe ab.

Lunara trat aus dem Zelt und zuckte zurück.

Hunderte von Frauen standen auf dem Platz und wollten sie verabschieden. Sicherlich hatte Sejla den Aufbruch verraten. Wenn Lunara aber zu Donnerschlag wollte, dann musste sie hier hindurch. Sejla schloss sich ihr an und Dodarus ging vor, um den Hengst zu satteln.

Es dauerte ewig, bis Lunara auf der Weide angekommen war. Jede wollte eine Umarmung haben, denn Sejla hatte sicher verraten, was Lunara im Begriff war zu beginnen.

Alantra und der Schamane waren die letzten beiden, bevor sie vor Donnerschlag stand.

Dodarus hielt die Zügel ihres Reittieres und sie ließ es sich selbstverständlich nicht nehmen, sich von dem Geliebten mit einem Kuss zu verabschieden. Diese Trennung schmerzte jetzt so unsäglich, dass es ihr Herz zusammenkrampfte.

Unter seelischen Schmerzen riss sie sich dennoch von ihm los und danach schwangen sie und die Freundin sich in den Sattel.

In ihrem Kopf hatte Lunara den Weg und es war ein ganz schönes Stück bis an ihr letztes Ziel.

Im leichten Trab ritten sie über Geröllfelder und Hochwiesen.

Erst mit der Abenddämmerung erreichten sie das versteckte Tal, das ihr der Büffelgott in der Vision gezeigt hatte. In der Mitte des Tales saßen sie ab und Lunara führte Donnerschlag noch ein Stück weiter, bevor sie einen Strauch fanden, in dessen Nähe sie die Pferde anbanden.

Der Strauch wurde zum Feuer und Lunara verabschiedete sich von Sejla.

„Ich schenke dir meinen Hengst! Pass gut auf ihn auf!", erklärte sie und gab Sejla die Zügel.

„Mach es gut, Donnerschlag!", sagte sie und strich dem Hengst wieder über die Nase.

Der Mond ging auf und färbte sich blutrot ein.

„Es ist Zeit! Der Gott ruft mich!", sagte Lunara und zeigte auf den Mond.

Mit schweren Schritten ging sie auf die Höhle zu, in der sie der Drache erwarten würde.

Am Eingang drehte sie sich zurück zu Sejla, winkte ihr ein letztes Mal zu und trat danach in die Dunkelheit ein.

37. Kapitel
Am Teich der Angst

Seit zwei Nächten lebte Radunta jetzt schon wieder in Volturas Hütte. Sofia hatte in der ersten doch noch Fieber bekommen und gegenwärtig wechselte sie sich mit der Schamanin ständig ab, um fiebersenkende Tränke zu bereiten oder Wadenwickel zu machen.

Die große Göttin hatte Sofia zwar das Leben zurückgegeben, aber es würde sicher noch eine ganze Weile dauern, bis sie wieder auf eigenen Füßen stehen konnte.

Bisher hatten sie immer nur für wenige Augenblicke das Bewusstsein zurückerhalten, in denen sie ihr dann immer schnell den Trank geben mussten.

Sofias Augen waren vom Feuer des Fiebers verschleiert und vermutlich wusste sie nicht, was gerade geschah.

Und vielleicht war das auch ganz gut so!

Die genähten Wunden sahen grässlich aus und die Bewusstlosigkeit unterdrückte wenigstens den körperlichen Schmerz.

Am Morgen hatte Radunta, beim Verlassen der Hütte, einen toten Hasen auf der Türschwelle gefunden, aber das Tier war gejagt worden und vermutlich als Opfergabe vor die Türschwelle gelegt worden. Nur von wem?

Die Hütte der Schamanin lag so weit von jeder anderen Behausung entfernt, dass hier eigentlich niemand herkam. Das Moor rund herum sorgte noch für zusätzlichen Schutz und ein paar geschnitzte Dämonenfiguren würden sicher auch die Neugierigen abschrecken.

Und die große Göttin hielt noch zusätzlich ihre Hand schützend über diesen geheiligten Ort, aber trotzdem fühlte sich Radunta seit der Ankunft unter ständiger Beobachtung.

Das Land ringsum war so flach, dass man jeden sich nähernden Reiter schon stundenlang sehen konnte und dennoch war da dieses unbestimmte Gefühl in ihr.

Sogar jetzt spürte sie wieder diesen fremden Blick auf sich, aber es war der denkbar schlechteste Zeitpunkt für Angst, denn sie stand gerade nackt im Teich, das Wasser reichte ihr bis zur Hüfte und sie wusch sich langsam.

Zuvor war sie in dem heiligen Gewässer geschwommen, wie sie es auch damals jeden Tag getan hatte.

Radunta schüttelte die Ängstlichkeit von sich und hob augenblicklich ihre Hände grüßend zur Sonne.

Es war ihr morgendliches Ritual, welches ihr die Schamanin vor vielen Jahren beigebracht hatte und man durfte den heiligen Teich nicht mit Kleidung entweihen.

Langsam blickte sie sich um und suchte das Ufer ab, aber außer zwei Schwänen am anderen Ende des Teiches war niemand zu sehen. Waren es die Augen der großen Göttin, die auf ihren Schultern ruhten, so wie es vor kurzen ihre Hand gewesen war, die dort dieses seltsame Zeichen in ihre Haut geschnitten hatte?

Mit den Fingerspitzen der linken Hand fuhr Radunta über die geschwungene Kontur des Symbols auf ihrem rechten Schulterblatt.

Was mag es wohl bedeuten? S wie Schamanin?

Auch Voltura hatte darauf keine Antwort gehabt und das war schon mal sehr seltsam, denn die Schamanin wusste eigentlich alles.

Damals, vor mehr als sechs Jahren, hatten Radunta einen ganzen Sommer hier gelebt und alles gelernt, was die Schamanin ihr beibringen konnte. Und vor zwei Sommern, mit sechzehn Jahren, hatte die Schamanin sie dort auf diesem Stein zur Priesterin geweiht.

Noch gut konnte sie sich daran erinnern, wie sie nackt auf dem Altarstein gelegen hatte und Voltura sie mit dem Blut eines Opfertieres besprüht hatte.

Auch damals hatte sie dieses seltsame Gefühl in ihrem Bauch gehabt, dass sie nicht alleine war. Jetzt war sie achtzehn und stand nackt im Sonnenlicht. Es würde ein schöner Herbsttag werden, zumindest sagten das die Wolken, zu denen gegenwärtig ihr Blick hinaufging.

Vor ihr trat Voltura an den Rand des Teiches, hielt den Hasen an den Ohren hoch und fragte: „Was ist das denn?"

„Den habe ich vor der Hütte gefunden!", entgegnete Radunta und stieg langsam aus dem Teich.

„Wenn wir der großen Göttin für Sofias Lebensrettung danken wollen, so brauchen wir ein lebendes Opfertier. Der hier kann nur noch in die Suppe!", erklärte Voltura laut.

Hinter Radunta stiegen die beiden Schwäne in die Luft. Das laute Geräusch vom Schlagen ihrer Schwingen hatte sie zu den Tieren herumfahren lassen.

Mit dem Blick nach oben, wo sich die beiden großen Vögel entfernten, streifte sie sich mit der Hand das Wasser vom Leib.

„Ich könnte eine leckere Hasensuppe daraus machen!", bemerkte Radunta, als sie sich ihre Sachen wieder angezogen hatte.

„Ja! Mach das!", entgegnete Voltura, warf ihr das tote Tier zu, streifte sich ihr Kleid ab und sprang unbekleidet in den Teich.

Ein letztes Mal ließ Radunta ihre Augen über das Ufer gleiten und eine Bewegung im Schilf an der Seite fesselte dabei ihren Blick. War das nur der Wind gewesen? Oder lag da jemand im Schilfgras?

Wie lange konnte es eigentlich dauern, bis Xander wusste, wo sie sich befand? Und würde er sie hierher verfolgen? Hatten seine Späher sie vielleicht schon im Blick?

Ihre Hand tastete sich zum Griff des Dolches. Es waren nur etwa zehn Schritte bis zu diesem Gestrüpp aus Schilfgras und das wäre die einzige Stelle, wo sich ein Mensch unbeobachtet dem Teich hätte nähern können.

Sollte sie dorthin gehen, um es zu ergründen?

Radunta zwang sich zur Ruhe, setzte sich in die Nähe des Altars, zog den Dolch und begann, dem toten Hasen das Fell über die Ohren zu ziehen.

Die oft geübten Schnitte saßen auch, ohne dass sie dabei hinsehen musste und so konnte sie den Blick auf dem Schilf lassen.

Drohte ihr von dort eine Gefahr?

Wohl eher nicht, sonst wäre sie jetzt bereits überwältigt und gefesselt!

Voltura trat vor sie und trocknete sich ab.

„Woran denkst du?", fragte die alte Frau.

„An meinen Vater! Ob er nach mir suchen wird?"

„Das ist nicht die Frage. Selbstverständlich wird er nach dir suchen! Die Frage ist, ob er dich finden wird. Und sie da drin!", hob Voltura hervor.

Fast wäre Radunta der Dolch aus der Hand gefallen. Erschrocken sah sie die Schamanin an, die sich gerade das Kleid überzog.

„Wirklich?", stieß sie ängstlich aus.

„Ich kenne deinen Vater viel zu gut, darum lebe ich hier in dieser Einöde! Was denkst du, wie lange deine Mutter seiner Befragung standhalten kann?"

„Nicht sehr lange, aber ich habe ihr nicht gesagt, wohin ich geflohen bin!", entgegnete Radunta.

„Das war sehr klug von dir! Trotzdem ist es nur eine Frage der Zeit, bis Xander die richtigen Schlüsse gezogen hat. Und Sofia kann weder laufen noch reiten und das sicher noch für eine ganze Weile. Mit ihr sitzen wir alle drei hier fest!", offenbarte Voltura.

Die Aussage der Freundin klang verzweifelt, aber sie wollte sich das wohl nicht anmerken lassen.

„Was denkst du, wie viel Zeit mir bleibt?", fragte Radunta und blickte nach Osten.

„Eine Woche, bis er dich findet und zwei Wochen, bis Sofia wieder aufstehen kann!"

„Mit anderen Worten: Ich soll mich retten und sie zurücklassen?", antwortete Radunta und wandte sich wieder der Freundin zu.

Voltura nickte.

Radunta stieß hervor: „Nein! Niemals!"

„Rette wenigstens dich! Du hast gesehen, was er ihr angetan hat?", entgegnete Voltura.

„Ich habe noch meinen Dolch. Sollte ich ihm in die Hände fallen!", erklärte Radunta und ihre Finger strichen gedankenverloren über die Schneide.

Es würde schnell gehen!

38. Kapitel
Alles auf Anfang?

Ein Schmerz ließ sie aufschreien und Lunara schlug die Augen auf. Ihr Körper schien in Flammen zu stehen und über sich sah sie die besorgten Gesichter von Sejla und Dodarus. Warum war sie noch am Leben? Oder war dies ein Traum und sie schon gestorben?

Mühsam kam sie hoch und setzte sich. Sie war wieder am Feuer, an welchem sie sich von Sejla am Abend verabschiedet hatte.

Lunara blickte an sich herab. Der Rock war völlig zerfetzt. In langen Streifen hing der Stoff von der Hüfte an ihr herab. Tiefe und blutige Wunden sah sie an den Beinen, blaue Flecken und Kratzer von Krallen am restlichen Körper.

„Was ist geschehen?", fragte sie.

„Du bist heute Nacht aus der Höhle geflogen. Sicher zwanzig Schritte weit durch die Luft! Ich habe dich dann zum Feuer gezogen und es war kaum noch Leben in dir!", entgegnete Sejla.

Augenblicklich fiel auch Lunara ein Stück von der Nacht ein.

„Ich habe versagt! Ich muss zurück!", bemerkte sie und versuchte aufzustehen.

Der Eingang der Höhle war fünfzig Schritte entfernt, aber sie kam nur drei, dann fiel sie der Länge nach zu Boden und versuchte auf allen vieren und schließlich kriechend der dunklen Pforte im Fels näherzukommen.

Am Ende ihrer Kraft war sie vielleicht zehn Schritte weit gekommen, bevor sie weinend liegen blieb.

Dodarus hob sie behutsam auf seine Arme und Lunara schrie dabei vor Schmerzen auf.

Doch statt sie zum Höhleneingang zu tragen, brachte der Bruder sie zurück zum Feuer.

„Was ist dir da drin geschehen?", erkundigte er sich.

Sie begann unter Tränen zu erzählen: „Ich bin in die Höhle gegangen und es war finster darin. Nach etwa hundert Schritten hat mich ein Brüllen empfangen. Die Dämonen haben mich nicht durchgelassen. Ich habe nur zehn Augenpaare gesehen, glühende und rot leuchtende Augen. Sie haben mich getreten, gebissen, gekratzt, geschlagen und gestoßen. Ich konnte nicht weiter. Ich habe versagt!"

Ungeachtet der Schmerzen nahm sie Dodarus in den Arm und sie biss die Zähne zusammen.

„Was machst du denn hier?", fragte sie den Bruder.

„Ich konnte dich doch nicht alleine lassen, darum bin ich euch gefolgt!"

„Aber ich hätte doch sterben müssen, da hättest du mir doch sowieso nicht helfen können!", schluchzte Lunara.

Der Bruder winkte ab. Für sie hatte er den Stamm verlassen und war alleine ihren Spuren gefolgt.

Lunara hatte Tränen der Rührung in den Augen und eine neue Umarmung des Bruders war schon nicht mehr so schmerzhaft.

„Du solltest dich ausruhen und es später noch einmal probieren. Vielleicht zum nächsten Vollmond!", erklärte Sejla.

Dodarus fragte: „Kannst du reiten?"

Stumm nickte sie. Es würde schon gehen! Sejla hatte recht. Erst musste sie wieder gesund werden und den Schamanen fragen, was da schiefgegangen war. Sie hatte doch alles richtig gemacht. Oder etwa nicht?

Sejla brachte Donnerschlag und Lunara zerrte sich an dem Hengst hoch.

Nur mit der Hilfe der beiden Freunde kam sie in den Sattel, aber die Schmerzen waren unbeschreiblich.

Langsam ritten sie zurück und Lunara hing mehr über dem Pferd, als dass sie darauf saß.

Dodarus blieb neben ihr und half ihr. Er achtete sorgsam darauf, dass sie nicht von ihrem Hengst fiel.

Gegen Abend erreichten sie wieder das Lager und Lunara stürzte vor dem Schamanen zu Boden. Sie hatte den Fall nicht abfangen können, aber die Schmerzen hielten sich in Grenzen.

Alantra kam zu ihr geeilt und half ihr zusammen mit Dodarus auf.

„Was habe ich falsch gemacht?", fragte Lunara den alten Schamanen.

„Du warst noch nicht bereit. Die Dämonen haben gemerkt, dass du vor ihnen Angst hattest! Nur ohne über deinen Tod nachzudenken, kannst du sie passieren!", erklärte der alte Mann.

„Ich hatte nicht vor ihnen Angst! Nun davor, mein Kind zu verlieren!", schluchzte Lunara.

Augenblicklich zog die alte Frau sie die zehn Schritte bis zu ihrem Zelt, wo sie schnell ein Lager für Lunara vorbereitete und sie dann darauf ablegte.

Dodarus und Sejla standen am Zelteingang und Alantra erklärte ihnen: „Sie braucht Ruhe. Ich kümmere mich um sie."

Die Freunde gingen und die alte Frau brachte Wickel und einen Becher mit einem Trunk. Dieses Getränk betäubte und somit konnte Alantra die Wunden säubern und verbinden, ohne dass Lunara das Lager zusammenschrie.

„Ich habe versagt!", wimmerte sie nur.

In der einsetzenden Dunkelheit kamen die glühenden Augen wieder. Die Furcht war abermals da. Der Schamane hatte recht!

Vermutlich waren die Dämonen so etwas wie Torwächter und sorgten dafür, dass niemand dem Drachen zu nahe kam, der es nicht wert war. Sie musste sich dem Tod stellen, um Sterben zu dürfen! Die Tränen der Verzweiflung rollten über ihre Wangen.

Alantra deckte vorsichtig eine Decke über Lunaras Leib, aber selbst diese leichte Berührung ließ sie aufstöhnen und die alte Frau brachte noch einen weiteren Becher mit dem schmerzstillenden Trunk.

„Ihr habt alle auf mich gezählt und ich habe euch enttäuscht!", sagte Lunara, nachdem sie den Becher ausgetrunken hatte.

„Du hast uns nicht enttäuscht! Keiner verlangt von dir, dein Leben wegzuwerfen!"

„Doch! Der Büffelgott verlangt genau das!", erklärte Lunara.

„Vielleicht hast du ihn nur falsch verstanden! Schlafe und versuche ihn im Traum zu besuchen. Möglicherweise erklärt er dir, was du falsch gemacht hast. Oder wie du es beim nächsten Mal besser machen kannst!", erwiderte Alantra, streichelte ihre Wange und das tat so gut.

Das Vertrauen der alten Frau gab ihr das Selbstvertrauen zurück und ihre Augen fielen zu.

Sogleich war sie wieder in der Höhle, doch diesmal konnte sie die Dämonen genau sehen und nicht nur die Augen. Diese Dämonen hatten lange Zähne und spitze Krallen, die sie ja schon in der vergangenen Nacht gespürt hatte.

Die Gestalten waren furchterregend, aber der Schamane hatte ja gesagt, dass sie ihr nichts tun konnten, wenn Lunara keine Angst haben würde.

„Ihr könnt mir nichts tun!", brüllte sie die Dämonen an, die daraufhin winselnd in der Dunkelheit verschwanden.

Lunaras Weg führte sie tiefer in die Höhle hinein.

Hinter einer Ecke lauerte der Drache, der fauchte und Feuer spie, doch auch er wich vor ihrem Mut zurück.

Noch weiter in der Höhle saß der Büffelgott auf einem Stein und als Lunara vor ihn getreten war, da stand er auf, nahm Maske und Helm ab und war die große Göttin. In der Gestalt, wie die geschnitzte Figur in der Burg ihres Vaters stand.

Die große Göttin sah sie freundlich an. Waren die letzten Visionen falsch gewesen? Oder wiegte die Gottheit sie jetzt nur in Sicherheit?

39. Kapitel
Beim Leben eines Hasen

*A*us dem Schilf heraus hatte Julian sie beobachtet und es war ihm irgendwie peinlich, die nackte Frau so anzustarren, aber er lag nur ein paar Schritte von ihr entfernt und konnte sich nicht bewegen, ohne dass sie es bemerken würde. Er war ein Meister des Anschleichens, aber wenn er nur einen Finger bewegen würde, dann wäre seine Tarnung aufgeflogen.

Obwohl es ihm mehr als unangenehm war, konnte er seine Augen dennoch nicht von ihr abwenden, denn sie war wirklich wunderschön, auch ohne das blaue Kleid.

Sie war anmutig, wohlgeformt und schien regelrecht von innen zu strahlen. Die fraulichen Rundungen waren genau dort, wo sie hingehörten und ihr langes Haar, dass sie jetzt offen trug, bedeckte eine ihrer Brüste. Mit ihrer fast weißen Haut stand sie wie eine Statue aus Marmor dort, wie eine Göttin und er war froh, dass es ihr scheinbar gut ging.

Am Tag zuvor hatte er ein Versteck gesucht und das war in dieser flachen Gegend nicht so einfach gewesen. Zumindest für das Pferd, denn im niedrigen Gras war es weit zu sehen.

Momentan stand das Tier ein paar Meilen entfernt auf einem Hügel, auf welchem ein paar Bäume wuchsen. Es waren vermutlich die einzigen höheren Gewächse im Umkreis eines Tagesmarsches, aber er war ein schneller Läufer und auch ein guter Jäger.

Einen am Morgen auf dem Weg geschossenen Hasen hatte er ihr vor die Tür gelegt, denn sie würde ja etwas zu essen brauchen.

Eine ältere Frau trat auf sie zu und er lauschte dem Gespräch. Die beiden Frauen unterhielten sich über eine weitere, namens Sofia. Offenbar war die Prinzessin in der Hütte! Allerdings ging es ihr wohl nicht sehr gut, denn die Frauen redeten über die Verletzungen einer Frau und beide schienen unverletzt zu sein.

Im Augenblick wurde es für ihn nur noch wichtiger, die Frauen zu beschützen, denn er war ja hier, um die Prinzessin wieder zurückzuholen, obwohl er das für ein paar Tage vergessen hatte, als er der Rothaarigen einfach so gefolgt war.

Jetzt holte ihn sein Pflichtgefühl wieder ein!

Abermals fingen ihre Bewegungen seinen Blick ein. Bezaubernd war ihr Gang, als sie aus dem Teich stieg. Ihr Blick fing wieder unbewusst seine Augen ein. Langsam strich sie sich mit den Händen das Wasser von Armen und Beinen und erneut war es ihm peinlich, sie dabei zu beobachten, aber ihr Zauber ließ es nicht zu, dass er den Blick abwenden konnte.

Ihre Gestalt war einfach göttlich!

Als sie sich angezogen hatte, schob er sich langsam zurück. Julian bewegte sich sehr vorsichtig, denn er durfte jetzt kein Geräusch machen!

Aus der belauschten Unterhaltung hatte er entnommen, dass die Frauen einen lebenden Hasen haben wollten und den würden sie auch bekommen!

Mit dem Bild der Frau im Kopf lief er geräuschlos und leichtfüßig über den schwankenden Boden. Nicht weit entfernt hatte er seinen Bogen und die Pfeile versteckt und mit der Bogensehne konnte man auch eine Falle für einen Hasen bauen.

Den Bogen hatte er am Vortag aus den Zweigen einer Eibe geschnitten. Da er sämtliche Waffen in seinem Versteck im Wald bei der Burg zurückgelassen hatte, hatte er nur noch ein kurzes Messer dabei, aber mit diesem konnte er alles fertigen, was er brauchte.

Die kurze, kräftige Klinge, die kaum länger als sein Daumen war, hatte ihm einst der Vater geschenkt und er trug es immer in der Scheide an einem Strick um den Hals.

Früher hatte er damit Spazierstöcke im Wald geschnitzt und momentan half ihm diese Klinge, hier zu überleben.

Schnell war die Sehne vom Bogen abgenommen und seine Augen suchten die Spuren der Wildtiere. Durch seine jahrelangen

Erfahrungen konnte er im Gras lesen, als wären die Tiere noch direkt vor ihm. Eine der Trittspuren zog ihn ganz besonders an, denn es war eine Hasenfährte zu einem Bach, die erst vor kurzem in den weichen Boden gedrückt worden war.

Vielleicht kam der Hase ja gleich wieder zurück. Die Schlinge war sofort befestigt und im Gras versteckt. Das Tier würde sich selbst darin fangen, wenn es diesen Weg auch wieder zurücknehmen würde.

Damit musste er nur auf das Tier warten.

Mit dem Blick auf die Schlinge lag er versteckt im Gras und sah doch nur diese wunderschöne nackte Frau vor sich. Immer wieder schob sich dieses Bild in seinen Kopf, wie sie aus dem Wasser aufgetaucht war, sich die nassen Haare nach hinten geschleudert hatte und wie ihre Gestalt vom Wasser geglänzt hatte, was ihn so faszinierte.

Bisher hatte er sich nie für Mädchen oder Frauen interessiert und gegenwärtig war es ihm eigentlich nur noch peinlich, dass er ihr so auf die Brust gestarrt hatte.

So wie damals bei seinem ersten Zusammentreffen mit der Anführerin ihres Heeres im Burghof.

Wie mochte es der älteren Frau wohl jetzt gehen? Und lebte sie überhaupt noch?

In seine Gedanken verglich er die beiden Frauen, denn es waren die einzigen, die er bisher nackt gesehen hatte.

Filigran, zart und jung, die eine. Kräftig, muskulös und älter, die andere. Bei dem Gedanken an die jüngere der beiden spürte er, wie sich in seiner Hose etwas regte, doch eine Bewegung in seinem Blickfeld holte ihn wieder zurück zur Falle.

Langsam, schnuppernd, und sich immer wieder aufrichtend, näherte sich der Hase der Schlinge, doch bei diesem Tempo würde das Tier immer noch rechtzeitig den Kopf aus der Schlinge ziehen können.

Julian musste den Hasen schneller machen, um ihn zu fangen. Nur wie? Eventuell etwas hinter das Tier werfen, damit es erschrocken davon sprang? Vielleicht einen Stein?

Er nahm einen Kieselstein und schleuderte diesen hinter den Hasen, das Tier sprang nach vorn und war gefangen.

Jetzt musste er diesen Fellträger nur noch zu der Frau bringen. Mit der Sehne band er dem Hasen die Pfoten zusammen, klemmte sich das Tier unter den Arm und rannte los.

In Sichtweite der Hütte ließ er sich ins Gras fallen und spähte nach vorn, doch dort war niemand zu sehen.

Vermutlich waren beide Frauen in der Hütte. Gedeckt schlich er den Pfad entlang.

Die letzten zwanzig Schritte ging er auf Zehenspitzen, mit dem Tier in beiden Händen. Lautlos schob er sich zu der Tür, legte seine Beute auf der Türschwelle ab und wandte sich zurück.

Doch hinter ihm stand plötzlich die junge Frau.

Er richtete sich auf und sie hatte ihn blitzschnell an der Kehle gepackt.

Er war schnell, kräftig und sicher doppelt so schwer, wie die Frau, doch sie hob ihn am ausgestreckten Arm vom Boden ab.

Julian hätte sich wehren können, doch er wollte es nicht. Hätte es ihm etwas genutzt? Sicherlich nicht. Und mit dem Klammergriff um seinen Hals konnte er auch nichts mehr sagen. Nur noch röcheln.

40. Kapitel
Suche nach einem Ausweg

Radunta brauchte eigentlich nur noch zudrücken und hätte einen Feind weniger, aber war der Mann wirklich ein Gegner? Er war unbewaffnet und hatte gerade einen Hasen vor der Hütte abgelegt.

Im Moment hielt sie ihn eine Handbreit mit den Füßen über dem Boden, aber er wehrte sich nicht gegen ihren Griff. Er hing einfach in ihrer Hand, röchelnd und langsam blau anlaufend!

„Radunta!", rief Voltura von der Seite, wo sie gerade Steppenwind gefüttert hatte.

„Eine Bewegung und du stirbst!", sagte Radunta und ließ den Mann wieder zum Boden herab.

Und jetzt stand er vor ihr und machte wirklich keine Bewegung.

„Was willst du hier und wer bist du?", fragte sie.

Er kam langsam wieder zu Luft.

„Ich bin Julian. Ein Knappe, aus Mortunda. Ich bin der letzte Überlebende des Heeres, das Prinzessin Sofia befreien sollte", erzählte er.

„Ein Knappe ohne Waffen?", entgegnete sie verwundert.

„Ich habe ein Messer!", erklärte er und zog dabei an einem Strick, den er um den Hals trug.

„Das hier ist ein Messer!", erwiderte Radunta und zog ihren Dolch. Dessen Klinge war sicher fünfmal so lang, wie jene, die Julian um den Hals trug.

„Du hast uns einen Hasen gebracht?", fragte Voltura von der Tür aus.

„Sicherlich schon zwei! Oder?", erkundigte sich Radunta und der Mann nickte.

„Wie geht es der Prinzessin?", erkundigte er sich.

„Nicht so gut! Vielleicht überlebt sie durch das Opfertier!", erwiderte Radunta.

„Sie wird durch dein Opfer überleben!", antwortete Voltura, die gerade den Hasen hochhob.

„Kann ich sie sehen?", erkundigte sich Julian.

Radunta schob die Waffe zurück in die Lederscheide an ihrem Gürtel und blickte über ihre Schulter zurück nach Osten. Sie brauchten einen Ausweg, denn wenn Julian ihr hatte folgen können, wer hatte es dann noch geschafft?

Und sollte sie wirklich Sofia noch einmal in Gefahr bringen?

„Warum sollte ich dich zu ihr lassen?", fragte sie und wandte sich wieder ihm zu.

„Ich möchte sehen, wie es ihr geht!", entgegnete er.

„Schlecht! Das sagte ich doch schon!", fuhr sie ihr grob an.

„Radunta! Lass ihn doch!", versuchte Voltura sie zu beschwichtigen.

„Aber er ist ein Mann!"

„Ich gebe dir auch mein Messer und lasse mir von dir die Hände fesseln, wenn du das möchtest, aber ich muss sie sehen! Dafür sind viele Männer und Frauen gestorben und sicher auch unsere Anführerin!", bat er.

„Barbara?", fragte sie nach.

„Wenn das der Name ist. Du hast sie damals vom Schlachtfeld tragen lassen!", erwiderte Julian.

„So lange verfolgst du mich schon? Dann warst du es auch, der mich heute früh am Teich beobachtet hat!", sagte sie.

Radunta sah, dass er rot wurde und den Blick niederschlug.

„Bitte!", flehte er und hielt ihr die Hände hin.

„Das wird nicht nötig sein! Komm!", rief die Schamanin.

„Erlaube du es mir ebenfalls!", erklärte er.

Radunta gab nickend ihr Einverständnis und folgte ihm in die Hütte.

Sofia war bleich wie ein Ziegenkäse und rührte sich nicht mehr. Die große Göttin hatte sie in einen heilsamen Schlaf gelegt, damit sich ihre Wunden in Ruhe schließen konnten.

Vorsichtig strich Radunta über die Stirn ihrer Nichte.

„Das Fieber sinkt nur langsam!", stellte Radunta fest.

„Viel wichtiger ist, dass wir hier fort müssen!", erklärte die Schamanin, die den Hasen befreite und wieder vor die Tür setzte.

„Sie kann weder reiten noch gehen und das wird noch ein paar Wochen so bleiben. Wie sollen wir da verschwinden? Und wohin?", entgegnete Radunta der Schamanin.

„Das wohin kann ich dir sagen. Zum See der Göttin im heiligen Hain. Der ist zwei Tagesritte von hier aus im Norden! Nur das wie vermag ich nicht zu sehen!", erklärte Voltura.

Die Schamanin trat an die schlafende Sofia heran.

„Zwei Tagesritte sind fünf Tagesmärsche. Solch eine weite Strecke vermag selbst ich sie nicht zu tragen!", seufzte Radunta und strich eine Locke aus Sofias Gesicht.

„Also wird sie sterben! Auch, wenn sie überlebt! Und ich mit ihr!", flüsterte Radunta und fast zärtlich glitten ihre Fingerspitzen über den Dolch an ihrer Hüfte.

„Wenn wir sie nicht tragen können, vielleicht kann sie ein Pferd tragen?", fragte Julian.

Radunta blickte zu ihm auf und sagte: „Ich kann sie mir wieder vor dem Sattel über das Pferd werfen, aber das werden die Nähte nicht lange mitmachen! Sie wird auf dem Weg dorthin verbluten!"

„Hat sie wirklich solch schlimme Verletzungen? Man sieht gar nichts?", erwiderte Julian.

„Männer!", schniefte Radunta und beugte sie erneut über die Nichte.

Danach drehte sie sich zu ihm um. „Nur, weil man etwas nicht sieht, ist es eventuell doch vorhanden! Sie wäre uns beiden fast unter den Händen gestorben! Es waren Männer, die ihr das angetan haben! Schau hin!", sagte sie laut und zog die Decke zur Seite.

Sie sah das Entsetzen in seinem Blick, als er das blutige Tuch auf Sofias Schoß sah.

„Solche Schweine! Wie kann ein Mann so etwas einer Frau antun!", stieß er laut aus.

Radunta zog die Decke vorsichtig wieder über Sofias Unterleib.

„Lass die Schweine in Ruhe! Kein Tier würde einem anderen auch nur ansatzweise so etwas antun!", erläuterte sie.

„Da hast du wohl recht! Aber wir brauchen eine Lösung!", bemerkte Julian und setzte sich auf einen der Hocker in der Hütte.

„Sie erwacht! Du solltest besser gehen, denn sie wird die Anwesenheit eines Mannes sicher nicht verstehen!", bemerkte Radunta schnell, als sie erkannte, dass sich Sofias Augen unter den Lidern bewegten.

Julian sprang auf und eilte hinaus.

Die Tür war gerade hinter ihm geschlossen, als Sofia die Augen aufschlug und Voltura ihr einen Becher mit der Hasensuppe zur Stärkung brachte.

Während Sofia trank, ging Radunta nach draußen und sah, dass Julian weinte. Er hockte an der Hüttenwand im Gras und schluchzte wie ein kleines Kind.

Radunta sah sich gezwungen, sich tröstend neben ihn zu hocken. Streichelnd fuhr sie ihm über den Kopf und zog ihn an ihre Brust. Das mochte sicherlich komisch aussehen, dass eine Frau gerade einen erwachsenen Mann tröstete, aber sie konnte gar nicht anders.

„Aber ich muss euch beschützen. Dich und die Prinzessin! Nur wie?", schluchzte er.

Vor wenigen Augenblicken hatte sie ihn noch mit der Hand an der Kehle gehabt und jetzt fühlte sie da etwas anderes in sich.

Dieser Mann hatte Mitleid!

Es gab sie also wirklich, diese Männer, die sich um eine Frau sorgten. Bisher hatte sie da nur schlechte Erfahrungen gemacht und daher war sie ja auch hierher geflohen, vor dieser Vermählung mit solch einem Mann wie Wolfger! Der würde sicher keine Minute daran verschwenden, sie nach irgendetwas zu fragen, oder auf ihre Befindlichkeiten Rücksicht zu nehmen.

Immer noch schluchzte Julian an ihrer Schulter, an ihrer Brust.

41. Kapitel
Schwanenschwingen in der Not

*J*ulian hatte eine Weile gebraucht, bevor seine Tränen endlich versiegt waren. Es waren Tränen der Verzweiflung gewesen, die ihrer ausweglosen Situation geschuldet waren. Und den furchtbaren Verletzungen der Prinzessin.

Früher hatte der Vater immer gesagt: „Ein Mann weint nicht!", aber der Vater war vor vielen Jahren bei einem Jagdunfall im Wald gestorben und er hatte die Mutter danach fast jede Nacht um ihn weinen gehört.

Sicherlich hatte ihn das geprägt. Zuvor im Heer hätte er sich dies sicherlich nicht erlauben dürfen, doch das hier war anders.

Momentan hockten sie nebeneinander und Julian hielt die Hand der Frau, von der er jetzt wusste, dass sie Radunta hieß.

„Wir müssen hier fort, aber wir können nicht!", murmelte er vor sich hin und suchte verzweifelt einen Ausweg aus dieser vertrackten Situation.

Radunta hätte sich retten können, doch sie wollte Sofia genauso wenig hier diesen Bestien überlassen, wie er. Damit würden entweder alle gehen oder alle bleiben. Und wenn alle blieben, dann würden alle sterben!

Sollten sie sich in die Hand der Feinde begeben und auf ein schnelles Ende hoffen? Doch wie würde dieses aussehen? In der Art, wie jenes von Barbara? Brutal geschändet und danach getötet? Sicherlich, denn Sofias Verletzungen sprachen ebenfalls dafür.

Dann wäre es doch aber besser, selbst diesen letzten Schritt zu gehen und dem Feind nur ihre Leichen zu überlassen!

Konnte er ihr das vorschlagen?

In ihren großen Augen sah er, dass auch sie schon diesen Entschluss gefasst hatte. Sie würden hier nebeneinander sterben. Hand in Hand. Zuerst würden sie Sofia töten und danach würde er Radunta die Klinge ihres Dolches in ihr Herz stoßen, bevor er sich selbst töten würde.

Vielleicht dort drüben auf dem Altar? Konnte er ihr das jetzt in dieser klaren Gewissheit sagen? Er war dazu entschlossen!

Julian erhob sich, wischte sich die letzten Tränen fort und zog Radunta zum Altarstein hinüber.

Mit stockenden Worten schilderte er ihr seinen Plan und sie nickte nur wortlos dazu.

Ihr gemeinsamer Tod war damit beschlossen!

Er warf einen letzten Blick über den Teich, der seinen Tod sehen würde, doch da entdeckte er etwas Seltsames.

„Schau mal!", bemerkte er und zeigte auf die beiden Schwäne, die über den Teich glitten.

„Was meinst du?", fragte sie nach.

„Sieh nur, wie sie schwimmen! Seite an Seite und sie haben ihre Flügel zur Seite gestreckt. Das muss ein Zeichen deiner Göttin sein!", erklärte er.

„Als einleitende Geste für unseren Tod?"

„Nein! Du Dummerchen! Als Botschaft, wie wir uns und Sofia retten können!", erwiderte er.

„Wie hast du mich gerade genannt? Dummerchen!", brauste Radunta auf und ihre Augen funkelten vor Zorn.

„Entschuldige!", sagte er schnell und erklärte ihr seinen Plan, der auf dem Verhalten der Schwäne basierte: „Du hast ein Pferd und ich auch. Wenn wir sie nebeneinander gehen lassen, wie die Schwäne, und eine Decke zwischen den Pferden spannen, so können wir Sofia darauf legen und sie wird von den beiden Tieren getragen!"

„Du bist genial!", schrie Radunta auf und fiel ihm um den Hals.

„Ich renne los und hole das Pferd. Bereite du die Decken und Sofia vor!", rief er im Aufspringen.

So schnell er nur konnte, rannte er den Pfad entlang. Er schonte sich dabei nicht, denn zurück würde er ja reiten können.

Schnaufend erreichte er das Pferd, raffte eilig seine Sachen zusammen und stürmte auf dem Hengst zur Hütte zurück.

Jetzt, da sie einen Plan hatten, war jeder Augenblick wichtig, denn er konnte ja nicht wissen, wie nahe ihnen die Verfolger schon gekommen waren.

Mit fliegenden Hufen sauste das Reitpferd mit ihm über den schwankenden Weg durch das Moor.

Schon aus der Entfernung konnte er die Aufbruchsstimmung erkennen.

Der Schimmel stand vor der Hütte und einige Beutel lagen dort davor.

Als er vor der Behausung aus dem Sattel sprang, hörte er die beiden Frauen streiten.

„Ich bleibe hier. Du weißt ja, wo der Hain ist!", sagte die alte Frau.

„Das kann ich nicht zulassen! Du musst mit!", entgegnete Radunta.

„Nein!"

„Doch!", beharrte Radunta auf ihrer Meinung.

„Mir wird schon nichts passieren und ich verrate euch nicht!"

„Doch! Das wirst du! Glaube mir! Sieh dir Sofia an! Du würdest alles in der Welt verraten nach nur einer Nacht im Kerker meines Vaters! Darum kann ich dich hier nicht deinem Schicksal überlassen. Du musst mit!", erklärte Radunta mit fester Stimme.

„Na fein!", äußerte die alte Frau resignierend.

Offenbar hatte sie begriffen, dass man mit Radunta nicht streiten konnte.

„Kannst du mit einem Schwert umgehen?", fragte sie ihn.

„Nein! Ich war nur Knappe!", antwortete er wahrheitsgemäß.

„Dann lerne es!", sagte Radunta und warf ihm ein Schwert zu, das er sich sofort umlegte.

Danach führten sie die beiden Pferde nebeneinander, spannten eine Decke dazwischen, wie er es beschrieben hatte, und befestigten diese an den beiden Sätteln.

Die Beutel wurden festgemacht und dann trugen sie vorsichtig die schlafende Prinzessin aus der Hütte.

Er stützte den Kopf, Radunta die Füße und die alte Frau die Hüften von Sofia. Sacht legten sie die Prinzessin in ihre Sänfte.

„Ich gehe vorn und führe die beiden Pferde am Zügel. Ihr beide bleibt hinten. Da wird sie nur euch sehen, falls sie erwacht! Haben wir alles?", erklärte Julian den Rest seines Planes.

„Ein letztes Gebet, dann brechen wir auf!", entgegnete Radunta und trat an den Altar. Auch sie trug momentan ein Schwert, aber sie hatte es schräg über dem Rücken.

Während die beiden Frauen vor dem Altar beteten, zog er die Pferde so, dass sie am Anfang des Weges standen.

Der Pfad war schmal und mit Sofia zwischen den beiden Tieren waren sie fast so breit, wie die Spur vor ihnen. Sollte eines der Tiere scheuen, so würden sie doch noch den Tod finden.

Julians Augen suchten den Horizont im Osten ab, denn von dort her mussten die Verfolger kommen!

Er warf noch einen Blick über die Schulter zurück und fast hätte er: „Beeilt euch!", gerufen, doch da verbeugten sich beide Frauen bereits und kamen zu ihm.

„Auf geht es!", sagte er zu den Pferden und den beiden Frauen.

Fünf Tage würde ihr Marsch von jetzt an dauern, doch waren sie dann in Sicherheit? Er musste auf das Gebet und den Schutz der Göttin vertrauen.

Als sie aufbrachen, erhoben sich die beiden Schwäne in den Himmel und drehten eine Runde über ihnen.

Er sendete ihnen einen Dank hinterher, denn ohne ihren Rat wären sie jetzt schon alle tot!

Die beiden Vögel zogen nach Norden und zeigten ihnen damit zusätzlich den Weg!

42. Kapitel
Ein Schatz, wertvoller als Gold

Seit ein paar Tagen lag Lunara bereits in dem Zelt der alten Frau und liegen war auch so ziemlich das einzige, was sie noch tun konnte. Die Kratzer an Bauch und Armen heilten schon langsam ab, aber die tiefen Wunden an den Beinen rissen bei jeder Bewegung wieder auf.

Es schien ihr so, als ob die große Göttin sie absichtlich auf das Lager hatte fesseln wollen, denn der Rücken hatte nichts abbekommen.

Alantra kümmerte sich rührend um sie. Früh und Abend wusch die alte Frau sie mit einem Lappen, obwohl sie das wohl auch so hätte tun können, doch Alantra verbot ihr jede Bewegung.

Dodarus ließ sich mehrmals am Tage in dem Zelt sehen, aber die Öffentlichkeit verhinderte wohl jede seiner zärtlichen Berührungen, nach denen sie sich so sehr sehnte.

Von dieser liegenden Position in diesem Zelt hatte Lunara jetzt einen noch intensiveren Einblick in das Leben der Frauen in den Stämmen.

Am Abend zuvor hatte sie zugesehen, wie Alantra einer Gebärenden geholfen hatte. Jeder Handgriff der alten Frau saß, keine Bewegung war unnütz oder zu viel.

Lunaras Bewunderung für die alte Frau war grenzenlos und Alantra hatte ihr am Morgen in langen Gesprächen erklärt, was sie von ihrer Vorgängerin gelernt hatte. Und gerade eben hatte sie aus dem hintersten Winkel des Zeltes ein in Stoff gewickeltes Päckchen hervorgeholt.

Vorsichtig faltete sie den Stoff auseinander und zeigte Lunara ein Buch. Schon oft hatte sie gehört, dass es so etwas geben sollte, aber dieses hier war das Erste, welches sie selbst in den Händen halten konnte. Das Wissen der alten Zeit war darin gefangen.

Sorgfältig schlug die alte Frau es auf und zeigte die Seiten aus einem vergilbten Material. Es waren Knicke und Risse darin und sie machten sonderbare Geräusche beim Umblättern.

Mit spitzen Fingern hielt Lunara das Buch ganz vorsichtig.

„Was sind das für seltsame Zeichen?", fragte sie und zeigte auf die nicht lesbaren Kringel, die in Reihen unter einem Bild standen.

„Keiner weiß es, aber dieses Buch hat mir dennoch oft geholfen! Schau!", erklärte Alantra und schlug eine neue Seite auf.

Eine bunte Abbildung reichte über die ganze Seite.

„Das sieht ja grausig aus!", entfuhr es Lunara.

„So sieht es bei dir innen drin aus", erklärte die alte Frau.

„Wirklich?", erwiderte Lunara, legte die Hand auf ihren Bauch und sah zu Alantra, aber die nickte nur und blätterte vorsichtig um.

Das nächste Bild zeigte eine Frau von außen und alles war korrekt angeordnet. Also war vermutlich das andere Bild ebenfalls einwandfrei, auch wenn sie sich das kaum vorstellen konnte.

Ein paar weitere Seiten später zeigte Alantra auf ein Bild, in dem zu sehen war, wie ein kleiner Mensch im Bauch steckte. Es sah sonderbar aus, aber bei dem Blick auf den Bauch einer schwangeren Frau, die gerade in das Zelt trat, ergab die Abbildung wirklich einen Sinn.

Seite um Seite erklärte Alantra ihr jetzt, wie ein kleiner Mensch im Bauch der Mutter heranwuchs. Die Bilder waren schön, nur die Erklärung darunter konnte keiner mehr deuten. Was mochten wohl darin alles für Geheimnisse schlummern?

Es waren hunderte von Zeichnungen und so viele wichtige Informationen für die Frauen.

In den Bildern sah sie Männer mit weißen Kitteln und Frauen mit schönen Kleidern. Wie alt mochte das Buch wohl sein? Fünfhundert Jahre oder mehr?

Wie weit die Menschen vor so langer Zeit doch schon gewesen waren. Und was war jetzt?

Alantra ging und überließ ihr diesen Schatz an Wissen zum Ansehen und da sie ja sowieso nichts tun konnte, studierte sie weiterhin sorgfältig die Zeichnungen und Abbildungen.

Und über das Buch kam sie mit der alten Frau und der jungen Mutter im Nebenbett immer wieder in viele Gespräche.

Zwar hatte Lunara auch vorher schon die Frauen beobachtet, aber derzeitig war sie mitten drin, denn in dem Zelt von Alantra herrschte ein reges kommen und gehen. Mädchen, junge Frauen und Mütter mit Säuglingen auf dem Arm kamen zu ihr, holten Trunke oder Salben und blieben einfach für einen Schwatz.

„Was sind das für schwarze Halsbänder, die manche Frauen tragen?", fragte sie die alte Frau.

„Die tragen wir bei unserer monatlichen Unpässlichkeit. Sie sollen die Männer auf Abstand halten!", erklärte Alantra.

Die junge Mutter neben ihr setzte hinzu: „Manchmal tragen wir sie auch einfach ein paar Tage länger, um unsere Ruhe zu haben. Kein Mann weiß genau, wie es in einer Frau aussieht, oder was da bei ihnen so wichtig ist."

„Das weiß noch nicht mal jede Frau!", seufzte Alantra.

„Deshalb das Buch?", fragte Lunara und die alte Frau nickte.

„Ich weiß, wie das so in Wiesenland mit den Mädchen und Frauen war. Da gab es eine große Feier, wenn das erste monatliche Blut kam. Gibt es so etwas bei euch hier auch?", erkundigte sich Lunara.

„So etwas in der Art!", erklärte die junge Mutter und strich ihrer gerade erst geborenen Tochter über den Kopf.

„Bis sie zwölf Jahre alt sind, leben Jungen und Mädchen bei ihren Müttern, dann wechseln sie. Die Jungen in die Zelte der Krieger und die Mädchen bekommen ihren ersten langen Rock", erklärte Alantra.

„Und meistens ist das dann auch der Tag, an dem sie wirklich zur Frau werden!", seufzte augenblicklich die junge Mutter neben ihr.

„Mit zwölf?", entfuhr es Lunara und beide Frauen nickten ihr zu.

„Ich hatte hier mein erstes Beisammensein mit einem Mann! Mit neunzehn!", sagte Lunara und versuchte sich in die jungen Mädchen hineinzuversetzen, aber das ging nicht, denn alles in ihr sträubte sich da dagegen.

Mit zwölf hatte sie noch mit der von der Mutter für sie gebastelten Puppe gespielt.

„Wenn ich doch nur lesen könnte, was da drin steht!", drückte Lunara aus, um sich von dem anderen furchtbaren Gedanken abzulenken.

Nachdenklich strich sie über den Einband des Buches.

Warum gab ihr die große Göttin nicht dieses Wissen? Damit wäre dem Stamm mehr geholfen, als wenn sie einfach so in den Tod ging!

„Ich muss wieder auf die Beine kommen!", seufzte sie und gab das Buch an Alantra zurück, die es sicher verwahrte.

Mit der Erinnerung an die vielen Bilder versuchte sie sich in ihren Körper hineinzudenken. Sie legte sich die flache Hand auf die Stelle, an welcher das Haar auf ihrer Scham aufhörte.

Mit geschlossenen Augen besuchte sie das Kind, das sich da irgendwo unter ihrer Hand in ihrem Schoß befand.

Warum musste sie es verlieren?

Sie wollte es behalten und aufwachsen sehen!

Inständig bat sie die große Göttin, ihr diesen Wunsch zu erfüllen, doch würde sie das eventuell bei ihrer Aufgabe behindern?

Lunara seufzte auf und legte sich zurück.

43. Kapitel
Nachtgedanken

Der erste Tag des Marsches war vorüber und Radunta saß an dem kleinen Feuer, das die Schamanin gerade entzündet hatte. Julians Plan hatte bisher perfekt funktioniert, aber sie waren langsamer vorangekommen, als sie es gedacht hätte.

Immer wieder hatten sie kurz stoppen müssen, um Sofia zu versorgen, denn der wiegende Schritt der beiden Tiere hatte sie oft geweckt, aber die Nähte hatten gehalten!

Vor einer Stunde hatten sie das Moor endlich verlassen und wieder festen Boden unter den Füßen.

Das war also ihr Rastplatz für diese Nacht und wenn alles so weiter ging, dann würden sie eventuell in einer Woche ihr Ziel erreicht haben.

Radunta hob ihren Kopf und ihr Blick suchte den Mann, der gerade die beiden Tiere auf die Wiese geführt hatte.

In Ermangelung eines Baumes hatte er dem Hengst und der Stute die Vorderbeine jeweils mit einem kurzen Strick zusammen gebunden und somit konnten die Pferde zwar ein paar Schritte gehen, aber sie würden nicht verschwinden.

Auf dem ganzen Weg hatte sie Julians Rücken immer vor sich gehabt und nur die Körperlänge ihrer Schimmelstute hatte sie beide voneinander getrennt. Ein seltsames Gefühl war in ihrem Bauch, wenn sie nur zu Julian sah. So ein Kribbeln.

Die Sonne versank hinter dem Horizont, langsam kam die Dämmerung und sie beugte sich über Sofia, die sie kurz zuvor neben das Feuer gelegt hatten. Es ging ihr, den furchtbaren Umständen entsprechend, relativ gut.

Abermals wanderte ihr Blick zu Julian und dabei war erneut diese fremdartige Empfindung in ihrem Leib, die sie nie zuvor da gehabt hatte. Es rumorte darin und sie überlegte, ob sie wohl etwas

Falsches gegessen hatte, aber es war dasselbe wie am Tag zuvor gewesen.

Und eigentlich konnte es auch nichts mit dem Essen zu tun haben, denn es kam nur, wenn sie den Mann ansah oder an ihn dachte. Seltsam!

Gerade kam er zum Feuer zurück und hockte sich zu ihr, dabei setzte er sich aber so, dass er nicht in Sofias Blickfeld saß. Solch eine Umsicht rührte sie fast zu Tränen.

„Die Pferde sind etwas unruhig!", äußerte er leise.

Radunta schaute zu den beiden Tieren.

Die Schamanin hob ebenfalls den Kopf und sah genauso in diese Richtung.

„Steppenwind ist rossig!", erklärte die alte Frau.

Für einen Moment wusste Radunta nicht, was Voltura damit meinte, dann fiel es ihr ein und sie bekam heiße Ohren.

„Soll ich die beiden voneinander trennen?", fragte Julian.

Die Schamanin winkte ab und erklärte: „Das gibt sich wieder! Spätestens morgen früh!"

Jetzt erkannte Radunta, dass Julian die Augenlider niederschlug und seine etwas dunklere Gesichtsfarbe war wohl nicht dem Rot des Lagerfeuers geschuldet.

Augenblicklich fiel ihr wieder ein, dass er sie am Morgen beim Baden beobachtet hatte und vermutlich passte sich gerade ihre Gesichtsfarbe der seinen an.

„Wie halten wir das mit der Wache?", erkundigte sich Julian, vermutlich um davon abzulenken.

„Radunta und ich wechseln uns ab, da wir Sofia versorgen müssen. Du kannst ja Wache halten oder schlafen, ganz wie du möchtest!", entgegnete ihm Voltura.

„Dann beginne ich mit der Wache, um zu sehen, ob uns jemand gefolgt ist!", antwortete Julian.

Wie von selbst setzte Radunta dazu: „Und ich werde mich zuerst um Sofia kümmern!"

Sie wich dem Blick des Mannes aus, während Voltura einen Brotlaib in drei Teile brach und diese Stücke ihnen übergab.

Mitten im Kauen sagte Voltura plötzlich: „Und das mit der Rosse bei Steppenwind erledigt sich auch gerade. Morgen früh werden sich die beiden Pferde ganz normal führen lassen!"

Radunta hob abermals ihren Blick und sah die beiden Tiere etwa zehn Schritte entfernt vor sich stehen. Trotz der gefesselten Vorderbeine war der Hengst auf Steppenwinds Rücken aufgesprungen und stand jetzt nur noch auf den Hinterbeinen.

Die Stute wieherte glücklich, während Radunta der Bissen im Halse stecken blieb. Sie verschluckte sich und musste husten.

Schnell war Julian bei ihr und schlug ihr kräftig auf den Rücken, damit sie das verschluckte Brotstück wieder aus dem Hals bekam.

Ungerührt aß die Schamanin weiter, aber das Schmunzeln der alten Frau war nicht zu übersehen.

Radunta war es sowas von unangenehm, dass die beiden Pferde sie dermaßen aus der Rolle gebracht hatten. Noch immer stieß der Hengst mit dem Hinterteil zu, während Steppenwind ihn mit breit gestellten Hinterbeinen hielt.

Wie lange konnte so was dauern?

„Ich gehe ihm mal helfen, der kommt sicher alleine nicht wieder von ihr herunter!", erklärte Julian und erhob sich von seinem Platz am Feuer.

Raduntas Blick folgte ihm zu den Tieren, dort hielt er Steppenwind für einen Moment am Zügel und zog sie dann einfach unter dem Hengst fort.

Beide Tiere legten augenblicklich ihre Köpfe gegeneinander und der Mann kam zum Feuer zurück.

Es war deutlich zu erkennen, dass er ihr nicht mehr in die Augen sehen konnte.

Voltura nahm sich eine der Decken, legte sich zum Feuer und fragte: „Ich kann euch beide doch alleine lassen?"

Erneut war das Schmunzeln der alten Frau deutlich zu sehen, aber mittlerweile war es endlich so dunkel, dass Julian ihre Gesichtsröte nicht mehr bemerken würde.

Irgendwie war ihr ganzes Inneres aufgewühlt. Das Kribbeln in ihrem Bauch war nur noch viel stärker geworden und um sich davon abzulenken, kümmerte sie sich um die Nichte.

Die Schamanin schnarchte schon. Die alte Frau war sofort eingeschlafen. Das würde ihr sicher nicht so schnell gelingen, denn das Bild der beiden sich paarenden Tiere war in ihrem Kopf und würde da bestimmt nicht so einfach wieder herauskommen.

Julian erhob sich, sagte: „Ich gehe mal nachsehen!", und verschwand in der Dunkelheit.

Sicherlich ging er jetzt einen Teil des Weges zurück, um eventuell folgende Feinde zu erkennen, denn in der Nacht war ein Feuerschein gewiss weit zu sehen und ohne wärmendes Feuer war es schon empfindlich kalt.

Radunta hob ihren Blick zu den beiden Tieren, die gerade noch so im Lichtschein der Flammen standen.

Steppenwind nickte ihr zu.

Was hatte die große Göttin wohl damit gemeint, dass sie die beiden Pferde genau in diesem Moment dazu gebracht hatte, das da zu tun?

Und war es wirklich die große Göttin gewesen? Oder nur ein Zufall?

Mit der Erinnerung an die beiden Schwäne schloss Radunta den Zufall aus.

Und damit saß sie alleine am Feuer und hatte weiterhin Steppenwinds hellen Leib im Blick. Wenn es aber kein Zufall war, dann war es Absicht!

Und genauso war es dann auch Bestimmung, dass Julian irgendwo in der Nähe war!

Jäh bemerkte sie, dass er ihr fehlte! Da war so ein Sehnen in ihrer Brust. Ihr Herz klopfte wie wild und sie suchte die Dunkelheit ab, in die er gegangen war.

„Komm zurück! Du fehlst mir!", flüsterte sie mit dem Nachtwind in die Finsternis hinaus.

Dabei hatte sie den Mann bis zum Morgen noch gar nicht gekannt.

Konnte das wirklich so schnell gehen? Sie entschloss sich, die Schamanin am nächsten Tag dazu zu befragen.

44. Kapitel
Unter dem Sternenzelt

Er war nur etwas mehr wie zweihundert Schritte in die Dunkelheit gegangen. Weit genug fort, um in der Nacht nach einem Verfolger zu suchen und nah genug, dass er trotzdem in Raduntas Nähe war.

Diese ganze Situation verwirrte ihn ziemlich. Julian blickte sich um zu jener wunderschönen Frau, an der jetzt schon den ganzen Tag seine Gedanken hingen. Oder hingen die nicht eigentlich schon sehr viel länger an Radunta?

Am Beginn des Tages hatte er sich noch gefragt, wie er sie wohl mit dem geringsten Schmerz töten konnte und gerade fühlte er, dass es ihm nur alleine bei dem Gedanken an sie das Herz zusammen presste.

Sein Blick durchdrang die Finsternis. Vor ihm war niemand und hinter ihm saß die Frau am Feuer!

Schleichend ging er zum Lagerfeuer zurück und blieb nur einen Schritt außerhalb des Feuerscheines stehen. Er sah ihr zu, wie sie die Prinzessin versorgte.

Da lag so etwas Fürsorgliches darin, beinahe etwas Mütterliches und dabei hatten sie beide fast das gleiche Alter.

Mit dem Blick auf sie war auch wieder das Bild vom Morgen in seinem Kopf. Sie, nass vom Wasser, nackt im Sonnenlicht. Erneut sah es sie ohne Kleid vor sich und das machte es für ihn auch nicht leichter.

„Der Hengst hat seinen Spaß gehabt und was ist mit mir!", dachte er und wollte sich im selben Moment dafür eine reinhauen. So durfte er noch nicht mal denken! Er hatte doch Sofias Verletzungen gesehen, wenn auch nur verbunden.

Seine Aufgabe war es, die drei Frauen dort drüben mit seinem Leben zu beschützen.

„Lerne, mit dem Schwert zu kämpfen!", hatte sie ihm bei ihrem Aufbruch gesagt und das wollte er jetzt tun. Schließlich hatte er ja sonst auch nichts zu tun.

Julian trat zu ihr ans Feuer, sagte: „Uns ist keiner gefolgt", und ging ein paar Schritte zur Seite.

Dort begann er mit dem Schwert zu üben, aber es musste wohl ziemlich komisch aussehen, denn Radunta erhob sich von ihrem Platz, kam zu ihm und begann es ihm beizubringen.

Offensichtlich war sie eine erfahrene Kämpferin.

Unter dem Dach des Sternenzeltes übten sie und nur gelegentlich ging sie zum Feuer, um kurz nach Sofia zu sehen.

Mit der Zeit wurden seine Finten, Hiebe und Paraden besser und Radunta lobte ihn in den höchsten Tönen für seine Übungen.

Es war ihm peinlich und gleichzeitig freute er sich über das Lob!

Schließlich saßen sie wieder am Feuer und diesmal setzte sie sich neben ihn. Stumm sahen sie in die Flammen, bis sie seine Hand nahm und ihm in die Augen sah.

„Hast du schon mal?", fragte sie.

Er fragte zurück: „Was?"

„Eine Frau geküsst?"

„Nein! Noch nie. Das ist auch etwas, was ich noch üben sollte!", versuchte er einen Scherz, um von seiner Anspannung abzulenken.

Schneller klopfte sein Herz, denn die ganze Zeit hatte er ihren Mund im Blick gehabt.

„Ich habe auch noch nie jemanden geküsst", entgegnete sie fast tonlos.

Das schrie nach der Fortsetzung der Übungsstunde!

„Ich weiß gerade nicht, was mit mir los ist. Ich bin so verwirrt!", setzte sie hinzu.

Er nahm allen Mut zusammen und verschloss ihren Mund mit einem Kuss.

Ihre Lippen waren weich und sie zuckte nicht zurück.

„Daran könnte ich mich gewöhnen!", sagte sie seufzend, als sie sich wieder von ihm gelöst hatte.

Er bemerkte das Funkeln in ihren Augen und das kam sicherlich nicht von den Flammen des Lagerfeuers.

„Wenn sie uns einholen und ich dennoch sterben muss, dann will ich ihnen nicht als Jungfrau in die Hände fallen, so wie es bei Sofia gewesen ist!", begann sie und blickte zu Sofia, die zugedeckt am Feuer lag.

„An so etwas darfst du nicht mal denken, aber ich verspreche dir, dass sie dich nicht lebend in die Hände bekommen werden!", entgegnete er.

„Ich danke dir und versprichst du mir dasselbe auch für Sofia?", erkundigte sie sich.

„Wenn mir die Zeit dazu bleibt?", antwortete er.

Schweigend sah Radunta zur Prinzessin hinüber.

„Bis heute früh habe ich noch nicht gewusst, dass es solche Männer wie dich überhaupt gibt. Mitfühlend und um das Wohl einer Frau besorgt", sagte Radunta und musste schniefen.

Sie machte eine längere Pause und sah ihm in die Augen.

Die ganze Welt schien in ihrem Blick zu liegen.

„Aber, um auf den Kern meiner Frage zurückzukommen", begann sie und setzte flüsternd hinzu: „Ich habe von meiner Mutter erfahren, wie schön diese innige Vereinigung mit einem Mann sein kann. Sie hat mir oft von ihrem ersten Mann vorgeschwärmt, wie er gewesen war, bevor mein Vater ihn getötet und sie mit Gewalt genommen hat. Ich möchte diese liebevolle Vereinigung ebenfalls spüren, bevor ich vielleicht morgen schon sterben muss!"

„Du meinst heute Nacht?", fragte Julian und blickte ihr ins Gesicht.

Sie nickte und schlug die Augenlider nieder.

„Aber ich habe davon so gar keine Ahnung!", entgegnete er.

„Soll dir der Hengst noch mal zeigen, wie es geht?", erwiderte sie und schmunzelte.

Die Schimmelstute wieherte und es klang wie ein Lachen.

Beide stimmten sie darin ein.

„Du meinst das wirklich ernst?", fragte er, obwohl im Moment schon alleine bei dieser Vorstellung seine Hose eng wurde.

Ein gehauchtes: „Ja! Natürlich!", war ihre Antwort.

Einen Augenblick später sagte sie: „Komm!"

Radunta erhob sich, streifte sich das Kleid vom Körper und ging drei Schritte zur Seite. Dort begab sie sich in dieselbe Position, wie die Schimmelstute zuvor. Auf allen Vieren blickte sie zu ihm zurück.

„Na, wenn du meinst!", erklärte er zögernd und stand ebenfalls auf.

Mit einem Blick auf den Hengst streifte er sich auch die Kleidung vom Leib, trat zu Radunta und kniete sich hinter sie.

Diesem Anblick konnte er sich nicht entziehen. Das Licht des Feuers ließ ihre Scham glänzen.

Ihr Blick lag jetzt auf seiner Körpermitte, wo die Erektion schon schmerzhaft wurde.

Julian musste schlucken und fragte erneut: „Wirklich?"

Sie schaute abermals über die Schulter zurück und sagte lächelnd: „Jetzt mach schon!"

Ihr langes rotes Haar rutschte zur Seite und er sah auf ihren nackten Rücken herab. Vorsichtig fasste er ihr an die Schultern, beugte sich über sie, wie es der Hengst zuvor gemacht hatte, und suchte den Eingang zu ihrem Schoß.

Das konnte doch nicht so schwer sein, denn der Hengst hatte es ja sogar mit verbundenen Vorderhufen geschafft.

Julian spürte die Feuchte ihrer Scheide, drang ein kleines Stück in sie ein und stieß schließlich mit seinem Unterkörper kraftvoll nach vorn.

Die Frau stöhnte auf und er verharrte tief in ihrem Schoß.

„Mach schon! Beweg dich!", seufzte sie.

Julian kam ihrer Aufforderung sofort nach. Langsam bewegte er seinen Unterleib, wie es das Pferd ihm zuvor vorgemacht hatte.

Radunta stöhnte immer lauter und kam ihm schon bald fordernd mit dem Becken entgegen. Das Geräusch ihrer aufeinander schlagenden Leiber war ungewöhnlich laut in der Nacht und ihr lustvolles Aufstöhnen trieb ihn noch mehr an.

Jetzt konnte er keinen Gedanken mehr im Kopf behalten. Er richtete sich auf, packte sie an den Hüften und trieb sich immer tiefer in ihren Leib. Das Gefühl war einfach gigantisch.

Unwillkürlich wurde er immer schneller und schließlich krampfte sich sein Unterleib zusammen.

Julian spürte, wie er seinen Samen in vielen Schüben in ihren Schoß pumpte, während Radunta vor ihm zitterte und laut wimmerte.

Nach einer Weile zog er sich aus ihrer Scham zurück.

Sie drehte sich zu ihm und sagte: „Das war so wunderschön. Ich danke dir dafür, dass ich so etwas erleben dufte."

Radunta richtete sich auf und kam ihm kniend mit dem Kopf entgegen.

Sie küsste ihn und erhob sich. Einen Moment standen sie so voreinander, während er sie fest im Arm hielt, bis sie sich beide wieder anzogen.

Händchen haltend sahen sie wenig später wieder in die Flammen. Auch ihm hatte es gefallen.

45. Kapitel
Die falsche Wahl?

Nie hätte Radunta gedacht, dass es so schön sein könnte, die Jungfräulichkeit zu verlieren. Momentan saßen sie Hand in Hand am Feuer und sie horchte in sich hinein. Das Gefühl war einfach herrlich gewesen und die Sterne hatten dabei rund um sie herum getanzt!

Da war kein Schmerz gewesen, nur pure Leidenschaft und lustvolles Verlangen!

Im letzten Jahr hatte die Mutter ihr ein paar Mal flüsternd davon vorgeschwärmt und sie hatte immer nur gedacht: „Ja, ja! Rede du nur!", denn sie hatte oft mit anhören müssen, wie die Mutter im Nebenzimmer nachts geschrien hatte. Und zwar nicht vor Lust, sondern aus Schmerz!

Sie blickte zu Julian hinüber, dem im Sitzen schon die Augen zufielen.

„Es ist schon spät! Wir sollten jetzt schlafen. Leg dich hin, ich wecke noch Voltura!", flüsterte sie ihm zu.

Er küsste sie, danach erhob er sich, nahm seine Decke und rollte sich am Feuer zusammen.

Radunta schob noch einen Ast in die Glut und sah den aufsteigenden Glutsternen nach, dann blickte sie in das Gesicht des schlafenden Mannes und es wurde ihr wieder ganz warm im Bauch. Dieses schöne Kribbeln war zurück.

Seufzend erhob sie sich, ging zu Voltura und weckte sie.

Die Schamanin setzte sich auf, gähnte und blickte sie an, dann sagte sie: „Ihr habt es also wirklich getan?"

„Was?", versuchte Radunta auszuweichen.

„Ich kann es noch in deinen Augen sehen!"

„Ja! Es war so schön!", schwärmte Radunta und setzte sich ans Feuer zurück.

Voltura erhob sich, schaute nach Sofia und setzte sich danach zu Radunta. Sie strich dem Mädchen, das jetzt eine Frau war, über das Haar und fragte leise: „Und wie?"

„So, wie die beiden!", antwortete Radunta und zeigte dabei auf die Pferde.

„Ach Kindchen!", bemerkte die alte Frau und lachte leise.

„War das falsch?", fragte sie zurück.

„Na ja! Nicht falsch, aber Bauch an Bauch ist es hundertmal schöner!", seufzte die alte Frau lächelnd.

„Das kann ich dir nicht glauben! Ich habe das extra nicht so haben wollen, weil Barbara so geschrien hat, als die Männer...", begann Radunta.

Voltura unterbrach sie sofort mit den Worten: „Das hat nichts mit der Position zu tun, sondern nur mit den Männern! Wenn du einen findest, mit dem du das Glück finden kannst, so halte ihn fest! Die Lust kommt dann von selbst und die Stellung ist dabei Nebensache!"

„Da hätte ich dich wohl vorher fragen sollen?", entgegnete Radunta zweifelnd.

„Nein! Natürlich nicht! Wenn es dir gefallen hat, dann ist es in Ordnung. Aber du solltest jetzt schlafen!", antwortete die erfahrene Frau.

„Und wenn die Verfolger uns morgen einholen und ich nie erleben werde, wie das so ist, Bauch an Bauch zu liegen?", entgegnete sie bedenkend.

Doch Julian schnarchte so laut, dass sie ihn wahrscheinlich unmöglich wecken konnte. Oder vielleicht doch?

Allerdings hatte die kundige Schamanin wohl ihren Blick gesehen. „Lass ihn schlafen und lege dich auch hin! Es ist schon spät in der Nacht!", wies die alte Frau sie an.

Radunta nickte und rollte sich mit einer Decke neben Julian ein, aber der Schlaf kam nicht. Sie sah in das liebe Gesicht des

Mannes, dachte an diese innigen Momente des Beisammenseins zurück und haderte mit sich, ob sie wirklich die falsche Wahl getroffen hatte.

Schließlich hörte sie die Stimme der großen Göttin, die beruhigend in ihrem Kopf flüsterte: „Ihr habt noch viele Nächte zusammen!"

Glücklich schlief sie daraufhin ein und träumte von den vielen Nächten, die ihr noch blieben.

Es schien nur ein Moment später zu sein, als sie jemand aus diesem Traum riss.

Voltura kniete über ihr und auch Julian hatte schon die Augen geöffnet.

„Guten Morgen!", sagte er und sie erwiderte ihm den Gruß.

Im Osten war bereits ein schmaler Streifen Morgenrot zu erspähen.

Die Schamanin rollte die Decken zusammen.

Schnell versorgten sie Sofia, es gab etwas Brot und dann brachte Julian die beiden Pferde.

Radunta strich ihrer Stute über die Nase und fühlte, dass Steppenwind im Moment genauso glücklich war, wie sie selbst.

Nachdem Sofia wieder aufgeladen und das Feuer gelöscht war, brachen sie auf.

Diesmal blieb Voltura hinten und sie beide gingen vorn. Jeder hatte einen Zügel in der einen Hand und den anderen in der anderen.

„Letzte Nacht war so schön!", sagte er leise.

Sie setzte hinzu: „Das sollten wir unbedingt wiederholen!"

„Heute Nacht?", entgegnete er und es war offenbar keine Frage.

Glücklich küsste sie ihn und versank in seinen Augen.

Julian trug das Schwert heute ebenfalls auf dem Rücken und so konnten sie viel näher aneinander gehen, als wenn die Waffe zwischen ihnen gewesen wäre.

Nach einer Weile begann es zu regnen und Julian erklärte ihr: „Das ist gut! Das verwischt unsere Spuren!"

Sie hätte vor Glück jubeln können. Die große Göttin war auf ihrer Seite! Was konnte da schon passieren?

An diesem Tag kamen sie viel schneller voran. Vermutlich hatte die Nähe des Hengstes die Schimmelstute am Tag zuvor zu sehr aufgeregt und nur deshalb war Sofia so durchgerüttelt worden.

Gegenwärtig lief Steppenwind wie ein Lamm an ihrer Hand und das Pferd schien sogar zu lächeln. Vermutlich sah sie genauso aus, denn Julian und der Hengst hatten auch beide denselben zufriedenen Gesichtsausdruck.

Damit konnte sie es kaum erwarten, dass der Tag endlich zu Ende ging, doch wie immer, wenn man etwas so sehnlichst erhoffte, dauerte es ewig, bis dann die Sonne langsam am westlichen Horizont versank.

In Windeseile waren die Pferde versorgt, das Feuer entzündet, Sofia hatte ihre Umschläge und Voltura verteilte das Brot aus einer der Satteltaschen.

„Heute brauche ich wohl nicht zu fragen, wie wir es mit den Wachen halten. Oder?", sagte die Schamanin schmunzelnd, als sie sich die Decke griff und am Feuer zusammenrollte.

Wenig später wusste Radunta, dass die alte Frau mit ihrer Behauptung ins Schwarze getroffen hatte.

Bauch an Bauch war es noch viel schöner und man konnte sich dabei auch noch gegenseitig streicheln und küssen!

Als Julian selig eingeschlafen war, setzte sie sich zu Sofia und sah in deren Gesicht.

Ihre Gedanken zogen Kreise.

Es gab Männer wie Julian und es gab Bestien wie Wolfger!

Zum Glück war sie auf Julian getroffen und hatte sich nicht mit Wolfger verloben müssen! Der Gedanke an den brutalen Mann ließ sie trotz Feuer frösteln.

Steppenwind kam zum Feuer und legte ihre Nase auf Raduntas Schulter.

Zärtlich streichelte sie das geliebte Tier. Die Mutter hatte es ihr einst geschenkt und hatte sich dafür eine Ohrfeige von Xander eingehandelt, denn der Vater hatte eigentlich schon ein Auge auf das schöne Pferd geworfen, aber er hatte es ihr gelassen.

Jetzt dachte sie an die Mutter zurück. Ging es ihr gut? Oder hatte Xander sie in seinem Zorn für ihre Flucht bestraft? Dem jähzornigen Mann war das zumindest zuzutrauen!

Und wie ging es wohl Barbara?

Radunta wandte ihren Blick in diese Richtung und schickte ihre Gebete dorthin, doch sie wollte nie wieder dahin zurück!

Zuerst musste sie den Hain der Göttin erreichen. Und wohin würde sie dann ihr Weg führen?

Das Ziel war noch unklar, aber mit Julian an ihrer Seite war dies zweitrangig.

46. Kapitel
Im Hain der Göttin

Sofia schlug die Augen auf und sah die Wipfel von Bäumen über sich. In der letzten Zeit waren da immer nur Himmel, Wolken und manchmal ein Vogel gewesen.

„Wo bin ich?", fragte sie und über ihr tauchte Raduntas Gesicht auf.

„Wir sind im Hain der großen Göttin!", erklärte sie.

Eine zweite Frau erschien in ihrem Blickfeld und half ihr, sich aufzurichten.

Diese kleine Bewegung ließ sie allerdings aufschreien. Der Schmerz bohrte sich durch ihren Unterleib und sie zog scharf die Luft ein.

„Trink das!", sagte Radunta und gab ihr einen Becher.

„Gegen die Schmerzen!", setzte die ältere Frau erklärend hinzu.

Das Zeug roch übel, aber wenn es half! Schluck für Schluck würgte sie das Getränk herunter und es schmeckte schlimmer, als es roch!

Direkt vor ihr befand sich ein größerer Teich und eine Bewegung an ihrer Seite ließ Sofia herumfahren. Ein Mann stand dort und sie schrie auf.

„Wer ist das?", stieß sie aus.

„Er ist einer von den Guten!", erklärte Radunta.

Der Mann trat auf sie zu, kniete sich vor sie hin und erklärte: „Prinzessin, ich bin Julian, euer Knappe! Eure Mutter hat mich gesandt, um euch zu beschützen!"

„Meine Mutter hat mich verraten und geopfert!", bemerkte Sofia und schluckte den Zorn herunter.

„Nein! Das hat sie nicht! Wir waren nur zu schwach! Vergebt mir!", antwortete er und beugte seinen Nacken vor ihr.

Sie bemerkte, dass er Tränen in den Augen hatte.

„Erhebe dich! Gib mir ein Schwert und ich schlage dich zum Ritter!", sagte Sofia.

„Ich glaube nicht, dass ich dir eine scharfe oder spitze Waffe in die Hand gebe!", entgegnete Radunta und schob ihren Dolch aus der Reichweite von Sofias Hand.

„Verdammt! Das hätte doch klappen müssen!", murmelte Sofia und sah auf ihren von einer Decke bedeckten Unterkörper.

„Warum tut das so weh?", fragte sie.

„Wir mussten dich wieder zusammennähen, nachdem wir Voltura erreicht hatten. Du wärst mir beinahe unter den Händen gestorben!", erklärte Radunta.

„Das letzte, an das ich mich erinnern kann, war der Stall und dein Pferd. Was war danach?", erkundigte sich Sofia, um sich von den Schmerzen abzulenken.

„Dein Damm war gerissen und wir mussten deine Scheide nähen! Zum Glück hat dein Darm nichts abbekommen, sonst hätte dich das Fieber geholt!", erwiderte Radunta und ihre Worte klangen bitter.

„Und was mache ich jetzt hier? Im Hain der Göttin?"

„Gesund werden!", antwortete die alte Frau von der Seite aus.

„Mein Schoß kann eventuell heilen, aber hier und hier sitzt der Schmerz viel zu tief!", offenbarte Sofia und tippte sich dabei an die Brust und die Stirn.

„Das weiß sicherlich auch die große Göttin. Darum hat sie uns an diesen heiligen Teich geschickt!", erklärte Radunta und gab ihr den gefüllten Becher noch einmal.

„Das stinkt!", protestierte Sofia.

„Du solltest es trinken, denn wir müssen dir heute die Fäden ziehen!", erläuterte die alte Frau und legte ein paar Messer neben Sofia ab, aber weit genug von ihrer Hand entfernt.

„Muss das sein?", erkundigte sie sich.

„Wenn du irgendwann mal Kinder willst, dann ja!", entgegnete Radunta und prüfte die Schneide eines kurzen Dolches.

„Ich glaube, ich lasse nie wieder einen Mann in meine Nähe! Eher stürze ich mich in diesen Dolch! Gib ihn mir!", forderte Sofia.

Radunta zog ihre Hand mit dem Messer zurück.

„Julian! Ich befehle dir, mir einen Dolch zu geben! Sofort!", brüllte sie gegen den Schmerz an.

„Nein! Das kann ich nicht!", antwortete der Knappe leise.

„Verdammt!", schrie Sofia und schlug sich wütend mit der Faust auf den Oberschenkel.

Der sofort eintretende Schmerz ließ sie zusammenzucken. Sie biss sich in die Hand und Tränen liefen ihr über die Wange.

„Mach das noch einmal und wir müssen dich nochmal zusammenflicken!", schimpfte Radunta.

Wimmernd ertrug Sofia den Schmerz, der nur sehr langsam weniger wurde. Sie schnappte nach dem Becher, den die alte Frau ihr hinhielt und kippte das Gebräu in einem Zug herunter.

„Noch zwei, dann beginnen wir!", erklärte Radunta und schlug die Decke zurück.

Radunta löste die Verbände an Sofias Beinen, während die alte Frau ihr einen neuen Becher mischte.

Im Sitzen blickte Sofia auf ihren nackten Unterleib und sie bemerkte auch, dass der Mann ebenfalls darauf schaute.

„Muss er mich so anstarren?", fragte Sofia.

Sofort blickte Julian zur Seite und wurde sichtbar rot im Gesicht. Diese unwillkürliche Regung des Mannes gab ihr etwas Sicherheit zurück. Vermutlich war er wirklich anders.

Langsam breitete sich ein taubes Gefühl in ihrem Unterleib aus. Offenbar wirkte der Trunk schon.

„So! Der letzte, dann bereiten wir uns vor!", äußerte Radunta, drückte ihr den Becher in die Hand und streifte ihr dann, nachdem sie ihn ausgetrunken hatte, das kurze Unterhemd über den Kopf.

Damit saß sie jetzt nackt auf einer Decke, sah zu dem Mann hinüber und legte ihren Arm über die Brüste.

„Muss ich nackt sein?", erkundigte sie sich zweifelnd.

„Ja!", entgegnete Radunta, erhob sich und streifte sich ebenfalls ihr Kleid über den Kopf.

Die alte Frau zog sich desgleichen aus.

„Soll ich mich auch ausziehen?", fragte der Mann.

„Nur, wenn du willst, dass Sofia einen Schock bekommt! Nein! Es ist schon eine Ausnahme von der großen Göttin, dass du hier sein darfst, aber wir brauchen dich!", erzählte Radunta und wandte sich zum Teich.

Ihre langen flammend roten Haare bedeckten wie ein Vorhang ihre Schultern und den Rücken bis fast zur Hüfte hinab.

Die alte Frau ging gerade in das Gewässer hinein und bevor sich die Tante ihr anschloss, sagte sie noch über die Schulter: „Julian! Bitte sorge dafür, dass sie nicht an die Messer gelangen kann!"

„Das verspreche ich dir!", antwortete der Mann entschlossen.

„Kannst du mich wenigstens stützen?", fragte Sofia den Knappen, als beide Frauen vor ihr im Teich ihr Ritual begannen.

Sie wollte sehen, was die beiden dort taten und alleine konnte sie sich so nicht halten.

Schnell war der Mann neben ihr, aber sie zuckte dennoch zusammen, als er ihre Schultern von der Seite umfasste.

Der seelische Schmerz vor dieser Berührung saß zu tief in ihrem Kopf. Zumindest waren ihre Beine endlich taub. Der körperliche Schmerz war fort und unterhalb ihres Nabels hatte sie kein

Gefühl mehr in ihrem Körper, wie sie mit einer streichenden Bewegung ihrer Finger über ihr Bein feststellte.

Unter ihren Fingerspitzen fühlte sie die raue Naht an ihrem Schoß und die verknoteten Stricke.

Nur zehn Schritte vor ihr standen die beiden Frauen, mit dem Rücken zu ihr, bis zum Knie im Teich.

Aus dem Augenwinkel schaute sie nach dem Tuch mit den Messern, doch die alte Frau hatte es weit genug von ihr entfernt hingelegt.

Und da der Mann sie an der Schulter hielt, konnte sie sich auch nicht zur Seite fallen lassen, um eine der scharfen Klingen zu erwischen, was ihr aber mit dem Aufpasser an ihrer Seite sowieso nicht gelungen wäre.

„Verdammt!", stöhnte sie und Tränen liefen ihre Wange herab.

Sie blickte nach oben und sah zwei weiße Schwäne, die am Himmel über ihr kreisten.

„Große Göttin, bitte nimm mir den Schmerz!", flüsterte sie.

47. Kapitel
Seelentröster

*R*adunta stand im knietiefen Wasser und sollte sich eigentlich für den Eingriff bei Sofia vorbereiten, doch immer wieder schweiften ihre Gedanken zu den vergangenen Tagen zurück. Und zu den Nächten. Was waren das für Nächte!

Schon alleine bei der Erinnerung daran kribbelte es in ihrem Schoß. Mehr als eine Woche waren sie hierher unterwegs gewesen und in jeder Nacht hatte Julian das Lager der Liebe mit ihr geteilt. Manchmal sogar zweimal hintereinander.

„Träum nicht!", sagte Voltura von links, die wohl ihren verklärten Gesichtsausdruck gesehen hatte.

Radunta fühlte selbst, dass sie lächelte, aber sie konnte nichts dagegen tun.

Mit den Armen zur Sonne erhoben, bat sie um die Hilfe der großen Göttin.

„Wie wollen wir es machen?", fragte Voltura.

„Ihr beiden haltet Sofia und ich schneide!"

„Soll ich nicht lieber schneiden?", erwiderte Voltura.

„Du hast zwar die Erfahrung, aber ich die ruhigere Hand!", antwortete sie.

„Wenn Julian dich dabei nicht ablenkt!"

„Das wird er schon nicht. Er ist mein Seelentröster in der Nacht. Und jetzt ist Tag!", erklärte Radunta.

„So lange ihr hier im Heiligtum seid, solltet ihr die Finger voneinander lassen!", legte die Schamanin fest.

„Dann müssen wir in der Nacht eben vor die Baumgruppe gehen!", entgegnete Radunta entschlossen und wandte sich zu Sofia zurück.

„Bereit?", fragte Voltura.

„Bereit!", antwortete Radunta mit fester Stimme, obwohl sie tief in sich eine Unsicherheit spürte, denn solch eine Operation hatte sie noch nie zuvor alleine gemacht.

Doch die Fäden mussten raus!

Vor zehn Tagen hatten sie die Nähte geschlossen und wenn sie noch länger warten würden, dann würden sich die Fäden nicht mehr von der Wunde lösen.

Langsam ging sie durch das Wasser auf Sofia zu. Der Blick der Nichte fixierte sie und sie nickte ihr aufmunternd zu.

Der letzte Schritt, dann kniete sie sich vor sie hin.

„Kannst du mir nicht noch so einen Becher geben? Gegen die Angst? Oder gib mir den Dolch, damit würdest du dir die Mühe ersparen!", bemerkte Sofia ängstlich.

„Das Ergebnis wäre dasselbe. Noch einen Becher und du würdest nicht mehr erwachen! Vertraue mir!", erklärte Radunta und versuchte Ruhe auszustrahlen, doch ein Blick auf Sofias Unterleib ließ sie erneut zweifeln. Das würde schwierig werden!

„Also hört zu", begann sie und setzte zur Erklärung der Operation an: „Julian, du hältst ihren Oberkörper aufrecht und fest."

Der Mann drückte sich von hinten an Sofia heran, legte seinen Arm vorn um ihren Oberkörper, wobei Sofia zusammenzuckte, und zog die Nichte an seine Brust. So stützte er sich gegen ihren Rücken.

Radunta nickte ihm zu.

„Voltura! Du hältst ihren Unterleib!", erzählte sie weiter.

Die Schamanin drückte auf Sofias Hüften und fixierte sie damit auf der weichen Unterlage.

Radunta nahm Sofias linkes Bein, knickte es im Knie ein und stemmte es mit der Ferse in die Decke. Dann machte sie dasselbe mit dem rechten Bein.

„Sofia! Kannst du deine Knie nach außen ziehen?", fragte sie weiter und Sofia griff sofort zu.

„Spürst du das?", erkundigte sich Radunta und strich mit den Fingerspitzen über Sofias inneren Oberschenkel.

„Nein! Alles taub!", bestätigte die Nichte.

„Das ist gut so. Haltet sie fest. Sofia darf sich nicht bewegen!", wies sie alle Beteiligten noch einmal an.

Mit dem Messer und einer Pinzette in der Hand rutschte Radunta zwischen Sofias gespreizte Schenkel.

„Zuerst außen zum Aufwärmen!", dachte sie sich und wollte mit der Pinzette den ersten Faden greifen, doch Sofia zuckte zurück.

Radunta konnte die Angst in den Augen der Nichte sehen.

„Julian! Halte ihr die Augen zu!"

Der Mann legte seine Hand auf Sofias Augen und sie zuckte zusammen.

Jetzt musste alles schnell gehen, bevor sich Sofia verkrampfen würde.

Schnitt für Schnitt entfernte sie zuerst die äußeren Fäden. Die Narben sahen scheußlich aus und Radunta musste bei diesem Anblick aus der direkten Nähe schlucken.

Danach wurde es kompliziert.

Sie hatte nur zwei Hände und hätte eine dritte gebraucht, um Sofias Scheide offenzuhalten, denn die Schnur war innen und nicht von außen zu greifen!

Fragend blickte sie Voltura an und die zuckte mit den Schultern. Sie brauchte eine Lösung für das Problem. Nur wie sollte es gehen? Einzig Sofia hätte eine Hand frei, wenn Radunta mit der Schulter eines der Knie nach außen drücken würde.

„Sofia! Ich nehme mal deine Hand, halte da bitte fest und bleibe bitte ruhig!", erzählte Radunta.

„Gut. Mache bitte schnell!", sagte Sofia, die von all dem nichts sehen konnte. Zum Glück!

Jetzt ging es ganz einfach. Noch ein paar schnelle Schnitte und alles war erledigt. Die Wunden hatten wieder leicht zu bluten begonnen, doch das würde schnell versiegen. Hoffentlich!

„Ihr könnt sie wieder loslassen!", sagte Radunta.

„Ich habe gar nichts gespürt!", erklärte Sofia erleichtert.

„Gut so! Ich danke euch allen und ich danke der großen Göttin", bemerkte Radunta, erhob sich schwankend von der Anstrengung und verbeugte sich vor der Sonne.

„Das sieht aber übel aus!", schluchzte Sofia.

Gerade fiel Radunta wieder ein, dass sie den Spiegel vergessen hatte, der dort noch gelegen hatte. Sie hatte ihn nicht benutzt und derzeit hatte ihn Sofia in der Hand.

„Das muss noch heilen!", äußerte Voltura und strich Sofia zärtlich über die Wange.

„Ich verbinde dich noch und dann musst du schlafen!", sagte Radunta und kniete sich wieder vor Sofia.

Die Verbände waren schnell um Sofias Unterleib geschlungen, da sie dort sowieso noch betäubt war.

„Ich glaube, ich kann nicht schlafen!", schluchzte Sofia.

„Ich gebe dir was zum Trinken, dann kannst du schlafen", sagte Voltura.

„Noch so einen Becher?"

„Nein!", fuhr Radunta sie unwirsch an.

Sofia zuckte zusammen und begann zu weinen.

Sofort streichelte Radunta die Wange der Nichte.

„Es tut mir leid. Hier ist was zur Beruhigung!", setzte sie hinzu, reichte Sofia den Becher und schlug die Decke wieder über deren Unterleib.

„Julian. Passt du bitte auf sie auf? Wir müssen uns wieder reinigen!", erklärte sie noch.

Zusammen mit Voltura erhob sie sich, danach gingen sie in den Teich und tauchten dort vollständig ein. Unter Wasser dankte sie der Göttin, dass alles gut gegangen war.

Gegenwärtig zitterte ihre Hand mehr, als die der viermal so alten Schamanin.

Bis zum Hals im Wasser stehend reinigten sie sich gegenseitig und gingen danach zurück.

Julian kam ihnen mit zwei Tüchern entgegen.

Sie wollte ihn schon anschreien, weil er Sofia bei den Messern unbeobachtet zurückgelassen hatte, als sie bemerkte, dass die Nichte zugedeckt schlief.

Dankbar nahm sie das Tuch und trocknete sich ab.

Aus dem Augenwinkel erblickte sie eine Bewegung bei Sofia, aber es war nicht die Frau.

Etwas Silbernes bewegte sich dort.

„Was ist das?", fragte sie und sie gingen zu der schlafenden Frau.

Ein kleines silbernes Kätzchen hatte sich an Sofia angekuschelt und schnurrte. Jetzt hatte auch Sofia einen Seelentröster.

Einen Boten der großen Göttin.

48. Kapitel
Aufstand der Frauen

Endlich hatten sich auch die Wunden an Lunaras Beinen geschlossen und seit dem Abend zuvor war sie wieder im Zelt des Bruders. Zwar musste sie sich immer noch etwas vorsichtiger bewegen, aber jetzt konnte sie die bedachten und liebevollen Zuwendungen des geliebten Mannes wieder entgegennehmen, die sie so lange und schmerzlich vermisst hatte.

Und der neue Tag begrüßte sie in den Armen des Geliebten zusammen mit Sejla, die sich an ihren Rücken angeschmiegt hatte.

Wie selbstverständlich war die Freundin wieder zurückgetreten und hatte ihr am Abend den Vortritt gelassen. Was natürlich nicht heißen sollte, dass sie nicht anschließend ebenfalls die Zuwendungen von Dodarus empfangen hatte.

Alle drei hatten entspannt in dieser Nacht geschlafen und momentan holten die dunklen Ahnungen sie wieder zurück in das Lager.

Es wurde Zeit, den letzten Schritt zu tun!

Noch immer hatte Lunara Angst davor, in den Tod zu gehen, aber noch größere Angst hatte sie, das ungeborene Kind wieder zu verlieren.

Und würde die große Göttin wirklich ihren Tod fordern? Oder war es nur eine Prüfung ihres Willens?

Die Träume der letzten Tage hatten bei Lunara immer mehr die Gewissheit geweckt, dass die Dämonen wirklich nur Torwächter waren und die große Göttin sie in der Höhle erwarten würde.

Und erneut ging sie in Gedanken das Ritual durch.

Heute war der Tag des jungfräulichen Mondes und das konnte nur für sie bedeuten, dass sie jetzt in der Höhle der Göttin Einlass finden konnte.

Wann, wenn nicht jetzt!

Bei Vollmond war ihr der Zugang verwehrt worden. Und es war sicher auch kein Zufall, dass sich die Wunden genau jetzt geschlossen hatten, wo sie doch die ganze Zeit zuvor sich nicht hatten schließen wollen.

Alles waren irgendwie Zeichen.

Leise setzte sie die nackten Füße auf den Boden, zog sich den Rock an und schlüpfte in den kühlen Morgenwind hinaus.

Etwa ein Dutzend Männer und Frauen waren ebenfalls schon wach und die anderen befanden sich noch im Reich der Träume, wie Dodarus und Sejla.

Am anderen Ende des Lagers trat Alantra gerade aus ihrem Zelt und sie beiden nickten sich zu.

In den letzten Tagen war es nachts noch kälter geworden und Lunara konnte ihren eigenen Atem sehen, der als weiße Wolke zum Himmel stieg, aber die große Göttin wollte sicher nicht, dass sie schmutzig die Höhle betreten würde und so musste Lunara eben notgedrungen das Reinigungsritual durchführen, obwohl es ihr gerade davor grauste.

Die Kälte der Wiese an ihren nackten Fußsohlen war schon schmerzhaft genug.

Auf dem Weg zur Quelle trat ihr ein älterer Mann in den Weg. Es war Noyan, der sich schon oft als Anführer in dem Lager aufgespielt hatte.

Als Lunara versuchte, ihm auszuweichen, griff er an ihren Hals und fetzte ihr das Halsband ab. Ohne das Zeichen von Dodarus stand sie jetzt nicht mehr unter dem Schutz des Kahns. Und folgerichtig ging ihr Rock als Nächstes in Fetzen, bevor er sie mit einer schallenden Ohrfeige zu Boden schickte.

Was nun kommen sollte, das wusste sie, als er sich die Hose herunter streifte.

Aber noch bevor er sich ihrer bemächtigen konnte, hatte sich Alantra vor sie geschoben, doch auch die alte Frau erhielt einen Schlag ins Gesicht, um sie aus dem Weg zu bekommen.

Die alte Frau fiel ebenfalls zu Boden, doch dafür standen sofort zwei andere Frauen von Lunara. Jetzt begann Noyan herumzubrüllen und schlug um sich, aber für jede, die er aus dem Weg räumte, traten zwei andere Frauen vor ihn hin.

Durch den Lärm aufgescheucht, erschien jetzt auch Dodarus.

Während Sejla sie nach hinten aus der Gefahr zog, begann ein Streitgespräch zwischen den Männern.

„Du treibst es hier mit deiner Schwester! Das ist gegen die Sitten!", brüllte Noyan.

„Treibst du es nicht auch mit deiner Schwester? Mit deiner Tochter? Mit deiner Mutter? Was sagen dazu deine Sitten?", schrie Dodarus zurück.

Seine Aussage traf für alle Männer hier zu 100 % zu, denn keiner konnte wissen, welches Kind wirklich von ihm war.

Augenblicklich erinnerte sich Lunara wieder daran, dass es Noyan gewesen war, der sie damals aus dem Dorf verschleppt hatte. Der Mann hatte von Anfang an geplant, den Khan damit zu kompromittieren und dadurch die Macht im Stamm an sich zu reißen.

Egal was Dodarus gemacht hätte, Noyan hätte es ihm vorwerfen können!

Gegenwärtig versuchte der Mann zu ihr durchzukommen und ließ Dodarus einfach stehen.

Doch der Lärm der Auseinandersetzung hatte das ganze Lager an diesem frühen Morgen in Aufruhr versetzt. Immer mehr Frauen erschienen und schoben sich auf Noyan zu.

Mit auf dem Rücken gehalten Armen taten sie nichts weiter, als nur nach vorn zu gehen.

Der alte Mann tobte, schrie und schlug um sich, aber bald war die Nähe der Frauen so eng, dass ihm kein Platz mehr blieb, um auszuholen. Toben und schreien ging noch, aber von hinten drückten immer mehr Frauen nach.

Aus ihrer sitzenden Position verfolgte Lunara mit, was hier gerade geschah.

Dodarus kniete neben ihr.

Noyan wurde immer leiser.

Und keine der Frauen rührte auch nur einen Finger.

Schließlich verstummte der Mann und die Frauen gingen wieder ihrer Wege.

Zurück blieb ein am Boden liegender Noyan, der sich nicht mehr rührte. Der erste Aufstand der Frauen hatte ein Todesopfer gefordert. Keine war es gewesen. Es war die Gemeinschaft der Frauen, die sich das Recht genommen hatten.

Offensichtlich hatte sich Noyan mehr als einmal schlecht gegenüber den Frauen benommen.

Jetzt trat Alantra zu ihr und half ihr auf.

Sejla gab ihr den Rock zurück, den sie irgendwo am Boden gefunden hatte.

„Du wolltest doch zur Quelle gehen!", sagte die Freundin und schob Lunara an den Schultern in diese Richtung.

Auf dem Weg dorthin blickte sie über die Schulter und sah, dass die beiden Frauen den toten Körper zur Seite zogen.

Jetzt, da sich die Frauen ihrer Macht bewusst geworden waren, würde es für die Männer viel schwerer werden, sich gegen sie durchzusetzen.

Mit Noyan war auch das Patriarchat in diesem Stamm gestorben. Die Herrschaft der Frauen hatte begonnen!

Lunara hätte jubeln können, aber das kalte Wasser der Quelle ließ dies im Moment nicht zu.

Selbst wenn sie heute sterben würde, dann hätte sie ihre Spuren für immer in diesem Stamm hinterlassen.

„Große Göttin! Ich danke dir!", schrie sie, mit erhoben Händen, nackt aus der eiskalten Wasserstelle der Sonne entgegen.

49. Kapitel
Tinka!

$\mathcal{I}$rgendetwas Pelziges berührte Sofias Nase und sie erwachte. Direkt vor ihr saß eine kleine Katze, die sie wohl in beide Hände nehmen konnte, so winzig war das Tier. Unsicher tapste sie im Gras herum und war so putzig, dass Sofia sofort den Kummer vergaß.

„Wer bist du denn? Hast du dich verlaufen?", fragte sie und bekam natürlich keine Antwort.

Sofia drehte sich zur Seite, um sie aufzuheben, und wurde sofort von dem Schmerz herumgerissen. Sie schrie auf und sogleich war Radunta über ihr.

Die Tante sah verschlafen aus und die Haare hingen ihr ins Gesicht.

„Was ist los?", fragte sie.

Sofia wimmerte nur als Antwort.

Das Kätzchen war geblieben und sah sie mit großen Augen an. Schnurrend tippte sie mit der Pfote auf Sofias Arm.

Sofia zog das Pelzknäul auf ihre Brust und im Streicheln des Kätzchens verging der Schmerz langsam wieder.

„Ich werde dich Tinka nennen, wie die Katze, die ich mal vor vielen Jahren hatte!", wisperte Sofia dem Tierchen ins Ohr.

Tinka schien zu nicken und rollte sich auf ihrer Brust zusammen. Damit hielt das Tier sie genau in der Position, in welcher sie die wenigsten Schmerzen hatte: Ruhig und auf dem Rücken liegend.

„Schlafe weiter. Es ist noch sehr früh!", flüsterte Radunta und strich über Sofias Wange. Offenbar hatte sie neben ihr Wache gehalten, obwohl das zerzauste Haar wohl eher nicht dafür sprach.

Tinka schnurrte sie in den Schlaf.

Als Sofia die Augen wieder aufschlug, war es schon hell und das Kätzchen war noch an genau derselben Stelle. Es war also kein Traum gewesen. Zärtlich strich sie Tinka über den Kopf.

Radunta hockte sich neben sie. Jetzt war ihr Haar sauber und gekämmt.

„Möchtest du etwas essen oder trinken?", fragte sie leise, aber in der derzeitigen Position würde sie weder das eine noch das andere können und sie wollte Tinka nicht wecken.

„Vielleicht später!", flüsterte sie und schloss erneut die Augen.

Das Schnurren machte so schön schläfrig.

Beim erneuten Aufwachen hörte sie ein Streitgespräch zwischen dem Mann und Radunta.

„Aber ich finde nichts!", sagte er.

„Wir brauchen ein Opfertier für die große Göttin! Sonst wird Sofia nicht gesunden!"

„Ich habe schon alles abgesucht. Den ganzen Morgen! Da ist nichts!", erklärte Julian verzweifelt.

„Irgendetwas! Einen Hasen? Eine Maus?", entgegnete Radunta.

Sofia hob den Kopf, blickte Tinka in die großen blauen Augen und sie sah auch den Blick von Radunta zu ihr.

„Untersteh dich!", rief Sofia und legte ihren Arm schützend um das Kätzchen.

„Ich ziehe noch mal los!", bemerkte der Knappe und eilte mit einem missmutigen Gesicht davon.

„Möchtest du jetzt etwas essen?", fragte Radunta, als sie zu ihr getreten war.

„Ja, wenn du mir hilfst, mich aufzurichten!"

Mit Tinka vor der Brust wartete sie, dass Radunta ihr helfen würde. Erst jetzt stellte sie fest, dass sie unter der Decke noch immer nackt war, denn das Tuch rutschte von ihrer Schulter herunter.

Nur Tinka, die sie an ihre Brust drückte, sorgte dafür, dass sie wenigstens vorn bedeckt blieb.

„Kannst du mir erst mal das Hemd wiedergeben?", fragte Sofia.

Die Schmerzen waren immer noch da, aber es war aushaltbar.

„Ich möchte erst mal nach deiner Wunde schauen, kannst du mal die Katze zur Seite setzen?", entgegnete Radunta.

„Nein!", beharrte Sofia auf ihrer Meinung, zog das Tier nur kurz nach vorn und die Decke rutschte vollständig herunter, aber sie behielt Tinka in der Hand vor ihrer Brust.

„Zum Essen wirst du sie aber absetzen müssen!", bemerkte Radunta und schlug die Decke zur Seite.

„Das sieht gar nicht mal so schlecht aus!", stellte Radunta fest, aber es klang irgendwie komisch aus ihrem Mund.

Sofia wollte es allerdings gar nicht sehen und schmuste daher zur Ablenkung lieber mit dem Kätzchen.

Tinka tippte ihr auf die Nase und Sofia musste lachen, bevor sie scharf die Luft einzog, weil Radunta ihren Schoß berührt hatte.

„Entschuldige", sagte sie und reichte ihr danach das Hemd.

Beim Überstreifen setzte sie Tinka kurz zur Seite und nahm das Kätzchen danach sofort wieder in die linke Hand.

Jetzt reichte ihr die alte Frau etwas Brot und Sofia fragte: „Habt ihr auch was für sie?"

Die alte Schamanin machte sich daran, etwas für das Kätzchen zu mischen, denn sie war sicher noch viel zu klein für richtiges festes Futter.

Die alte Frau brachte kurz darauf eine Schale mit einem Brei und Tinka stürzte sich regelrecht darauf.

Augenblicklich aßen sie beide.

Der Mann erschien und sagte einfach nur: „Nichts!"

„Suche weiter!", entgegnete Radunta und schickte ihn wieder fort.

Der Knappe konnte einem schon irgendwie leidtun.

Nachdem sie sich beide gestärkt hatten, legte sie sich mit Tinka zurück unter die Decke. Aneinander gekuschelt schliefen sie fast sofort wieder ein.

Als Sofia abermals erwachte, war Tinka verschwunden.

Radunta stand ein paar Schritte entfernt und reinigte ein Messer.

„Die wird doch nicht etwa?", dachte Sofia und fuhr hoch.

Der Mann und die Schamanin standen am Ufer und nirgendwo war die Katze zu sehen.

„Tinka?", rief Sofia und sah sich um, aber nirgends war das silberne Fell zu entdecken.

Zornig blickte sie zu Radunta und schrie: „Du hast doch nicht wirklich meine Katze geopfert?"

Wenn sie gekonnt hätte, dann wäre sie jetzt aufgesprungen und hätte sich auf die Frau gestürzt, denn Raduntas Blick sagte genau das aus.

Tränen des Zorns verdrängten augenblicklich die Tränen des Schmerzes, die sie durch das schnelle Aufrichten in den Augen hatte.

„Nein! Natürlich nicht!", entgegnete Radunta schließlich, aber es klang nicht ehrlich.

Sofia versuchte sich hochzustemmen, als ein leises „Miau" sie herumfahren ließ.

Nur einen Schritt hinter ihr saß Tinka und hatte eine Maus im Maul. Das Nagetier zappelte sogar noch.

„Schau Julian! Die Katze hat deine Arbeit gemacht!", rief Radunta und kam zu ihr herüber.

Schnell nahm sie Tinka die Maus ab und ging mit dem zappelnden Opfertier zum Altar hinüber.

„Große Göttin! Wir rufen dich, damit du Sofia wieder gesund machst!", rief Radunta, am Altarstein stehend.

Tinka setzte ein lautes „Miau!" hinzu. Danach sprang das Kätzchen auf Sofias Arm und schmuste mit ihr.

„Ich danke dir, dass du mich gesund machen willst!", flüsterte Sofia und gab der Katze einen Kuss auf die Stirn.

Alles war nur halb so schlimm mit Tinka in ihrem Arm. Vermutlich war sie eine Botin der Göttin!

Radunta trat zu ihnen und streichelte ebenfalls die Katze.

„Ich danke dir auch", sagte sie, aber Sofia zog das Tier vorsichtshalber ganz fest an ihre Brust.

50. Kapitel
Zwischen Tod und Leben

In ihre Gedanken versunken, ritt Lunara auf Donnerschlag den schon bekannten Pfad entlang. Auch dieses Mal war Sejla mitgekommen und Dodarus hatte es sich ebenfalls nicht nehmen lassen, sie auf diesem letzten Weg zu begleiten, obwohl sie ja noch hoffte, dass die große Göttin ihr nicht das Leben nehmen würde.

Allerdings hatte der Schamane gesagt, sie dürfe keine Angst vor dem Tod zeigen, denn sonst würden die Dämonen sie dieses Mal sicher nicht so glimpflich davonkommen lassen.

Das letzte Mal war sicher nur als Warnung zu verstehen gewesen.

Immer noch waren die Narben auf ihrem Oberschenkel zu sehen und mit dem Zeigefinger fuhr sie eine davon nach.

Erneut hatten sich die Bewohner des ganzen Zeltlagers von ihr verabschiedet und diesmal war es wirklich der gesamte Stamm. Nicht nur die Frauen, wie es beim letzten Mal gewesen war. Der Tod von Noyan hatte wirklich viel mehr bewirkt, als alles Betteln und auf Änderungen hoffen der Frauen in den letzten hundert Jahren.

Dodarus griff nach ihrer Hand und ihre Augen fanden sich.

Sie wollte ihn nicht zurücklassen, aber sie musste es! Wie konnte sie sich diesen geliebten Mann aus dem Herzen reißen? Der Abschiedsschmerz würde vielleicht zu einer Angst werden und diese konnte tödlich sein.

In vielen Bildern sausten die Tage vor ihren Augen vorbei. All die Momente, die sie bei Dodarus gewesen war.

Alles davor zählte schon lange nicht mehr.

Lunara liebte ihr jetziges Leben und dennoch schob sich Donnerschlag mit jedem Schritt dieser unüberwindbaren Barriere entgegen, dieser Schwelle zwischen Leben und Tod, die sich hinter dem Eingang der Höhle befand.

Was würde sie dort erwarten? Wirklich dieser feuerspeiende Drachen, der sie verschlang? Oder die große Göttin in ihrer unermesslichen Güte?

Immer weiter ritten sie in südliche Richtung dahin. Die Sonne stand hoch am Himmel, direkt vor ihnen, aber jetzt im Herbst hatte sie schon nicht mehr diese Kraft, die sie im Sommer noch gehabt hatte.

Man hätte, trotz des Mittags, eine Decke als Umhang brauchen können, aber wie es eben Tradition war, ritten die Tuck mit freiem Oberkörper.

Die Gänsehaut bei Sejla war deutlich zu sehen und die Freundin hatte sogar leicht bläuliche Lippen. Vermutlich sah es bei ihr nicht viel besser aus.

In den Wintern der vergangenen Jahre hatte sie bereits vor dem ersten Schnee dicke Jacken getragen. Momentan pfiff der kalte Wind um ihre nackten Schultern.

Ein bisschen wünschte sie sich jetzt einen feuerspeienden Drachen hierher, allerdings nur einen kleinen, der es ihr etwas wärmer machen würde.

„Lasst uns schneller reiten, dann können wir später noch am Feuer sitzen!", sagte Dodarus schließlich.

Keine der beiden Frauen widersprach ihm.

Lunara trieb die Fersen in die Flanken ihres Hengstes und Donnerschlag jagte über die Geröllhalden dahin. Ihr Pferd war das schnellste der drei Reittiere und die beiden Freunde hatten alle Mühe, an ihr und dem Hengst dranzubleiben.

Der Atem des Pferdes flog als weiße Wolke zu ihr herauf und erinnerte sie an den Beginn des Tages.

In der Erinnerung an den Platz vor der Höhle hatte Dodarus Feuerholz mitgenommen und dieses in drei Beuteln an die Pferde gehängt. Den kleinen Strauch hatten sie ja beim letzten Mal bereits verheizt.

Derzeitig schlug dieser Beutel im gestreckten Galopp immer wieder gegen ihren Oberschenkel, doch das war nichts dagegen, hier mit nackter Brust zu reiten! Das war mehr als gewöhnungsbedürftig!

Der Rock hatte sich durch das Reiten vorn hochgeschoben und war damit zu einem besseren Lendenschurz geworden, aber der warme Leib des Hengstes wärmte sie wenigstens untenrum.

Nur langsam kamen die Berge auf sie zu.

Es würde sicher noch eine ganze Weile dauern, bis sie das Ziel ihrer Reise erreicht haben würden, aber würde sie davon auch wieder zurückkehren können?

Abermals gingen ihre Gedanken zu den Dämonen. Was hatte der Schamane genau gesagt? Hatte er gesagt, sie solle keine Angst vor dem Tod haben? Oder kleine Angst vor den Dämonen?

Grübelnd dachte sie an jedes Wort des alten Mannes, aber der hatte sich schon wieder so unklar ausgedrückt!

Lunara beschloss, die Aussage etwas weiter zu fassen und sich nicht mehr vor den Dämonen zu fürchten. Entkommen konnte sie ihnen ja sowieso nicht. Sie musste an ihnen vorbei!

Langsam näherte sich die Sonne dem westlichen Horizont, was hier in den Bergen deutlich schneller von sich ging, als in der Ebene vor dem Gebirge.

Mit jedem Stück, mit dem die Sonne tiefer sank, kamen sie auch dem Berg näher und damit dem Moment, zu dem sie von den beiden Freunden Abschied nehmen musste.

Aber ein kleines Stück des Bruders würde sie mit dort hineinnehmen. Sie legte ihre Hand auf ihren Bauch und spürte im Galopp in sich hinein. Würde sie die Gelegenheit haben, sein Kind im Arm zu halten?

Lunara nahm sich vor, die große Göttin um diese Chance zu bitten und sie hoffte, dass ihr die große Mutter diese Bitte nicht verwehren würde!

Und dann lag diese Höhle vor ihr und Lunara bremste ihren Rappen ab. Einen Moment hatte sie allein vor der Felswand, bevor die beiden Freunde neben ihr ankamen.

Schnell wurde das Feuer entzündet, die Pferde zur Seite gebracht und auf den Beginn der Nacht gewartet. Jetzt war die Gelegenheit, am warmen Feuer wieder aufzutauen. Immer mit dem Blick auf die schwarze Öffnung der Höhle mit den darin befindlichen unvermeidlichen und furchterregenden Dämonen!

Doch sie musste diese Furcht beenden, denn sie würde tödlich sein!

Die Sonne verschwand Stück für Stück hinter der anderen Felswand und tauchte das Tal in Finsternis. Die Kante der Dunkelheit wanderte unvermeidbar auf Lunara zu.

Als sie vollkommen in der Nacht eingetaucht war, erhob sich Lunara und verabschiedete sich mit einer Umarmung von Sejla sowie mit einem Kuss von ihrem Bruder.

Schritt für Schritt entfernte sie sich dann von den Beiden und ging auf die Höhle zu.

Vor dem Eingang wandte sie sich noch einmal zurück und winkte ihnen zu.

Entschlossen trat sie ein und sofort umfing sie die Schwärze der Höhle.

Nach hundert Schritten in dem Gewölbe tauchten wieder die zwei Dutzend rot glühenden Punkte vor ihr auf. Hier musste sie jetzt vorbei!

Entschlossen stemmte sie sich die Hände in die Hüften und schrie aus tiefster Seele: „Verschwindet ihr Dämonen! Vor euch habe ich keine Angst!"

Die Augenpaare kamen langsam auf sie zu. Und was geschah jetzt?

51. Kapitel
Herbststürme

Xena erwies sich als wirklich erstklassige Wahl und Zondala konnte mit der neuen Heerführerin mehr als zufrieden sein. Zwar schmerzte sie Barbaras Verlust noch immer, aber Zondala musste nach vorn sehen. Schwieriger war das bei der Erinnerung an Sofia! Freilich konnte Zondala das ebenfalls versuchen, doch es war problematisch.

Die ständig wiederkehrende Morgenübelkeit war ein Zeichen dafür, dass Achim ihr am Tage von Sofias Verschwindens ein neues Leben in den Schoß gepflanzt hatte. Irgendwie war das schon grotesk. Die große Göttin schien offensichtlich einen Sinn für Humor zu haben, den sie nicht ganz teilen konnte.

Eine Tochter verloren, eine neue gezeugt!

Die von Xena gebauten Wachtürme an der Küste erfüllten allerdings ihren Zweck. In den letzten Tagen war kein einziger erfolgreicher Angriff mehr erfolgt. Meist waren die Boote schon auf See zu sehen gewesen, und die Reiter konnten jeden Angriff dann zurückschlagen.

Der Sieg bei dem Dorf im Westen hatte wohl auch die feindlichen Kräfte so weit geschwächt, dass nicht mehr ganz so viele Schiffe es schafften, die Küste zu erreichen. Und die jetzt bald einsetzenden Herbst- und Winterstürme würde das Übrige dafür tun, damit Mortunda Zeit haben würde, um sich zu erholen.

Obwohl sich das für eine Königin nicht gehörte, begann Zondala dennoch freundschaftliche Bande zu Xena zu knüpfen.

Bisher war das bei der jungen Frau auf eine eher ablehnende Haltung gestoßen, aber Zondalas Willen war in dieser Hinsicht ungebrochen.

In den letzten Jahren war diese Freundschaft zwischen Königin und Heerführerin immer ein Garant der Stärke in ihrem Königreich gewesen und sie waren damit immer gut gefahren.

Daher wurde es momentan auch dafür Zeit, Xena all das zu erklären, was sie mit Barbara eher stillschweigend gemacht hatte. Die wöchentlichen Besuche in der Schwitzhütte zählten da einfach dazu. Zwei Frauen in der Hütte, die sich über alles Mögliche austauschen konnten.

Freundinnen und nicht Königin und oberster Ritter!

Und damit war es heute dieser Tag. Die Mägde hatten die Hütte am Morgen bereits vorgeheizt und da die Angriffe derzeitig nicht mehr stattfinden konnten, war es für Zondala ganz natürlich, dort nach dem Mittagsmahl zu sitzen. Und Xena wurde einfach nach dem Essen verpflichtet, sich der Königin anzuschließen.

Die gehorsame Heerführerin schloss sich ihr einfach an. Was hätte sie auch sonst tun können? Manchmal war es ganz gut, wenn man die Königin war.

Es war ein windiger Herbsttag und in der Hütte hinter der Burg saßen gegenwärtig zwei nackte Frauen und schwitzten. Zwar bemerkte Zondala, dass es Xena peinlich war, so hier darin zu sitzen, doch das würde sich sicher schon bald legen.

In der jetzt folgenden kalten Jahreszeit war es ganz gut, sich immer mal wieder abzuhärten. Und so wie ein gutes Schwert dazu erhitzt und danach im Wasser abgeschreckt werden musste, so taten es jetzt auch die beiden Frauen.

Irgendwie sah es allerdings komisch aus, dass Xena das Schwert neben sich an die Wand gelehnt hatte. Offensichtlich ließ sie die Waffe nicht gern aus der Reichweite, aber da ließ Zondala ihr einfach ihren Willen.

Schließlich hielt sie es aber dennoch vor Neugier nicht mehr aus, zeigte auf die Waffe und fragte: „Warum hast du die hier mit?"

„Ich möchte nicht auf dieselbe Art den Tod finden, wie meine Vorgängerin!", entgegnete Xena.

Zondala fiel ein, dass sie bisher noch nicht gefragt hatte, wie Barbara ums Leben gekommen war und darum bat sie jetzt Xena um die Beschreibung.

Mit Grausen hörte sie die Umstände des Todes der Freundin und ihr Herz krampfte sich dabei zusammen. Zondala rang um Luft und eine noch viel schlimmere Befürchtung sauste durch ihren Kopf: Hatte Xander der Tochter eine ebensolche Schande zugedacht? Oder hatte der Großvater die Enkelin geschont und ihr ein schnelles Ende beschert?

Xena sprang auf und legte ihre Hand beruhigend auf Zondalas Schulter. Die Sorge um die Königin stand der jungen Kriegerin deutlich in den Augen. Und gerade begann auch noch der erste Sturm um die Hütte zu jaulen. Es klang wie das Klagen der Toten!

Vielleicht ein Ruf der Freundin, oder noch schlimmer, der Tochter und wieder waren die alten Zweifel in ihr. Sie verfluchte den Vater, der ihr keine andere Wahl gelassen hatte, als die Tochter zu opfern.

War sie deshalb kaltherzig? Hätte sie einfach selber in den Tod gehen sollen? Vielleicht wäre das besser gewesen. Ein kurzer Schmerz und vorbei, aber ihr Volk brauchte sie und Zondala hatte die lange Qual des Überlebens gewählt.

In seiner Rache hätte Xander sicherlich jedes Maß verloren.

In der Vergangenheit hatte sie manchmal versucht, den Vater zu verstehen. Doch jetzt war es genug!

Zondala griff zu dem Schwert, zog die Klinge heraus und rief laut gegen den Sturm: „Bei dieser Klinge schwöre ich, mich an Xander für das angerichtete Unheil zu rächen!"

„Das schwöre ich ebenfalls!", setzte Xena hinzu und legte ihre Hand auf die Schneide der Waffe.

„Wir müssen im nächsten Jahr eine Flotte haben! Ich will Xander hier vor mir auf den Knien haben!", presste Zondala unter Schmerzen heraus.

Xena umarmte sie und versuchte ihre Tränen zu trocknen.

Es dauerte eine Weile, bis der Zorn den Schmerz verdrängt hatte und dann fassten sie beide einen Plan: Im Winter konnten die Schiffe gebaut werden, die sie im nächsten Jahr für die Eroberung der Insel brauchen würden.

Trotz der anstehenden Rache wich der verdrängte Schmerz nicht aus ihrem Herzen.

Zondala stemmte sich hoch und ging, auf Xena gestützt, aus der Schwitzhütte.

Schwankend lief sie die paar Schritte bis zu dem kleinen Teich. Das Wasser war durch den Wind aufgewühlt, aber es vertrieb mit seiner Kälte den Kummer.

Prustend tauchte Zondala wieder durch die Wasseroberfläche und blickte nach Westen. Mit der geballten Faust drohte sie dem Vater und umarmte wenig später Xena, die neben ihr aus dem Wasser auftauchte.

„Freundinnen?", fragte sie Xena und die junge Kriegerin nickte. Der gemeinsame Schmerz hatte sie noch näher zusammen gebracht.

Über ihnen flogen die grauen Wolken dahin. Das letzte Laub der Bäume an dem kleinen Teich folgte ihnen. Aus diesen Bäumen konnten die Schiffe entstehen, die ihnen im nächsten Jahr den Sieg bringen würden.

In die Tücher gehüllt, Xena das Schwert vor dem Körper tagend, gingen sie nebeneinander zur Burg hinüber.

Das kalte Wasser hatte sie äußerlich hart gemacht, doch innen drin waren sie beide zwei verletzliche Frauen.

52. Kapitel
Die Schatzkammer der großen Göttin

Der Hauch des Todes streifte Lunaras Gesicht. Diesmal brüllten die Dämonen nicht, aber sie knurrten und die Augen von einem waren direkt vor ihr. Groß wie ihre Fäuste und so weit auseinander, dass da drei Köpfe eines Menschen dazwischen passen würden. Es musste sicher auch ein gewaltig großes Maul da darunter sein, aber in der Finsternis konnte sie es zum Glück nicht sehen.

Das jetzt erklingende Fauchen war bedrohlich, aber es ängstigte sie nicht mehr, denn wenn der Dämon sie hätte angreifen wollen, so hätte er es schon lange getan.

„Ach lass mich doch in Ruhe!", brüllte sie die unsichtbare Gestalt an und ging einfach vorwärts.

Mit jedem Schritt, den sie nach vorn ging, wichen die Augen zurück und mit jedem Tritt wurde sie selbstsicherer.

Diese Kreaturen konnte ihr nichts tun!

„Scheer dich davon!", schrie sie und vernahm ein leises Winseln.

Weiter folgte sie ihrem unbekannten Weg und dann war sie an den Dämonen vorbei, die ihr allerdings knurrend folgten!

Vorsichtig und Schritt für Schritt ging Lunara tiefer in die Höhle. Die größte Gefahr war jetzt, über einen Felsbrocken zu stürzen oder in ein Loch zu treten.

Darum schob sie die Füße vorsichtig und nur wenig über dem Boden nach vorn.

Bei jedem Aufsetzen prüfte sie erst mit den Zehenspitzen, ob der Untergrund sie trug.

Schließlich blieben die roten Augen hinter ihr zurück und sie atmete erleichtert auf.

Die erste Hürde, die Torwächter, lag damit hinter ihr.

Was würde als Nächstes kommen?

Mit einer Hand an der Wand des Ganges entlangstreichend schob sie sich tiefer. Das Bild aus Alantras Buch kam ihr plötzlich wieder in den Sinn. Dieser Gang war wie die Scheide der großen Göttin und sie war auf dem Weg! Die Dämonen bewahrten die Jungfräulichkeit und sie war der Eindringling. Hoffentlich ein willkommener!

Mit der anderen Hand auf ihrem Bauch dachte sie sich ihre Route.

Wenn sie ihre Sinne nicht täuschten, dann führte sie der Pfad schnurgerade in den Berg hinein. Am Tage wäre sicher hinter ihr noch das Licht der Sonne zu sehen gewesen.

Sie hatte bei hundert aufgehört, ihre Schritte zu zählen, das war scheinbar ewig her! Wie tief reichte dieser Gang in den Fels? Führte er eventuell auf der anderen Seite vielleicht auch wieder hinaus?

Ein Fauchen riss sie aus den Gedanken heraus und Lunara zuckte erschrocken zusammen. War das der Drache? Die nächste Hürde?

Jählings war sie in gleißendes Licht getaucht und Lunara schrie erschrocken auf.

Die plötzliche Erhellung brannte in ihren Augen und für einen Moment konnte sie nichts sehen, bevor sich ein großer Höhlenraum schemenhaft aus der Helligkeit schälte. Vermutlich gewöhnten sich aber nur ihre Augen an das Licht.

„Ich heiße dich willkommen!", hörte sie eine laute Frauenstimme und sie sank auf die Knie, denn das musste die große Göttin sein!

Mit dem Blick auf dem Boden wartete Lunara, dass sie aufstehen durfte.

„Tritt näher!", vernahm sie die Stimme von schräg oben.

Lunara erhob sich, trat einen Schritt nach vorn und blickte sich um. Es schien ein riesiger Lagerraum zu sein. Regale aus Metall zogen sich in die Tiefe der Höhle, aber wo war die Göttin?

Eine Bewegung aus der Tiefe des Raumes ließ sie zusammenzucken. Etwas kam sehr schnell auf sie zu und es schien eine Spinne zu sein.

Eine riesengroße Spinne!

Lunara wollte zurück, aber hinter ihr hatte sich die Wand geschlossen. Sie war gefangen. Ängstlich fixierte Lunara das übergroße Tier, aber sie durfte doch keine Angst haben. Angst wäre tödlich!

Doch hatte die große Göttin sie nicht gerade dazu eingeladen, einzutreten?

Lunara entspannte sich und blickte der Gestalt entgegen.

Dieses Wesen zischte, als es die Beine auf den Felsen setzte, und im Näherkommen erkannte Lunara, dass die Spinne aus Metall bestand. Direkt vor ihr blieb sie stehen und legte sich flach auf den Boden.

Auf dem Rücken des Metalltiers befand sich ein Stuhl und diese Geste war wohl die Aufforderung, nach oben zu klettern.

Kaum saß Lunara, da erhob sich das Metallungetüm und eilte zischend mit ihr durch den Raum. Es war eine aberwitzige Geschwindigkeit, mit der das Tier dahineilte und es bestand wirklich vollständig aus Metall. Oder war es nur gepanzert, wie es die Ritter von Mortunda waren?

Die endlosen Regale schienen nur so an Lunara vorbeizufliegen. Säcke, Fässer und Kisten standen darin.

Schließlich stoppte die Spinne abrupt und Lunara wäre fast von ihrem Rücken geflogen. Das Metallwesen legte sich erneut hin und ließ sie unbeschadet absteigen.

Vor Lunara öffnete sich zischend eine Tür. Diese verschwand einfach seitwärts im Felsen und gab ihr den Blick in einen zweiten Raum frei.

Hunderte Bücher konnte Lunara an den Wänden erkennen und eine durchscheinende Frauengestalt stand direkt vor ihr.

Abermals fiel Lunara vor der Göttin auf die Knie.

„Seit unendlichen Zeiten bist du der erste Mensch, der hierher zu mir gefunden hat!", hörte sie und blickte vorsichtig auf.

„Das ist ja eine wahre Schatzkammer!", flüsterte Lunara und sah zu all den Büchern hinüber.

„Wenn ich doch nur ihre Geheimnisse ergründen könnte!", stöhnte sie und dachte an das Buch von Alantra.

Das Wissen, was hier versammelt war, das war ein Gut, dass es den Tuck erlauben würde, als Stamm zu überleben.

Nicht Gold oder Edelsteine! Bücher waren der Schatz, den es hier zu heben galt!

Seufzend erhob sich Lunara und trat an eines der Regale.

Im ersten Buch, das sie herauszog, waren seltsame Metallwesen abgebildet, die zum Teil der Spinne glichen, die sie hierher gebracht hatte. Wieder waren nur diese unverständlichen Zeichen daneben abgebildet.

„Große Göttin! Ich bitte dich, bringe es mir bei! Ich möchte das lesen können!", klagte Lunara.

Mit dem Buch in der Hand wandte sie sich zurück zur Gestalt der Göttin und diese löste sich gerade vor ihren Augen auf.

Hatte sie durch ihre Missachtung die Göttin erzürnt? Oder war ihre unbedacht ausgesprochene Forderung einfach zu vermessen gewesen?

Lunara rannte auf die Göttin zu und ein Blitz traf sie, als sie mit der Gestalt zusammenstieß.

Sie wurde zur Seite geschleudert und prallte gegen eines der Regale. Als sie zu Boden fiel, stürzte das Büchergestell über ihr ein und begrub sie unter den Bänden.

Ein besonders großer Foliant fiel ihr auf den Kopf und raubte ihr die Sinne.

Mit Kopfschmerzen erwachte Lunara wieder und wühlte sich unter dem Berg von Büchern hervor. Das dicke Buch, das sie in das Land der Träume geschickt hatte, hatte sie immer noch in der Hand.

„Künstler der Renaissance" stand darauf und sie legte es zur Seite. Einen Augenblick später stutzte sie und nahm es wieder auf. Sie konnte es lesen! Und sie wusste, was es bedeutete!

Ein Jubelgeschrei erfüllte den Raum.

„Danke, große Göttin! Vielen, vielen Dank!", rief Lunara.

Mit dem dicken Buch in der Hand tanzte sie durch die Schatzkammer. Es mussten zehntausende Bücher hier drin sein!

Eines davon zog sie ganz besonders an und als sie es aus dem Regal nahm, erkannte sie, dass es dasselbe Buch war, das Alantra ihr gezeigt hatte. Nur im perfekten Zustand.

„Handbuch der Frauenheilkunde" las sie auf dem Einband.

Hier gab es so viel zu lernen, aber sie würde abermals an den grässlichen Dämonen vorbeimüssen, um das Wissen mit den Tuck zu teilen. Und mit allen Völkern von Mirento!

Das hier war die Zukunft aller Menschen!

Ein Schatz für alle!

53. Kapitel
Das Zeichen der Schlange

Wie jeden Tag seit ihrer Ankunft in diesem Hain stand Radunta ein paar Schritte vor ihr nackt am Ufer des Teiches. Sofia fror es alleine bei diesem Bild! Die Nächte waren mittlerweile empfindlich kühl geworden und jetzt, zum Sonnenaufgang, lag noch Raureif auf dem Gras neben ihr. Und das Wasser des Teiches hatte sich in der Nacht sicherlich auch wieder abgekühlt.

Ihr reichte schon die Schüssel mit dem Wasser, die Radunta ihr gerade neben das Lager gestellt hatte. Es war zum Waschen vorgesehen, aber gerade wollte Sofia noch nicht mal die Finger da hineintauchen. Und die Frau mit den flammend roten Haaren ging da einfach mit dem ganzen Körper hinein.

Sofia setzte sich vorsichtig auf, obwohl sie nicht wirklich gut sitzen konnte, denn die Schmerzen in ihrem Unterleib waren noch immer nicht abgeklungen.

Nur auf der mit Laub gefüllten Decke schaffte sie das für ein paar Augenblicke.

Da sie auch nicht aufstehen konnte, war liegen das einzige, was sie den Tag über machte. Und natürlich mit Tinka schmusen. Die kleine Katze wich keinen Augenblick mehr von ihrer Seite. In der Nacht schlüpfte das Fellknäuel mitunter unter die Decke und legte sich auf ihre Brust.

Sofia streifte die Decke zurück und schaute sich sorgsam um, ob der Mann irgendwo zu sehen war.

Seine Anwesenheit in der Nähe gefiel ihr gar nicht und noch weniger hatte es ihr behagt, dass er sie bei dem Eingriff völlig nackt gesehen hatte. Und er hatte dabei auch noch seinen Arm über ihre Brust gelegt! Noch immer lief ihr bei der Erinnerung daran eine Gänsehaut über den Rücken.

Das war doch nicht normal. Immer wieder hatte sie diese furchtbaren Bilder im Kopf, aber sie konnte einfach nichts dagegen tun, außen hier liegen und beim Anblick eines Mannes zu zittern. Die rücksichtslose Gewalt hatte viel zu viel in ihrer Seele zerstört. Würde das auch noch heilen?

Allerdings hatte Radunta wohl vollstes Vertrauen zu Julian und er hielt sich auf Abstand. Das rechnete sie ihm hoch an und sie würde der Tante glauben müssen, dass ihr von ihm keine Gefahr drohte.

Freilich war bei ihr momentan eben zwischen Wissen und Gefühl eine ziemliche Diskrepanz.

In wenigen Augenblicken würde Radunta wieder bei ihr sein und sich danach sicherlich wieder den Rest des Tages damit beschäftigen, irgendwelche seltsamen Rituale am Altar vorzunehmen.

Die alte Schamanin war da nicht ganz so eifrig, aber zu der Frau, die mitunter neben ihr saß, fand Sofia nicht den richtigen Kontakt. Zu groß war da vermutlich der Altersunterschied.

Vorsichtig schob sich Sofia das Unterkleid nach oben, um sich sitzend die Beine zu waschen. Danach waren Arme, Hals und Gesicht dran, doch dabei war ihr Unterkörper schon wieder mit der Decke verhüllt, denn Julian konnte ja jederzeit hier erscheinen.

Tinka hopste auf ihren Schoß und schaute sie mit großen Augen an. Das hieß wohl so etwas wie: „Spiel mit mir!", in Katzensprache.

Sofia hatte ein paar Federn an eine Schnur gebunden und so versuchte sie Tinka zu beschäftigen, aber der erste Versuch ging gründlich schief. Die Katze sprang in die Luft und fiel auf Sofias Schoß zurück. Der Schmerz nahm ihr den Atem.

„Mach das bitte nicht noch mal!", stöhnte sie auf und setzte Tinka zur Seite in das Gras.

„Alles gut bei dir?", fragte Radunta, die sich nackt, mit nassen Haaren neben sie kniete, während sich Sofia den schmerzenden Schoß mit der Hand rieb.

„Das war nur Tinka! Alles gut. Ober besser: es geht gleich wieder!", ächzte Sofia.

„Sei bitte vorsichtig!", entgegnete Radunta und strich ihr über die Wange.

Gab es hier mal die Gelegenheit für ein längeres Gespräch zwischen zwei jungen Frauen? Möglicherweise!

Während Tinka mit den Federn im Gras herumtobte, wandte sich Sofia Radunta zu und bewunderte deren Gestalt. Die Frau war wirklich wunderschön und Sofia hätte gern den Körperbau der Tante besessen.

Radunta war durchtrainiert und die Muskeln waren bei jeder Bewegung deutlich unter der Haut an ihrem Armen zu erspähen. Trotzdem war sie nicht mager, sondern wohlproportioniert.

Sofia erinnerte sich daran, dass Barbara sie ein paar Mal mit zum Laufen genommen hatte, aber dem Sport war sie nie sonderlich gewogen gewesen.

Radunta schien es da anders zu gehen, obwohl Sofia sie nie trainieren sah.

Die Tante setzte sich neben sie und begann sich die Haare mit einem Tuch abzutrocknen. Dabei fiel Sofias Blick auf Raduntas Schulter und auf eine Wunde, die dort noch nicht richtig verheilt war.

„Was ist das?", fragte sie und zeigte auf das Symbol.

„Die große Göttin hat es an jenem Tag in meine Schulter geschnitten, an dem wir aus der Burg geflohen sind. Es soll wohl so eine Art Opfer dafür sein, dass es dir gut gehen wird und du gesund werden kannst!", erklärte Radunta, drehte die Schulter ein Stück zu ihr und zog die langen Haare zur Seite, damit sie es deutlicher sehen konnte.

Sofort verschlug es ihr die Sprache, denn dieses Symbol hatte sie schon zwei Mal gesehen!

Vorsichtig strich sie mit den Fingerspitzen über die verschorfte Verletzung.

„Das ist das Symbol der Hüterinnen der Schlange!", stieß sie aus.

„Die Hüterinnen der Schlange? Davon habe ich noch nie etwas gehört!", entgegnete Radunta und strich mit den Fingern über ihre Schulter.

„Ich auch nicht!", bemerkte Voltura von der Seite und kam zu ihnen herüber.

Jetzt musste Sofia alles wieder aus dem Gedächtnis abrufen, was sie darüber gehört hatte.

„Ja. In jeder Generation soll es drei Frauen geben, die dieses Symbol tragen. Sie sollen das Gleichgewicht in der Welt auf ihren Schultern tragen. Ich habe das Symbol schon mal gesehen. Meine Mutter und Barbara sind zwei der Hüterinnen. Eine Schamanin aus Waldonien soll die Dritte im Bunde sein", erläuterte sie.

„Dann hat es wohl gar nichts mit dir zu tun, sondern mehr mit mir?", erkundigte sich Radunta.

„Vielleicht. Das kann dir nur die große Göttin sagen!", setzte Voltura hinzu.

Augenblicklich sauste ein furchtbarer Gedanke durch Sofias Kopf, denn wenn es immer Drei waren und Radunta dieses Symbol trug, dann musste eine andere Trägerin des Zeichens nicht mehr am Leben sein. Entsetzt schlug sie sich die Hand vor den Mund.

„Was ist los?", fragte Radunta besorgt.

„Es dürfen immer nur drei sein! Wenn du es trägst, dann muss eine der anderen Trägerinnen nicht mehr am Leben sein! Und zwei davon kenne ich persönlich sehr gut. Meine Mutter und Barbara. Also muss am Tage unserer Flucht eine davon den Tod gefunden haben!"

„Ich tippe auf Barbara!“, entgegnete Radunta ihr und erklärte weiter: „Bei unserer Flucht war sie im Kerker meines Vaters. Sicherlich hatte er sie aus Rache für unseren Ausbruch getötet!“

Gegenwärtig sausten die schönen Erinnerungen an Barbara durch Sofias Kopf. Sie sah sich wieder auf dem Schoß der alten Frau. Sie und die Mutter waren Freundinnen gewesen und damit war Sofia praktisch mit Barbara aufgewachsen.

Doch jetzt würde sie die alte Frau niemals wieder sehen können.

Tränen liefen über ihre Wange und Radunta nahm sie tröstend in den Arm.

54. Kapitel
Drachenschlund!

Im Feuer sitzend, nahm Dodarus still Abschied von Lunara. Warum hatte er sie nur gehen lassen? Neben ihm schluchzte Sejla und er musste sie tröstend in den Arm nehmen. Vor ewiger Zeit hatten sie unverständliche Schreie aus dem Inneren des Berges gehört. Vermutlich war es Lunaras Kampf gegen die Dämonen gewesen.

Er hatte so sehr gehofft, dass sie die geliebte Frau wieder zu ihm herauswerfen würden, wie es beim letzten Mal geschehen war, doch nichts dergleichen hatte sich ereignet.

Still und stumm lag der Schlund vor ihnen. Gerade noch so im Licht des Lagerfeuers. Immer wieder zog dieses Loch im Fels seinen Blick an und er hoffte noch immer inständig, dass Lunara lächelnd daraus hervortreten würde.

Doch die Geliebte war fort! Gestorben für den Stamm. Nur warum? Noch immer wusste er nicht, weshalb sie hatte gehen müssen.

Sejla legte ihren Kopf an seine Schulter. Er mochte sie wirklich, aber wie eine Freundin. Lunara hatte er aus tiefstem Herzen geliebt!

Mit dem beginnenden Tag würden sie wieder aufbrechen.

Abermals sauste dieselbe Frage durch seinen Kopf: Warum war sie in den Tod gegangen? Und was nutzte das dem Stamm?

Nichts! Lunaras Tod war sinnlos!

Ihre Anwesenheit hatte etwas bewirkt, denn der von ihm erhoffte, und von vielen Männern befürchtete, Wandel war doch bereits eingetreten. Wozu also dieses, in seinen Augen, unsinnige Opfer? Nur, um den Büffelgott zufriedenzustellen?

Vielleicht hätten sie schon vor Wochen einfach irgendwohin verschwinden sollen. Nach Wiesenland, um sich eine kleine Hütte zu bauen und zufrieden dort zu leben. Weit fort von all dem Kummer, den er gerade so deutlich in sich spürte.

Und jetzt musste er auch noch für Sejla stark sein! Bei Lunara hätte er sich seiner Tränen nicht geschämt. Sie hatte ihn immer blind verstanden.

„Verdammter Mist!", sagte er und blickte erneut zu diesem Schlund hinüber.

Was würde geschehen, wenn er selbst dort hineinging, um sie zu retten? Allerdings hatte Lunara es verboten und er hatte es ihr versprochen.

Aber am Feuer hielt ihn jetzt nichts mehr, denn was wäre, wenn Lunara nur ein paar Schritte hinter dem Eingang verletzt auf seine Hilfe warten würde? In sich spürte er, dass sie noch lebte!

Er zog einen brennenden Ast aus dem Feuer, schob Sejla zur Seite und erhob sich.

Mit der Fackel ging er auf dieses dunkle Loch in der Felswand zu.

Immer schneller wurden seine Schritte. Am Eingang der Höhle stoppte er und leuchtete vor sich hin.

„Hallo Lunara!", brüllte er hinein und lauschte in den Gang.

Stille war im Berg.

Jetzt würde er sie suchen gehen und vielleicht ebenfalls bei den Dämonen den Tod finden, aber das war ihm jetzt egal.

Schritt für Schritt ging er mit der Fackel in den Tunnel hinein.

Unerwartet sah er vor sich, weit hinten, zwei leuchtend weiße Augen, die schnell näher zu kommen schienen. Er war erst zehn Schritte in der Höhle und dieses Wesen ließ seinen Atem stocken.

Hatte er gerade noch den Tod gesucht, so überkam ihn jetzt die blanke Bestürzung vor diesem Monster.

Eiligst lief er zurück, aber über die Schulter sah er, dass dieses Wesen ihm folgte und er vernahm noch dazu ein grausiges Lachen. Es klang fast wie die Stimme einer Frau.

Hatte Lunara den Verstand verloren und wurde von dem Geschöpf mitgeschleift?

Er rannte zu Sejla, die neben dem Feuer stand.

Sie zeigte mit der Hand auf den bodenlosen Schlund und rief ihm erschrocken zu: „Was ist das?"

Schützend stellte er sich vor sie, zog seinen Dolch und hielt die Fackel diesem Dämonen entgegen.

Die abgrundtiefe Höhlung spuckte ein gewaltiges Spinnentier aus. Das Monster war dreimal so groß, wie sein Pferd!

Sejla schrie vor Entsetzen auf und klammerte sich von hinten an ihn an.

Er sah, dass sich Lunara oben an dem Tier festhielt. Sie lachte und sang. Ganz offensichtlich hatte die Furcht sie wahnsinnig werden lassen!

Die Spinne mit den leuchtenden Augen verharrte zehn Schritte vor ihnen, dann legte sie sich hin und Lunara sprang von ihr herunter. Direkt vor dem Monster blieb sie stehen und er wollte sie schon von der Gefahrenstelle zurückreißen, als das grässliche Spinnentier wendete und wieder im Berg verschwand.

Momentan kam Lunara auf sie zu getanzt und umarmte sie schließlich.

„Was ist los?", fragte er sie.

Lunara gab ihm einen Kuss.

„Ich weiß jetzt, wie wir den Stamm retten können! Ich muss dafür nicht sterben, denn die große Göttin hat es mir verraten!", erklärte sie und tanzte um das Feuer herum. Danach rannte sie zum Höhleneingang und schleifte einen Sack zum Feuer.

„Was ist da drin? Und was war das für ein abscheuliches Tier?", fragte Sejla.

„Hier ist Wissen drin. Und die dich ängstigende Kreatur war Robby. Er ist mein Helfer. Kein Tier, sondern ein kybernetisches Geschöpf!", erzählte Lunara.

Wenige Augenblicke später saßen sie am Feuer und Lunara öffnete den Sack.

„Was ist das?", fragte Dodarus.

„Das sind Bücher! Wissen! Damit sichern wir die Zukunft der Menschen!", rief Lunara triumphierend aus.

„So eines hat mir Alantra schon mal gezeigt, aber niemand kann das lesen!", erzählte Sejla.

„Ich schon!", erklärte Lunara sichtlich stolz und setzte hinzu: „In der Höhle sind zehntausende davon. Über alles Mögliche! Schau! Das wird euch begeistern!"

Lunara lachte und schlug eines der Bücher auf. Es war eines über Landwirtschaft, wie die Abbildungen verrieten.

„Und du kannst das wirklich lesen?", entgegnete Sejla ehrfürchtig.

„Ja! Hier geht es um die Drei-Felder-Wirtschaft und den Einsatz von Düngemitteln!"

„Was sind denn Düngemittel?", erkundigte sich Sejla.

„Du streust sie auf das Feld und deine Ernte wird sich verzehnfachen!", offenbarte Lunara.

„Dann sind diese Bücher wirklich Gold wert!", sagte Dodarus bewundernd und gab Lunara einen Kuss.

Zischend erschien Robby erneut neben dem Feuer und brachte zwei Kisten geschleppt.

„Und da drin gibt es nicht nur Bücher! Sondern auch noch Saatgut, Düngemittel und tausend andere Dinge, die ich noch nie zuvor gesehen habe. Das müssen irgendwelche Menschen vor tausend Jahren der großen Göttin anvertraut haben. Und heute haben wir es wiedergefunden!"

Robby verschwand in der Höhle.

Dodarus riss Lunara von ihrem Platz am Feuer hoch und wirbelte sie glücklich umher.

Seine Frau war gerettet und die Tuck ebenfalls!

„Wir sollten die Stämme hierher holen und hier unser Winterlager aufschlagen. Wir werden viel Zeit brauchen, um all das zu sichten!", erklärte er.

„Und ich werde allen beibringen, wie man diese Bücher liest!", setzte Lunara hinzu.

Jubelnd lagen sie sich am Feuer gegenseitig in den Armen.

Bevor die Sonne aufging, war Robby noch zehn weitere Mal aus dem Drachenschlund aufgetaucht und brachte jedes Mal Kisten, Fässer oder Säcke mit.

Schon bald türmten sich Behältnisse zu beiden Seiten des Höhleneinganges im Gras.

„Bleibt ihr hier! Ich hole den Stamm!", rief Dodarus, verabschiedete sich und sprang auf sein Pferd.

Er jagte dahin.

Mit Robby wäre er sicher schneller gewesen, denn dieses kybernetische Geschöpf war einfach unglaublich.

Was lauerten da noch für Geheimnisse in der Tiefe des Berges?

55. Kapitel
Zeichen der Kraft!

Im Licht der Morgensonne saßen sie zu zweit am Feuer. Dodarus war davongeritten, um die anderen Stammesmitglieder zu holen. Lunara war heilfroh, dass die große Göttin ihr Leben und das ihres ungeborenen Kindes verschont hatte.

Zischend erschien Robby und Lunara wandte ihm ihren Blick zu. Links und rechts von dem Höhleneingang stapelten sich bereits unzählige Kisten, Fässer und Säcke. Das kybernetische Geschöpf lud seine Fracht ab und verschwand wieder im Fels.

Robby schien einfach unermüdlich zu sein. Ein bisschen war es ihr unbegreiflich, warum er das tat. Hatte sie ihm den Auftrag dazu unbewusst gegeben? Es schien ihr so, als ob sie ihn mit ihren Gedanken steuern würde.

Vielleicht war das ebenfalls eine Gabe der großen Göttin.

Sejla legte ihre Hand auf ihre Schulter und Lunara zuckte zusammen. Ein Schmerz lief von dieser Stelle durch ihren Körper und sie schrie auf.

„Was ist?", fragte Sejla erschrocken und zog ihre Hand sofort zurück.

Lunara entgegnete: „Da hat mich die große Göttin mit ihrem Blitz getroffen."

„Sie hat dir da irgendein Zeichen in die Schulter gebrannt."

„Was für eines?", erwiderte Lunara.

Sejla nahm einen kleinen Ast und zeichnete ein S in den Sand neben dem Feuer.

„Das habe ich schon mal gesehen! Zondala, meine Schwester, trägt ein ähnliches Symbol auf ihrer Schulter!"

„Und was bedeutet es?"

„Sie ist eine von den drei Hüterinnen der Schlange. Sie bewahren den Frieden in Mirento!", antwortete Lunara und strich sich vorsichtig über die Wunde.

„Dann bist du jetzt, durch die Kraft der großen Göttin, auch eine Schlangenhüterin. Gibt es damit jetzt vier?"

„Ich kann es dir nicht sagen. Vielleicht!", antwortete sie.

Lunara tastete mit den Fingerspitzen vorsichtig die Wunde ab. Bisher hatte die Euphorie über den Fund der Schatzkammer wohl den Schmerz unterdrückt.

„Was machen wir den jetzt? Dodarus wird doch sicherlich erst morgen wieder zurück sein?", fragte Sejla und blickte in die Richtung, in welche der Bruder fortgeritten war.

Und das Brennholz würde sicher auch keinen Tag mehr reichen.

Genau in diesem Moment brachte Robby einen halben Baum geschleppt und damit wusste Lunara, dass sie dieses Geschöpf wirklich mit der Kraft ihrer Gedanken lenken konnte.

Doch damit wurde ihr auch gleichzeitig ganz schummrig, denn was würde wohl geschehen, wenn sie etwas Schlechtes dachte? Was würde Robby dann tun? Sie musste schnell diesen Gedanken verbannen und von jetzt an nur noch an das Positive denken!

„Wir könnten auch in die Höhle gehen. Robby würde uns sicher tragen!"

„Und die Torwächter?", fragte Sejla.

„Die lassen ihn in Ruhe. Und alle, die auf ihm sitzen. Zu Fuß würde ich da nicht mehr hineingehen."

„Robby! Wir brauchen eine Behausung!", sagte Sejla.

Lunara musste schmunzeln. Schnell dachte sie an ein Zelt und Robby eilte los.

„Das funktioniert ja hervorragend!", jubelte Sejla, als der achtbeinige Gehilfe kurz darauf eine Jurte vor dem Feuer errichtet hatte.

Es war schier überraschend, was diese Höhle alles so hergab.

Zusammen mit Sejla betrat sie das Zelt und sie setzten sich auf die Matte. Jetzt konnten sie vor dem Wind geschützt weiterreden.

So viele Ideen sprudelten aus ihnen heraus.

„Wir müssen hier eine Stadt des Wissens gründen! Darin werden sich die Gelehrten von Mirento versammeln und den Wohlstand von hier aus über das Land tragen", erklärte Lunara.

„Was ist eine Stadt?", entgegnete Sejla und sah sie fragend an.

Bisher hatte die Freundin nur Zelte gesehen und daher beschrieb Lunara jetzt das Leben in einem Haus.

„Und wenn du zur nächsten Weide umziehst? Was macht dann dein Haus?", wollte Sejla daraufhin wissen.

„Es bleibt dort und du baust dir am neuen Ort ein neues! Oder du bleibst und die Weide ist für immer bei dir. Wie es in Wiesenland ist!", erklärte Lunara der Freundin.

An Sejlas Antworten erkannte Lunara, dass es sicherlich ein schwerer Weg werden würde, aber das war wohl zu erwarten: von einem nomadisierenden Stamm zu einem Volk der Wissenden an nur einem Tag!

Zuerst musste sie den anderen beibringen, wie man die Bücher lesen konnte!

„Robby! Ein Buch zum Lernen für Kinder!", rief Lunara und trat aus der Jurte.

Ein paar Augenblicke später tauche der metallene Gehilfe mit dem gewünschten Buch auf.

„Ich danke dir!", äußerte Lunara und setzte sich wieder hinein zu Sejla.

In dem Büchlein waren bunte Bilder mit der jeweiligen Beschreibung. Bei einigen Bilder wusste selbst Lunara nicht, was es darstellen sollte, doch einiges kannten sie beide und damit begann die Übungsstunde.

„Blume", „Pferd", „Kuh", „Vogel" und „Zelt", las zuerst Lunara, danach Sejla.

„Diese kleinen schwarzen Symbole sind auch ein Zeichen der Kraft!", erklärte Sejla freudig und umarmte Lunara.

Daraufhin begannen sie mit einem kleinen Ast diese Schriftzeichen in den Sand zu ihren Füßen zu zeichnen.

Auch Lunara musste da etwas üben, aber es gelang ihr überraschend schnell. Eine neue Erkenntnis sauste durch Lunaras Kopf.

„Wenn die Menschen der Tuck dieses Wissen in sich haben, dann können sie nicht mehr auf Raub gehen. Wer etwas weiß, der wird automatisch gut!", sagte sie zu Sejla.

Die Freundin legte den Kopf schief und sah sie fragend an. Einen Moment später bemerkte sie: „Dieses ganze Wissen stammt doch von irgendwelchen Menschen? Oder? Wohin sind sie gegangen? Was ist mit ihnen geschehen?"

„Das ist eine Frage, die wir der großen Göttin stellen sollten!", entgegnete Lunara.

Mit einem Gedankenblitz rief sie Robby, dann traten sie aus der Jurte und stiegen auf.

Wenige Augenblicke später setzte ihr Gehilfe sie vor der Kammer der Göttin ab.

Ehrfürchtig betraten sie den Raum und Lunara rief nach der Göttin.

Es dauerte eine Weile, bis die Gestalt erschien.

Beide Frauen fielen vor ihr auf die Knie und Lunara stellte jetzt der Gottheit Sejlas Frage.

Statt eine Antwort zu geben, verschwand die Göttin und an der Höhlenwand flammte die ganze Seite auf. Ein Bild von einer großen Stadt erschien.

Lunara und Sejla erhoben sich und traten ein paar Schritte näher.

Menschen liefen dort herum und Kutschen ohne Pferde waren zu sehen. Silberne Vögel flogen durch die Luft und alles sah so friedlich aus. Jählings flammte mitten in der Stadt ein gewaltiger Lichtblitz auf und eine Säule aus Rauch schoss in den Himmel. Die Häuser wurden zur Seite geweht und das Bild erlosch.

Vor Schreck hatten sie beide aufgeschrien.

Wenn das die letzten Momente der anderen Menschen gewesen waren, dann musste mit ihnen etwas Furchtbares geschehen sein. Nur was?

„Sie hatten all dieses Wissen und es hat ihnen nichts genützt!", äußerte Sejla schließlich und zeigte auf die Regale voller Bücher.

„Ich muss wissen, was ihnen passiert ist. Willst du wieder zurück zur Jurte?", fragte Lunara die Freundin, doch offensichtlich hatte diese jetzt ebenfalls die Neugier gepackt.

Wo konnte man die entsprechenden Informationen finden? Über das Ende sicher nichts, denn danach war bestimmt niemand mehr hier gewesen, aber vielleicht zeigten die Tage vor dem großen Lichtblitz etwas an, was hilfreich werden konnte.

56. Kapitel
Dämonenpfade

Schreiend war Sofia erwacht und presste ihre Hand auf ihre Brust. Ihr Herz schlug so schnell, als würde es eine Trommel schlagen und es tat weh, als wolle es zerspringen. Sie rang keuchend nach Luft.

Voltura und Tinka sahen sie fragend an.

Im schnellen Lauf kam Radunta zu ihr und ihr Haar flog dabei hinter ihr her. Die Tante trug nur das Unterkleid und das sah aus, als hätte sie es sich gerade erst hektisch übergeworfen.

„Alles gut! Nur ein Traum!", presste Sofia japsend heraus.

„Nein! Nicht alles gut!", entgegnete Radunta und kniete sich vor sie.

„Ich war wieder da unten!", stöhnte Sofia.

So wie bisher jede Nacht war Sofia im Traum abermals im Kerker gewesen. Sie hatte das Lachen der Männer gehört und ihr eigenes Brüllen vor Schmerz.

Radunta umarmte sie und diese Berührung schien zu helfen.

Langsam kam ihr Herz zur Ruhe und die Angst wich von ihr. Hier war sie unter Frauen, solange Raduntas Freund sich von ihr fern hielt!

Vermutlich war sie gerade bei ihm gewesen, aber dass ihr das Spaß machte, das war Sofia unbegreiflich.

„Versuche wieder zu schlafen!", erklärte Radunta.

„Ich kann das nicht mehr!", flüsterte Sofia.

Ihr Blick suchte den Dolch, den Voltura da irgendwo zwischen ihnen abgelegt hatte. Der silberne Griff blitze im Feuerschein auf.

Sofias Finger tasteten sich zu der Waffe, aber bevor sie diese erreichen konnte, schob Radunta den Dolch von ihr fort.

An ihrem Platz gefesselt konnte Sofia nicht hinterher und der kleine Erlöser lag damit ein winziges Stück zu weit von ihr entfernt.

„Warum gibst du mir nicht einfach deinen Dolch?", schluchzte sie und blickte zu der fernen Waffe.

„Ich habe deiner Freundin Barbara versprochen, dass dir nichts passieren wird. Und ich halte meine Versprechen!"

„Du bist doch aber auch meine Freundin?", sagte Sofia.

„Ja!"

„Dann hilf mir, dass es endet!", bettelte Sofia regelrecht.

„Das kann ich nicht! Ich kann zwar Dämonen beschwören, aber deine inneren Ungeheuer musst du selbst bezwingen!"

„Aber es tut so weh!", wimmerte Sofia.

„Lass mich mal sehen!", entgegnete Radunta.

„Nicht dort! Hier drin! In meinem Herzen!", jammerte Sofia jetzt regelrecht.

Erneut umarmte Radunta sie und drückte sie danach auf das Lager zurück.

„Schlaf jetzt!", sagte die Tante so sanft, wie es die Mutter einst gesagt hatte, aber hatte nicht Zondala die Schuld an ihrem ganzen Elend. Wieder hörte sie die Stimme des Großvaters, der auch noch Raduntas Vater war!

Wenn sie es gekonnt hätte, dann wäre sie jetzt fortgelaufen! Oder in den See gesprungen, aber diese verdammte Verletzung fesselte sie an diesen Ort!

Sofia schloss die Augen und hörte, wie Radunta leise ging.

Tinka kam schnurrend zu ihr und tippte wieder auf ihre Nase. Das kleine Fellknäuel nahm ihr sofort den Schmerz und Sofia schlief wenig später wieder ein.

Tinka war es dann auch, die sie in ihrer gewohnten Art weckte, weil sie spielen wollte.

Es war jetzt schon Tag und Radunta saß fertig angekleidet auf der Wiese neben ihr. Sie musste schon lange wach sein, denn Sofia hatte offensichtlich das tägliche Reinigungsritual zu Ehren der Göttin verpasst.

Langsam und vorsichtig setzte sie sich auf und nahm die Katze hoch.

Voltura war nirgendwo zu sehen und die Tante fächerte gerade dem Feuer Luft zu, damit die Flammen hochschlugen.

„Guten Morgen", begrüßte Radunta sie.

Sie gab ihr den Gruß zurück.

Tinka schnurrte gerade so laut, dass sogar Radunta darüber lächeln musste.

Beide streichelten sie die Fellträgerin.

„Du hast heute Nacht erzählt, dass du Dämonen beschwören kannst?", begann sie, um sich ein wenig von dem Schmerz abzulenken, der gerade wieder in ihr aufstieg.

„Ja! Meine Mutter hat es mir beigebracht, aber ich mache es nicht gern. Es ist immer etwas gefährlich, sich mit den dunklen Wesen der Schattenwelt anzulegen!", erzählte Radunta.

Sie saß so, dass sich der Dolch an ihrem Gürtel direkt neben Sofias Hand befand. Gerade erzählte sie eine Dämonengeschichte und der silberne Griff schrie ständig: „Nimm mich! Beende es!"

Vorsichtig tastete sie sich voran, aber Radunta schlug ihr mitten im Satz einfach die Hand fort, als sie den Griff fast erreicht hatte. Sie blieb aber sitzen und erzählte einfach weiter.

Hatte ihre Hand die ihre nur zufällig getroffen?

Ein neuer vorsichtiger Versuch folgte, aber kurz vor dem Griff gab es erneut einen schmerzhaften Schlag auf die Fingerspitzen, wobei Radunta weder vom Feuer wegsah, noch die Geschichte unterbrach, die sie einfach weiter erzählte.

Augenblicklich ließ Sofia die nutzlosen Versuche und konzentrierte sich dabei lieber auf die Gruselgeschichte.

Es war eine wirklich schauerliche Begegnung, die Radunta vor Jahren dabei gemacht hatte. Mit den Worten: „Ich bin da mehr für das Gute! Für die große Göttin!", beendete sie die Erzählung.

„Ich würde Wolfger gern mal solch einen Dämon auf den Hals schicken!", sagte Sofia und presste ihre Hand gegen ihren Unterleib, damit die Schmerzen weniger wurden.

„Das ist nicht so einfach!", seufzte Radunta.

„Wieso?"

„Wie willst du ihn lenken? Dämonen machen nur das, was sie wollen. Du kannst ihn zwar beschwören, aber ob der das macht, was du willst, das ist ungewiss!", erklärte Radunta.

„Und gute Feen?", fragte Sofia.

„Für Wolfger?"

„Nein! Für mich! Damit der Schmerz erträglich wird! Der hier drin!", schluchzte Sofia und schlug sich gegen den Kopf.

„Das mache ich schon die ganze Zeit!", entgegnete Radunta.

Voltura erschien mit einem Arm voller Holzstücke.

Radunta erhob sich, ging langsam zum Altar der Göttin und verbeugte sich. Vermutlich bat sie gerade um Hilfe.

„Große Göttin. Hilf mir, dass die Schmerzen vergehen!", bat jetzt auch Sofia.

Tinka tippte ihren Arm an und im Schmusen mit der Katze vergaß Sofia die Leiden.

Ein paar Augenblicke später lachte sie über die putzigen Bewegungen des Kätzchens. Tinka schien von der Göttin den Auftrag bekommen zu haben, Sofia etwas aufzumuntern und dieser Bestimmung kam sie voll und ganz nach.

Mitten im fröhlichen Spiel erschien Julian und erinnerte sie damit an ihre inneren Dämonen. Die mussten verschwinden! Für immer! Egal wie!

Mit dem Blick auf die Bäume, die schon ihre Blätter färbten, gingen ihre Gedanken zu Mutter, Vater und Geschwistern. Weit fort waren sie! Auf der anderen Seite des Meeres. Die alte Frage war wieder in Sofias Kopf: Warum hatte die Mutter sie geopfert?

War daran auch ein Dämon schuld?

Ja! Ihr Großvater! Er und Wolfger waren wirklich lebende Dämonen und sie musste die beiden aus ihrem Kopf und Herzen bekommen.

Tinka ließ ein lautes: „Miau!", als Bestätigung vernehmen.

57. Kapitel
Ende und Neubeginn

Und erneut saß Lunara an dem Feuer vor der Jurte. Das Ende der anderen Menschen musste ziemlich plötzlich gekommen sein. Zusammen mit Sejla hatte sie alle möglichen Daten durchforstet, aber es hatte nur kleinere Reibereien gegeben, wie sie auch immer noch gelegentlich zwischen den befreundeten Königreichen Cenobia und Mortunda stattfanden.

Nichts davon erklärte dieses jähe Ende. Die gezeigten Bilder waren alles, was sie finden konnten.

Ein Blitz und vorbei!

Entweder hatten die Erbauer dieses Tunnels von der Gefahr nichts gewusst, oder sie hatte es nicht gespeichert.

Die Dämmerung fiel auf sie herab und Sejla setzte sich zu ihr.

„Was ist schiefgegangen?", fragte die Freundin sie.

Doch in Lunaras Kopf kreiste ein anderer Gedanke: Wie konnten sie verhindern, dass es erneut geschehen würde?

All dieses Wissen, welches ihnen gerade erst offenbart wurde, das hatte damals nichts genutzt. Und jetzt hatte die große Göttin es in ihre Verantwortung übergeben, es diesmal besser zu machen!

Eine schwere Bürde für eine junge Frau, denn die Zukunft der Menschen lag dadurch in ihrer Hand. Oder auch deren baldiges Ende!

Seufzend blickte sie zu Robby hinüber. Die Torwächter würden verhindern, dass jemand unbefugtes Zugang zur Höhle fand. Und Lunara musste überlegen, welchen Teil dieses unermesslichen Wissensschatzes sie mit allen anderen unbedenklich teilen konnte.

Der sichere Schutz war bisher gewesen, dass niemand wusste, dass es diese Schatzkammer gab. Momentan war diese Sicherheit dahin!

Am nächsten Tag würde der Stamm hier eintreffen und die erste Aufgabe wäre dann, für die Verteidigung des Wissens zu sorgen!

Damit lag im Ende der Erbauer der Neubeginn der Überlebenden! Die Idee von der Stadt des Wissens geisterte erneut durch Lunaras Kopf, doch wer konnte sagen, was nützlich und was schädlich war.

War alles Wissen schädlich?

Wenn jemand wusste, wie er mehr Getreide ernten konnte, dann sicher nicht, aber falls irgendwer erfuhr, wie man Robby nachbauen konnte, dann war die Gefahr greifbar.

Ein Mensch alleine konnte das nicht entscheiden!

Doch vielleicht gab es deshalb drei Hüterinnen des Wissens? Die Schlangenhüterinnen!

Und es war wohl auch nicht zufällig, dass es drei Frauen waren!

Im Frühjahr würde sie sich auf den Weg machen und dabei die anderen beiden Frauen kontaktieren. Bis dahin konnte der Stamm lernen, wie man diese Bücher las. Und sie konnte entscheiden, welche Publikationen das sein würden!

Kunst, Medizin und Bautechnik wäre die erste Wahl, denn damit konnte man helfen. Auch Landwirtschaft war hilfreich! Alles andere würde folgen!

„Kommst du mit in das Zelt? Hier draußen wird es langsam kalt!", erklärte Sejla.

Lunara zog zwei Decken aus einer Kiste.

Sie beide teilten sich das letzte Brot und gingen in die Jurte.

Nachdem sie sich hingelegt hatte, begann ihr Kopf wieder zu grübeln. Immer und immer wieder sah sie diese letzten Bilder. Diesen Blitz, die Rauchsäule und die Druckwelle, die alles Leben ausgelöscht hatte.

Stand ihnen ebenfalls solch ein Ende bevor?

Warum hatte die große Göttin ihr nur diese Last auf die Schultern gelegt? Sie wollte eine Chance haben, wie die Tuck in Zukunft überleben konnten und jetzt hatte sie die Möglichkeit in der Hand, diesen ganzen Kontinent zu zerstören!

Wäre es da nicht besser gewesen, sie hätte nur alleine den Tod gefunden?

Während Sejla neben ihr schnarchte, weinte sich Lunara langsam in den Schlaf. Zumindest würde sie Dodarus für ganz lange in den Arm nehmen können und das gemeinsame Kind konnte ebenfalls sicher auf die Welt kommen.

Alles andere lag noch im Nebel der Zeit.

Mit dem Gedanken an den geliebten Mann schlief es sich so schön.

„Ihr sollt Leben schenken und es bewahren!", hörte sie die Worte der großen Göttin in ihren Ohren und im Schlaf legte sie die Hände auf das Kind in ihrem Schoß.

Am folgenden Morgen stand Lunara fröstelnd am niedergebrannten Feuer und schaute zu dem Berg an Packstücken, die Robby in unermesslicher Arbeit bereits hier herauf getragen hatte.

Mit einer Handbewegung stoppte sie ihren Gehilfen und drehte sich zu Sejla um, die gerade einen Ast mit der Axt für das Lagerfeuer in kleine Stücken teilte.

„Wir sollten erst mal die Kisten kontrollieren, was Robby uns hier gebracht hat. Das unnütze Zeugs kann er ja wieder nach unten tragen!", erklärte Lunara ihren Plan.

„Gute Idee!", pflichtete ihr die Freundin bei.

Nachdem das Feuer wieder aufgeflammt war, begannen sie ihr Werk.

Auf jedem Behältnis stand außen drauf, was darin zu finden war und so waren schon nach ein paar Augenblicken die ersten Kisten wieder auf dem Weg in die Höhle.

Zuerst waren Dinge wichtig, die ihnen sofort das Leben erleichtern würden und mit denen sie den Winter gut überstehen konnten, denn hier waren sie ja nicht bei ihrem bisher bevorzugten Rastplatz.

Als sie am Nachmittag die ersten Pferde sahen und Dodarus wieder bei ihr war, hatte sich der Berg schon etwas gelichtet.

Mit einem Kuss begrüßte sie den Geliebten und erzählte ihm von den Ereignissen des vergangenen Tages und auch in seinen Augen sah sie die Bedenken, die dieses Wissen mit sich brachte.

Noch bevor sie etwas sagen konnte, hatten unzähligen Menschen Robby umringt.

Jeder wollte dieses Geschöpf bestaunen und sie musste ihren stählernen Gehilfen für eine Weile in Tiefschlaf versetzen, damit sich keiner dabei verletzen konnte.

Dadurch war es gegenwärtig ihr größtes Problem, die kleinen Kinder davon abzuhalten, auf der Spinne herumzuspringen.

Dodarus scheuchte nach eine Weile alle an die Arbeit, denn das Zeltlager musste noch vor der Finsternis aufgebaut werden.

Lunara trat zu Alantra und offenbarte der alten Frau: „Ich weiß jetzt, was da drin steht!"

Dabei übergab sie der Freundin das unbeschädigte Exemplar des Buches über die Frauenheilkunde.

„Bringe es mir bei!", entgegnete Alantra, mit Tränen in den Augen, und bei diesen Worten zog sich die alte Frau das Buch an ihre Brust.

„Das werde ich. Und allen anderen bringe ich das auch bei!"

„Bei mir hat sie schon angefangen!", erklärte Sejla aus dem Hintergrund.

Da sie momentan erst einmal keine Verwendung mehr für Robby hatte, ließ sie ihn den Eingang zur Höhle mit seinem Körper versperren. Damit waren die Schätze vorerst in Sicherheit und der kybernetische Helfer jederzeit erreichbar.

Hinter ihr wurden die Zelte in die Ebene gebaut, im Halbkreis um die Öffnung im Felsen.

Und jetzt endlich hatte Lunara auch wieder die Gelegenheit, sich bei Dodarus ohne Befürchtungen fallen zu lassen.

Die Angst vor dem eigenen Tod war fern und die Furcht vor dem Sterben aller war noch nicht wirklich greifbar.

Im Moment ging es darum, Leben zu schenken und Freude zu empfangen. Das war der momentane Auftrag der großen Göttin.

Und in beiden davon war Dodarus ein Meister!

58. Kapitel
Ein gefährlicher Weg!

Seit zehn Tagen waren sie jetzt schon im Hain der Göttin, aber gerade drängte Voltura sie zum Aufbruch und Radunta blickte über den kleinen Teich. Die alte Frau hatte sicher den Punkt getroffen, denn hier hatten sie keine Hütte und das Laub an den Bäumen zeigte deutlich, dass es nur noch ein oder zwei Wochen an den Bäumen hängen würde.

Der herbstliche Wind wurde bereits stärker, der Winter kam unaufhaltsam auf sie zu und hier auf der freien Fläche am See würden sie ohne Dach über dem Kopf über kurz oder lang erfrieren.

Noch immer konnte Sofia nicht laufen, allerdings seit dem Tag zuvor wieder selbst aufstehen und diese Tatsache führte jetzt dazu, dass Voltura sie zusammenrief.

Hier konnten sie nicht bleiben und damit blieb also die Frage zu beantworten, wohin sie gehen sollten.

Zu viert, oder zu fünft, mit der Katze, saßen sie am Feuer und überlegten, welche Optionen ihnen noch blieben.

Die Rückkehr in den Süden, zu Xander, wurde sogar von der Katze mit einem lauten Fauchen abgelehnt und dadurch hatten sie eigentlich nur noch den Weg nach Norden. In das Hügelland, wo sich vor vielen Jahren, den Sagen nach, ein paar Rebellen vor Xander versteckt hatten.

Nur in Gerüchten hatte Radunta dies gehört. Ganz leise hatten sich mal zwei Mägde in der Burg darüber ausgetauscht und jetzt war das vermutlich die einzige Möglichkeit, den Winter zu überleben.

Doch wo fand man diese Leute?

Mit einem Stöckchen zeichnete Voltura eine Skizze der Landschaft in den Sand zu ihren Füßen.

„Wir sind hier und dort ist das Hügelland!", erklärte die Schamanin und zeigte diese beiden Punkt auf ihrer Zeichnung.

„Da müssen wir also nur dort hin?", entgegnete Radunta und zog die Linie direkt hinüber.

Es schien nicht sehr weit zu sein, wenn Voltura die Proportionen der improvisierten Karte richtig gezeichnet hatte, denn sie hatte auch ihre Hütte vermerkt und bis dort war es sicher doppelt so weit.

„Eigentlich ja!", antwortete die alte Frau und das „Eigentlich" war mehr als deutlich gewesen.

„Also doch nicht! Oder?", fragte Radunta nach.

„Es geht in die Berge hinauf und sie kann noch nicht reiten!", erklärte Voltura.

Sofia musste schlucken und blickte zu den beiden Pferden, die unweit auf der Wiese grasten.

„Nein! Reiten wird nicht gehen, aber kann sie sich nicht wieder zwischen die Pferde legen? Wie auf dem Pfad hierher?", fragte Julian.

„Das da sind schmale Bergpfade! Selten so breit, dass zwei Menschen nebeneinander gehen können. Deshalb sind die Leute dort von Xander noch immer unbehelligt. Ihre Dörfer sind weit abgelegen, unzugänglich und gut zu verteidigen!", berichtete Voltura weiter.

„Und ich bin auch noch Xanders Tochter!", seufzte Radunta.

„Das ist aber nicht das ganze Problem!", setzte die Schamanin noch hinzu und kratzte sich am Kopf.

Mit dem Stock zog sie einen Querstrich durch den gerade aufgezeichneten Weg und setzte erklärend hinzu: „Das ist das Land der Leute von Gott Matuna! Wilde Krieger und Kannibalen! Denen möchte ich nicht in die Hände fallen!"

„Und außen herum?", erkundigte sich Julian und zog einen Bogen um den Strich.

Über ihnen flog ein Vogelschwarm laut kreischend nach Süden und die alte Frau zeigte wortlos mit dem Finger nach oben.

„Zu weit?", fragte der Mann und Voltura nickte.

„Verdammt!", brach es wütend aus Radunta heraus.

Bis hierher waren sie gekommen und gerade waren sie wieder dort, wo sie angefangen hatten: so gut wie tot! Entweder in den Bergen abgestürzt, von den Aufständischen getötet oder von den Kannibalen zum Frühstück verspeist!

Gedankenverloren streichelte sie den Dolch und bemerkte Julians Blick.

Seine Augen sagten ihr: „Ich lass dich nicht lebend in ihre Hände fallen!", aber das löste im Moment nicht ihr Problem.

„Zuerst müssen wir mal klären, wie wir überhaupt aufbrechen können!", sagte Radunta, sah dabei zu Sofia und überlegte, wie sie die junge Frau transportieren konnten.

Ein neuer schnatternder Vogelschwarm zog in Richtung Süden davon und sie blickte ihnen nach.

„Wenn nicht nebeneinander, dann doch vielleicht hintereinander?", fragte sie, weil die Vögel gerade in solch einer Formation flogen.

„Mit einer Decke zwischen den Pferden? Der Hengst vorn, die Stute hinten?", erwiderte Julian und sie sahen sich beide an. Dann blickten sie zu den beiden Tieren.

„Das könnte funktionieren!", rief Julian und sprang auf.

Zu dritt sahen sie zu, wie er die beiden Pferde voreinander führte und mit zwei verknoteten Decken vom Sattel des Hengstes zum Hals der Stute eine Art von Sänfte bastelte.

„Damit hätten wir schon mal den ersten Teil des Planes. Und die zweite Hälfte ist, sich nicht fressen zu lassen!", erklärte Voltura.

„Wir sollten uns daher alle unter den Schutz der Göttin stellen!", antwortete Radunta.

274

Sie schaute Sofia an und fragte: „Kannst du mit ins Wasser kommen?"

„Wenn du mich trägst? Aber Tinka nicht!", erwiderte die Nichte.

„Nein! Deine Katze nicht, wir anderen schon!", entgegnete Radunta.

„Ich auch?", fragte Julian und Voltura nickte.

Bisher hatte der Mann den geheiligten Teich nicht betreten dürfen, aber gegenwärtig wurde erneut eine Ausnahme für ihn gemacht.

„Wir sollten morgen früh aufbrechen und das Ritual jetzt und sofort vollziehen!", drängte augenblicklich auch Radunta, denn der dritte Schwarm Gänse flog gerade schnatternd über sie dahin.

Gemeinsam legten sie am Ufer ihre Kleidung ab und Sofia setzte Tinka zu ihrem Kleid.

Anschließend hob Radunta die Nichte auf ihre Arme, bevor das Julian tun konnte, denn die jetzt nackte Sofia hatte schon angstvoll zu ihm geschaut. Noch immer steckte die Furcht vor den Männern tief in ihr.

„Große Göttin, wir rufen dich an! Gib uns deinen Schutz!", rief Voltura nach oben.

In einer Linie nebeneinander traten sie alle gleichzeitig in den Teich hinein.

Schritt für Schritt gingen sie voran, bis sie etwa bis zur Hüfte im Wasser standen.

Ein letztes Mal schaute Radunta auf Sofias Wunden herab, aber diese hatten sich schon geschlossen. Da würde also nichts passieren können!

„Bereit?", fragte sie und als Sofia nickte, tauchten sie alle im Teich unter.

Augenblicklich waren sie von der göttlichen Energie umgeben und alles würde gut sein.

Prustend tauchten sie wenig später wieder auf und gingen zurück zu ihren Sachen.

Als sie Sofia in den Sand gesetzt hatte, fragte sie Julian: „Schenkst du mir diese Nacht?"

Der Mann nickte und hob sie auf seine Arme.

Während sich die anderen beiden abtrockneten und anzogen, eilte er mit ihr nackt aus dem Hain heraus.

Der nächste Morgen sah zwei unausgeschlafene, aber dennoch sehr glückliche Menschen, die immer noch nackt zurück zu den beiden anderen liefen.

Zusammen verpackten sie ihre Sachen, legten Sofia in die Trage und brachen danach zügig auf.

Radunta machte Sofia Mut, doch sie wusste, dass es ein gefährlicher Weg werden würde. Und in Volturas Augen war ebenfalls die pure Angst zu sehen.

59. Kapitel
Ein Traum wird wahr

Nie im Leben hätte Lunara geglaubt, wie schnell eine Änderung sich durchsetzen konnte! Seit Jahrhunderten hatten die Tuck als nomadisierende Wanderer ihre Wege durch Gebirge und Ebenen gezogen und gerade begannen sie sesshaft zu werden!

Die Stadt des Wissens entstand!

Erst seit ein paar Tagen waren sie hier vor der Höhle der Göttin und gerade eben hatte sie das erste fertige Steinhaus gesehen.

Robby hatte aus dem Untergrund zehn seiner Artgenossen mitgebracht, die allerdings etwas kleiner waren, als er, und diese Geschöpfe transportierten Steine von weit entfernten Plätzen direkt zu ihnen. Sie zerkleinerten diese und halfen bei den schweren Arbeiten.

In diesem ersten Haus würde dann die Schule der Tuck sein.

Bisher hatte sie die Stammesangehörigen auf dem freien Platz vor der Höhle unterrichtet, doch dazu wurde es langsam zu kalt.

Es würde sicher nicht mehr lange dauern, bis der Schnee sie hier einschließen würde, doch auch da konnte ihnen Robby sicher helfen.

Seine Kollegen konnten nur von Sonnenaufgang bis zur Abenddämmerung tätig sein. Ohne Licht erstarrten sie in der Bewegung. Robby hingegen war auch nachts emsig tätig und seine Kraft erlahmte niemals.

In jener ersten Nacht hatte sie der großen Göttin gut zugehört und die Menschen hier auf das Gute eingeschworen.

Es mochte makaber erscheinen, dass gerade die Tuck jetzt für das Gute stritten, aber bislang hatten sie nur dem Hunger gehorchend die Nachbarvölker überfallen. Mit den unermesslichen Reichtümern der großen Göttin fiel diese Not fort.

Mit Sejla und Alantra hatte sie auch zwei gute Helferinnen und abermals war es ein Dreierbund der Frauen.

Nicht ganz ohne Hintergedanken von ihr so gewählt.

Dodarus ließ sie gewähren und sie war ihm dafür unendlich dankbar.

Sie war als Beute und zur Belustigung des Khans in diesen Stamm gekommen und derzeitig führte sie diesen. Und alle anderen Stämme der Tuck gleich mit.

Das war eine ziemliche Verantwortung und manchmal machte ihr das eine gewaltige Angst. Da war es so schön, dass sie sich abends und nachts einfach fallen lassen konnte. In den Armen des Bruders musste sie nicht stark sein, bei ihm konnte sie auch mal weinen und er fing sie auf.

Am schönsten war für sie der Moment gewesen, in welchem sie gesehen hatte, dass einer der Männer eine Frau geküsst hatte. Damit war so eine Art von Bann gebrochen und jetzt fand keiner ihrer Mitmenschen mehr etwas an dem Austausch von Zärtlichkeiten befremdlich.

Und damit war es auch in Ordnung, dass Dodarus sie einfach mal tagsüber in den Arm nahm, ihr Gesicht streichelte, oder ihr einen Kuss gab.

Alles war in Bewegung.

Das Wissen aus den Büchern hatte begonnen, die Köpfe der Menschen zu bevölkern.

Auf ihren Wegen durch das Lager sah Lunara mitunter ein paar Kinder mit einem Buch, oder eine Frau, die im Sand das Schreiben übte.

Dieser folgende Winter würde den Wandel nur noch verstärken. In der dunklen Jahreszeit war sowieso immer die Gelegenheit günstig, sich Geschichten am Feuer zu erzählen. Und jetzt gab es eben Bücher!

Man konnte sie sich gegenseitig vorlesen und daraus etwas lernen. Und da fand es Lunara besonders anregend, dass sie beim

Stöbern in der Kammer der Göttin ein kleines Büchlein zwischen alle den großen Bänden gefunden hatte.

So wirklich schien dieses Buch da nicht hineinzupassen, denn es waren kleine erotische Gedichte, anregende Bilder und frivole Geschichten darin. Nach solch einer langen Zeit ließ sich natürlich nicht mehr ergründen, wer es wohl hier gelassen hatte.

Vielleicht hatte einer der Erbauer der Anlage es heimlich zwischen die anderen Bücher geschmuggelt.

Und gerade war es Abend, Lunara saß in der Jurte und hatte diesen kleinen Schatz in den Händen!

Sie las daraus vor und bemerkte dabei Sejlas roten Ohren.

Beim Lesen eines Gedichtes dachte sie daran, wie viel Glück sie doch mit Dodarus gefunden hatte, denn der Bruder war ein ausdauernder und zärtlicher Liebhaber und dieser Vers schien zu 100 % zu ihm zu passen.

Liebevoll kümmerte er sich um sie und auch noch um Sejla, obwohl er das ja eigentlich nicht mehr musste.

Hatte sie doch die Freundin nur wegen der Gefahr des nahen Todes darum gebeten, sich um Dodarus zu kümmern und ihm einen Sohn zu schenken.

Doch sowohl Sejla, als auch Dodarus, hatten viel zu viel Gefallen an diesen gegenseitigen Bekundungen von Zärtlichkeit gefunden.

Weiter ging es mit einer neuen kleinen Geschichte, bei der Sejla aufgeregt auf ihrem Sitzplatz herumrutschte und auch Dodarus hielt es dabei kaum noch auf dem Hocker.

Natürlich verspürte auch Lunara den Reiz der frivolen Erzählung.

Als sie die Geschichte beendet hatte, zog Sejla sie zu ihrem Lager und auch Dodarus schloss sich ihnen an.

Das würde ein herrlicher Winter werden! Und dieses Buch war der wirkliche Schatz!

Abschalten, genießen und fallen lassen! Das zählte jetzt.

Sehr viel später in der Nacht lag Lunara zwischen den beiden anderen und versuchte nicht zu sehr über das nachzudenken, was da draußen war, sondern mehr darüber, was sie hier innerhalb der Jurte hatte.

Alles würde hoffentlich gut werden.

Mit beiden Händen auf ihrem nackten Bauch ging sie wieder mit dem kleinen Wesen in sich in eine stumme Zwiesprache. Wie würde sie diese Welt ihrem Kind übergeben? Noch war sie keine Mutter, aber schon jetzt wollte sie ihr Kind für immer behüten. Sie dachte an Sandra und wie diese sie immer beschützt hatte. So wollte sie ebenfalls sein!

Vielleicht war das schon immer ihr Traum gewesen und sie hatte es nur bis zum Eintreffen bei den Tuck nicht verstanden.

Früher hatte sie es schön gefunden, mit Donnerschlag den ganzen Tag durch die Felder und Wiesen zu jagen. Hier hätte sie eigentlich die Zeit dazu, doch den geliebten Hengst sah sie jetzt nur noch selten.

Anderes war wichtiger geworden. Andere Träume wurden derzeitig zur Realität, Träume von einer besseren Welt für ihr Kind, für die Tuck, für alle Menschen in Mirento. Und dafür, dass der Albtraum nicht noch einmal zurückkam, der die Erbauer dieser Anlage getötet hatte.

„Habe Geduld, mein Kind!", hörte sie wieder die Stimme der großen Göttin in ihrem Kopf.

Sie klang liebevoll, so wie sie gerade mit ihrem Kind gesprochen hatte.

Lunara war ein Kind der großen Göttin und sie spürte, wie sie lächelte, als sie langsam in das Land der Träume hinüberglitt.

60. Kapitel
Eine tödliche Wahl!

Ein Fehltritt des Hengstes hatte gereicht und der ganze Plan war gescheitert. Nur mit Not hatten sie verhindern können, dass Sofia von dem stürzenden Tier mit in die bodenlose Tiefe gerissen worden war. Jetzt hatten sie nur noch Steppenwind als Packtier und Radunta trug die Nichte auf ihren Armen.

Noch immer wollte sich Sofia nicht von Julian tragen lassen und da Voltura zu schwach war und sie Sofia wegen der Verletzungen nicht einfach wie einen Sack über den Rücken der Stute werfen konnten, blieb es eben bei ihr.

Die Schamanin hatte bei ihrer Beschreibung wirklich nicht übertrieben. Diese Pfade waren wirklich mörderisch! Und das ständige Betteln von Sofia, sie einfach zu töten oder irgendwo zurückzulassen, das machte den Weg auch nicht leichter.

Noch waren sie im Wald, aber die nackten Kuppen der höheren Berge waren schon in der Ferne zu sehen und erst wenn sie dort drüber waren, dann wären sie zumindest vor den Anhängern des Gottes Matuna sicher.

Im Moment standen sie noch bei Mensch und Tier auf dem Speiseplan!

An diesen ersten zwei Tagen des Weges im Gebirge waren aber weder Anzeichen für Besiedlung noch irgendwo Rauch zu sehen gewesen.

Schritt für Schritt schoben sie sich vorwärts und Julian zog die Schimmelstute hinter Radunta her. Direkt vor ihr lief die alte Schamanin und Sofia klammerte sich an ihren Hals.

Der Weg schlängelte sich dahin und nur selten war die Strecke weiter als zwanzig Schritte nach vorn einzusehen. Und die ständig quengelnde Sofia machte es nicht leichter, sich leise zu bewegen.

Schon hatte sich Radunta überlegt, die Nichte einfach zu fesseln und zu knebeln, als vor ihnen eine Gruppe von mit Speeren bewaffneten Kriegern aus dem Wald sprang.

„Verdammter Mist!", stöhnte Radunta und im selben Moment waren sie eingekreist.

Mehr als ein Dutzend Speere waren auf sie gerichtet.

Augenblicklich war Sofia ruhig, aber es war aus!

Die Männer brachten sie einen anderen Pfad hinab und schon wenig später waren sie in einer Hütte eingesperrt.

Auf dem Platz vor diesem Gebäude hatte Radunta einen großen Altar und einen fast genauso großen Topf gesehen.

Jetzt hätte Sofia ruhig laut schimpfen können, doch sie sagte kein Wort mehr.

„Das war es dann also! Es war schön, euch kennengelernt zu haben!", sagte Radunta laut und blickte zu Julian.

Er konnte sein Versprechen, sie zu töten, allerdings jetzt nicht mehr wahrmachen, denn die Krieger hatten ihnen alle Waffen abgenommen und ihnen auch noch die Hände hinter dem Körper gefesselt. Aber sie würden ja sowieso schon bald sterben.

Tinka mauzte aus der Umhängetasche heraus, in die Sofia sie gesteckt hatte.

Radunta lehnte sich resigniert an die Hüttenwand.

Julian kam zu ihr herüber und gab ihr einen Kuss.

„Ich danke dir, dass du da warst!", sagte sie und die Tränen liefen ihr über die Wangen.

„Ach, hättet ihr mich doch einfach zurückgelassen!", seufzte Sofia und für einen Augenblick wollte sie der Nichte zustimmen.

Es dauerte eine ganze Weile, dann wurde die Hüttentür wieder geöffnet und ein halbnackter und mit Farbe bemalter Mann trat in den Raum.

Er blickte sich um, als wolle er das erste Opfer für den Topf aussuchen, der draußen gerade auf einem qualmenden Feuer stand und durch die offene Tür gut zu sehen war.

Mit einer tiefen Stimme, die Radunta erschaudern ließ, begann er: „Unser Gott Matuna hat eine Entscheidung getroffen. Er hat uns gesagt, dass eine der Frauen sich opfern muss und die anderen können morgen weiterziehen. Er lässt euch die Wahl!"

Ohne auf die Antwort zu warten, drehte sich der Mann um und ging.

„Eine von uns dreien muss sterben!", fasste Voltura zusammen.

„Ich werde es tun!", erklärte Sofia daraufhin sofort.

„Warum?", entgegnete Radunta.

„Ich halte euch doch nur auf. Ohne mich habt ihre die Möglichkeit zur Flucht. Mit mir nicht!", antwortete Sofia.

Es war zumindest bestechende Logik, unter Zurücklassung der Kranken weiterzumarschieren, aber es gefiel ihr nicht.

Allerdings musste nur einer sterben und nicht alle.

Sie hätten ja auch Hölzchen ziehen können, doch Sofias Angebot ersparte ihnen diese Wahl. Sie verabschiedeten sich von ihr und hätten sich gern umarmt, aber da sie gefesselt waren, ging dies nicht. Ein Kuss auf die Wange musste einfach reichen, was sie allerdings von Julian nicht zuließ.

Die Tür öffnete sich abermals und der Mann fragte: „Wer soll sich dem Ritual unterziehen?"

Sofia trat einen Schritt vor.

Doch zuerst fragte Radunta: „Wir sind Fremde und wissen nicht, wie dieser Opferkult bei euch ausschaut. Erkläre es uns bitte, damit wir eine Wahl treffen können!"

Vermutlich tat sie das nur, um den schrecklichen Moment hinauszuzögern, denn Sofia hatte sich ja bereits entschieden.

„Nun", begann der Mann, räusperte sich und setzte fort: „Diejenige, die auserwählt ist, wird mit unserem Gott Matuna durch vier seiner Priester Sex haben. Danach schneiden wir ihr die Kehle durch und kochen sie."

Sofia wurde kreidebleich und schob sich zur hintersten Hüttenwand zurück.

„Könnt ihr der Auserwählten nicht vorher die Kehle durchschneiden?", fragte sie fast unhörbar aus dem Hintergrund, aber der Mann schüttelte den Kopf.

„Gott Matuna will es genau in dieser Form haben! Also wer möchte?", entgegnete er.

„Dann nimm mich!", antwortete Voltura und trat zu ihm nach vorn. „Ich bin alt und habe mein Leben gelebt! Ihr habt eures noch vor euch! Macht das Beste daraus!", erklärte sie und wurde unsanft nach draußen gezogen.

„Ich konnte das nicht!", stammelte Sofia und die Tränen liefen ihr über die Wangen.

Radunta trat an die Hüttenwand, wo sich neben der Tür ein schmaler Spalt befand, durch den man den Platz sehen konnte.

Voltura stand an einem Pfahl gefesselt vor dem Altar, während das Feuer unter dem Kessel geschürt wurde. Sicher würden die Männer mit der Feier bis zum Abend warten, dann wären alle in dem Dorf.

Stumm nahm sie Abschied von der Freundin.

„Ich konnte das wirklich nicht!", murmelte Sofia, die gerade neben sie getreten war.

Am Morgen hatte Radunta sie noch tragen müssen, doch jetzt konnte sie laufen, wenn auch unter Schmerzen, wie ihr Gesicht verriet.

„Dich trifft keine Schuld daran. Es war Volturas Entscheidung!", entgegnete Radunta und musste ihre Tränen herunterschlucken.

Es dauerte eine schrecklich lange Zeit, in welcher Radunta die Freundin nicht aus dem Blick ließ. Hatte sie etwa die Hoffnung, dass die Männer Voltura verschonen würden?

Vielleicht!

Doch als die Dämmerung hereinbrach und die Männer sie von dem Pfahl losmachten, ihr das Kleid vom Leib fetzten und sie zum Altar zogen, da wandte sich Radunta von dem Spalt ab.

Wenn sie gekonnt hätte, dann hätte sie sich die Ohren zugehalten, denn Volturas durchdringende Schreie trafen sie bis ins Mark. Und es dauerte lange, bis sie endlich verstummten.

Die danach einsetzende Musik machte es ihr nicht viel einfacher, sondern sorgte für einen neuen Sturzbach von Tränen.

Sie lehnte sich an Julians Schulter und ließ die Tränen einfach laufen.

61. Kapitel
Todesangst!

Noch nicht mal einen Monat kannte er sie und doch konnte sich Julian schon nicht mehr vorstellen, ohne Radunta zu sein. Vielleicht hatte er deswegen auch sein Versprechen nicht halten können, sie schnell zu töten. Er hatte die Gelegenheit gehabt, die auf dem Pfad vor ihm gehende Frau ums Leben zu bringen, als die Krieger auf sie eingestürmt waren, aber er hatte das halb herausgezogene Schwert wieder losgelassen.

Gerade stand sie weinend neben ihm, den Kopf gegen seine Schulter gepresst und er konnte sie noch nicht mal tröstend in den Arm nehmen.

Sie mussten darauf vertrauen, dass Volturas Opfer nicht umsonst gewesen war, aber es war ein zweifelhaftes Glück gewesen, dass die Kannibalen nur ein Schlachtopfer gefordert hatten und nicht sie alle.

Er hatte durch den Spalt gesehen, was die Männer der alten Schamanin angetan hatten. Diese Bezeichnung: „Mit vier Priestern Sex haben", war nur die schmeichelhafte Umschreibung für ein bestialisches Ritual gewesen.

An vier Stricken, an Armen und Beinen, auf dem Altar gebunden hatten die Männer sie brutal geschändet und auch jetzt noch hatte er ihre panischen Schreie im Ohr.

Und doch würde er dieses Opfer sofort auf sich nehmen, wenn der Mann noch einmal zurückkommen würde, um ein weiteres Opfer für seinen Kochtopf zu verlangen.

Für Radunta würde er sein Leben geben. Jederzeit!

Sein Blick ging erneut hinaus, wo die Männer soeben die Leiche zerteilten und für den dampfenden Kessel vorbereiteten.

Angewidert drehte er sich davon fort und stellte sich so, dass er dabei den Spalt mit dem Rücken verdeckte. Er wollte den beiden Frauen diesen grauenvollen Anblick ersparen.

Trommel, Flöten und irgendein Zupfinstrument waren im Moment zu hören. Es klang schaurig.

Würde dieser fremde Gott Wort halten und seine Anhänger sie freigeben? Was wäre, wenn sie am nächsten Morgen sagen würden: „Heute Abend ist die nächste dran!" Was würden sie dann tun?

Er spürte, wie ein Weinkrampf die geliebte Frau durchschüttelte. Sie und die Schamanin hatten sich lange gekannt und Voltura war die ganze Zeit wie eine Mutter für Radunta gewesen. Und wie eine Mutter hatte sie sich für ihre Töchter geopfert.

Vergebens? Das durfte nicht sein!

Standen sie nicht unter dem Schutz der großen Göttin? Hätte das Ritual im heiligen Hain nicht dafür sorgen sollen, dass das hier nicht geschah? Oder war es seine Schuld, dass es nicht funktioniert hatte?

Schließlich hatte er als Mann den geheiligten Teich betreten. Ihn vielleicht dadurch entweiht und den Zorn der Göttin auf sie alle herab gezogen?

Und wenn dem wirklich so war, dann würden sie hier alle sterben!

Er musste die Hände irgendwie freibekommen, um den beiden Frauen dieses grausame Schicksal da draußen zu ersparen. Verzweifelt zerrte er an der Schnur, aber der Mann, der diesen Knoten geschlungen hatte, der hatte wirklich Ahnung vom Verschnüren.

Mit jeder Bewegung zog sich das Seil enger.

Eigentlich gab es nur eine Lösung: Radunta musste sich hinter ihn knien und ihren Hals in seine Hände legen, aber noch weigerte er sich, ihr dies vorzuschlagen.

Und die Prinzessin? Ihr vom Schmerz verzogenes Gesicht konnte er im Dämmerlicht der Hütte gerade noch so sehen. Sie würde ihn nie an sich heranlassen! Also musste Radunta zuerst Sofia töten und er danach die Geliebte.

„Große Göttin! Was ist dein Befehl?", dachte er und hoffte auf eine Antwort, aber alles, was er hörte, war Raduntas Schniefen.

Seine Lippen suchten ihren Mund, um sie mit einem Kuss zu trösten. Dieser wurde von ihr erwidert und ihre Tränen versiegten.

„Warum hast du mich nicht getötet?", fragte sie leise und setzte fort: „Mit einem einzigen Hieb hättest du mich und Sofia erlöst!"

„Ich konnte nicht!", entgegnete er.

Sie sank vor ihm auf den Boden, setzte sich und er folgte ihr. So lehnten sie an der Hüttenwand und sahen, dass sich Sofia vorsichtig in den Raum legte. Sitzen war für sie immer noch zu schmerzhaft, selbst nach all der Zeit.

Stumm sahen sie sich an, als Radunta fragte: „Was ist das?", dabei blickte sie über ihre Schulter.

„Tinka zieht an deiner Schnur. Vielleicht will sie spielen!", erklärte er der Geliebten.

„Nein!", entgegnete Radunta und hob eine Hand hoch.

Die Katze hatte das Seil durchgebissen. Schnell löste sie seine Fesseln und damit konnten sie sich umarmen. Frei waren sie damit immer noch nicht, aber er konnte ihre Wange streicheln und sie legte ihre Arme um seinen Hals.

„Glaubst du, dass sie uns morgen wirklich freilassen?", fragte sie.

Er antwortete ihr: „Ja! Natürlich!"

Obwohl er immer noch zweifelte, wollte er sie damit nicht auch noch ängstigen.

Sofia lag mit dem Gesicht zur Wand und am leisen Schniefen aus dieser Richtung konnte er hören, dass sie weinte.

Damit mussten sie den Morgen abwarten und hoffen, dass der Mann Wort hielt. Tröstend streichelte er weiter Raduntas Wange.

Von draußen war der Lärm feiernder und johlender Menschen zu vernehmen und er konnte nur hoffen, dass die nicht betrunken nach einem weiteren Opfer verlangen würden.

Gegenwärtig hatte er zwar die Hände frei, aber er konnte der Geliebten nichts tun, solange noch ein Funken Hoffnung war. Es war eine schwere Abwägung, nicht zu früh, aber auch nicht zu spät zu handeln.

Die Bilder der leidenden Schamanin waren wieder in seinem Kopf.

Wie lange konnte solch eine Nacht sein? Unendlich lange!

Nur langsam wurden die Geräusche draußen weniger. Radunta lehnte an seiner Schulter und er grübelte. Sollten sie die Gelegenheit zur Flucht nutzen? Wenn die Männer sie sowieso freilassen wollten, dann würden sie ihn und die beiden Frauen vielleicht auch nicht verfolgen. Und wenn nicht, dann hätten sie wenigstens einen Vorsprung.

Flüsternd schlug er dies Radunta vor und sie erhoben sich.

Im Mondlicht begannen sie die Tür der Hütte zu kontrollieren. Sie sah stabil aus, aber an einer Seite war ein Brett morsch. Mit vereinten Kräften konnte es möglicherweise gelingen, die Tür aufzuhebeln.

Und dann?

Die Stute würden sie zurücklassen und Sofia mussten sie tragen. Er warf einen letzten Blick nach draußen, aber da waren nur noch ein paar Betrunkene, die am Feuer schliefen.

Stumm nickten sie sich zu.

Radunta kniete sich zu Sofia und flüsterte ihr etwas zu. Die Prinzessin schreckte hoch und Radunta steckte ihr Tinka in den Beutel.

Mit dem Blick nach draußen nahm er einen Streifen Stoff und gab diesen Radunta, damit sie Sofia mit diesem Fetzen knebeln sollte.

Mit Unverständnis im Blick sah die Geliebte ihn an, bis er sagte: „Mach einfach! Vertraue mir."

Sofia war ja noch gefesselt und konnte sich dagegen nicht wehren.

Unmittelbar darauf rissen sie die Tür auf, er warf sich die heftig strampelnde Sofia auf die Schulter und eilte hinaus. Dort zeigte er nach links, wo die Stute stand.

Jetzt nickte Radunta verstehend, holte das Pferd und sie rannten aus dem Dorf. Die Pferdehufe waren seltsam leise auf dem Boden.

Niemand hielt sie auf!

Nach ein paar hundert Schritten waren sie im Wald und erst mal gerettet.

Jetzt galt es, einen Vorsprung zu gewinnen!

Fast unhörbar schimpfte die geknebelte Prinzessin auf seiner Schulter, während sie durch die Nacht hasteten.

62. Kapitel
Auf der Flucht

*D*ie ganze Nacht waren sie gerannt und zum Glück hatte der Mond ihren Weg hell erleuchtet. Irgendwann konnte Radunta nicht mehr und Julian hatte sie danach auf Steppenwinds Rücken gehoben.

Jetzt ging gerade die Sonne auf und Julian lief vor ihr, mit Sofia auf der einen Schulter und dem Zügel der Stute in der anderen Hand.

Radunta hatte sich auf den Hals des Tieres herabgebeugt, um durch dessen schnellen Lauf nicht von einem Ast wieder von Steppenwinds Rücken gefegt zu werden.

Julian legte ein unglaubliches Tempo vor und das auf Wegen, bei denen sie manchmal die Augen schloss, denn mitunter war der Pfad nur so breit, wie zwei seiner Schultern. Auf der einen Seite befand sich ein Abhang und auf der anderen die Bäume.

An Steppenwinds Seiten hing ihre ganze Habe und schlug bisweilen gegen ihr Bein. Es fehlte nichts davon! Selbst der Gürtel mit dem kostbaren Dolch war dabei gewesen und sie trug die Waffe jetzt wieder an der Hüfte.

Offenbar hatten die Männer wirklich vorgehabt, sie freizulassen und damit hätte Julian sein Tempo eigentlich drosseln können, doch er stürmte weiter voran.

Falls sich ihm jemand in den Weg stellen würde, er würde ihn mit seinem Schwung einfach in die tödliche Tiefe hinabschleudern.

Das Beste war aber, dass Sofia endlich mal Ruhe gab!

Sofia war ja geknebelt und er hatte ihr die Fesseln bisher nicht gelöst. Manchmal machte sie ein paar Laute, aber nicht das Gezeter des Vortages.

Offensichtlich war auch Julian gegenwärtig von der großen Göttin geführt, denn seine traumwandlerische Trittsicherheit und sein intuitives Handeln schienen dafür zu sprechen.

Er schien auch eine unerschöpfliche Ausdauer zu haben und sie selbst wäre bei diesem Tempo sicher schon längst zusammengebrochen.

Aber er lief und lief.

„Julian! Wir sind weit genug fort!", bremste sie ihn schließlich und er ging daraufhin im schnellen Schritt.

„Wir müssen doch aber da hinauf!", erklärte er schnaufend neben ihr und sie nickte.

Kurz darauf sagte er noch: „Ich habe Blut an der Hand! Vielleicht sind Sofias Wunden wieder aufgebrochen!"

Julian hatte seine Hand auf Sofias Hintern, um sie so zu halten.

„Suche uns einen Platz zur Rast! Ich werde dort mal nach ihr schauen!", legte sie fest.

Julian lief sofort wieder los.

Radunta richtete sich auf, um besser sehen zu können, allerdings war die Sicht vom Rücken des Pferdes genauso weit, wie von unten, denn sie beide erkannten die kleine Lichtung gleichzeitig und riefen sich dies zu.

Wenig später hielt Julian das keuchende Pferd mit einem Zug am Zügel an und sie sprang zu Boden.

Eilig suchte sie Volturas Beutel mit den Heilkräutern, während Julian Sofia von der Schulter vorsichtig in das Gras ließ.

Es war seltsam, im Beutel der toten Lehrerin zu stöbern.

„Soll ich ihr den Knebel abmachen?", fragte Julian.

Sie antwortete mit einem Schmunzeln: „Nein, lass mal! Es ist gerade so schön ruhig!"

Sofias Protest war kaum zu hören und sie zog der Nichte dann doch das Stoffstück aus dem Mund.

Sofia holte tief Luft und sah Julian mit funkelnden Augen an, aber sie sagte nichts.

Während sich der Mann zum Pferd drehte, begann sie die Untersuchung.

„Also, die Wunden sehen gut aus. Das Blut hat einen ganz normalen und natürlichen Grund!", stellte sie zum Schluss fest und schlang ein Tuch um Sofias Hüften herum, um die Blutung aufzufangen.

„Wir sollten etwas rasten, um uns auszuruhen!", erklärte Radunta und erhob sich.

Sie suchte aus ihrem Gepäck das Wasser und die Verpflegung, die sie anschließend verteilte.

Im Gras nebeneinander sitzend, aßen sie den Brotlaib gemeinsam mit etwas Wurst auf.

Danach verteilte sie wieder die Waffen.

Sofia sagte nichts mehr. Hatte die Flucht ihr die Stimme verschlagen? Oder war es Volturas jäher Tod?

Während sich Julian und sie über die Flucht austauschten, saß sie schweigend dort und schmuste abwesend mit Tinka.

„Warum musste das passieren?", fragte Sofia schließlich, aber darauf hatten sie beide auch keine Antwort.

Radunta konnte nur antworten: „Alles liegt in der Hand der großen Göttin!"

„Voltura würde noch leben, wenn ich nicht hier wäre! Ich habe das Blut eines Menschen an meinen Händen!", entgegnete Sofia.

„Es war ihre Wahl!", erwiderte Julian.

„Die sie nicht hätte treffen müssen, wenn ich nicht hier wäre!", bemerkte Sofia.

„Bitte höre auf! Auch dein Aufenthalt hier ist von der großen Göttin gewollt! Ich weiß noch nicht, warum, aber es wird so sein!", entgegnete Radunta und hockte sich vor Sofia.

„Kann dich Julian weitertragen? Oder soll ich dich wieder fesseln und knebeln?", fragte sie.

„Er darf mich tragen! Aber er soll die Hände von meinem Hintern lassen!", entgegnete die Nichte.

„Fein! Dann geht es weiter!", antwortete Radunta und sprang auf das Pferd.

Julian lud sich Sofia wieder auf die Schulter, legte seinen Arm allerdings jetzt um ihre Knie.

Radunta trieb das Pferd an und sah nach vorn.

Von Zeit zu Zeit waren die Spitzen der Berge zu sehen und sie schienen auch irgendwie nicht näherkommen zu wollen. Dieser Weg würde endlos sein.

Sie drückte die Knie in Steppenwinds Seiten und sah zu ihrer Habe herab, doch alles war gut verschnürt.

Aus dem Augenwinkel bemerkte sie, dass Sofias Hand sich zu Julians Schwert vorantastete.

Radunta stöhnte auf und fragte laut: „Sofia! Möchtest du wirklich wieder gefesselt werden?"

Schnell zog sie die Hand wieder zurück.

Doch augenblicklich zuckte Julians Hand zum Schwertgriff und er zog die Waffe heraus.

„Was zur...", stieß Radunta aus, als sie die Männer vor sich auf dem Pfad sah.

Julian setzte Sofia ab und trat ihnen entgegen.

Radunta zog langsam den Dolch.

Waren das schon wieder Kannibalen? Sie sahen anders aus.

Ein Mann schob sich unbemerkt von hinten an sie heran, entwand ihr den Dolch und zerrte sie vom Pferd.

„Das ist aber eine sehr kostbare Waffe!", sagte der fremde Krieger.

Er packte sie an einer Schulter und schob sie nach vorn. Der Mann war sehr stark und sein Klammergriff hatte ihren Oberarm gepackt.

Julian fuhr herum und wurde entwaffnet.

„Ihr seid Spione von Xander!", stieß einer der Männer aus, als er sich Julians Schwert ansah.

Da war das Wappen des Vaters daran!

Demzufolge waren dies hier die Rebellen! Zum Glück? Oder war dies ihr Verderben?

„Und ein sehr schönes Pferd mit einem außergewöhnlichen Brandzeichen!", entgegnete ein anderer.

„Ja! Dem Wappen meines Vaters, vor dem wir auf der Flucht sind!", offenbarte Radunta ihre Herkunft.

„Das sind Spione! Wir sollten sie alle töten!", erklärte einer der Angreifer.

„Bitte mich zuerst und gleich hier!", rief Sofia und fiel vor den Männern auf die Knie.

Sie beugte den Kopf, damit der Mann einen guten Streich führen konnte.

„Nein! Nur mich! Verschont sie!", äußerte Radunta und kniete sich neben sie.

„Das kann ich nicht zulassen, Liebste! Tötet nur mich und verschont die Frauen!", entgegnete Julian.

Der große Rebell ließ das bereits erhobene Schwert sinken und kratzte sich nachdenklich am Kopf.

63. Kapitel
Amazonen!

Nackt saß Dodarus am Feuer seines Hauses und blätterte in dem Buch, das ihm Lunara aus der Höhle mitgebracht hatte. Sie hatte es ihm zum Lesen üben gegeben, aber sicherlich hatte die Geliebte dabei auch ein paar Hintergedanken gehabt.

Sein Blick wanderte von den Seiten zum Bett hinüber, wo seine beiden Frauen einträchtig nebeneinander schnarchten. Die Wollust und das Glücksgefühl hatte sie ermatten lassen.

Das Buch fing wieder seine Aufmerksamkeit ein. Es handelte von einem sehr alten Volksstamm. Den Amazonen. Offenbar war es ihnen so ergangen, wie es den Tuck sicher auch geschehen wäre, wenn Lunara nicht diese Höhle gefunden hätte.

In dem Buch gingen die Frauen auf Kriegszug, da die Männer bei ihnen nicht mehr so zahlreich gewesen waren. Es mussten wirklich blutrünstige Kriegerinnen gewesen sein und in seinen Gedanken malte er sich aus, was wohl bei ihnen geworden wäre.

Die Kriegerinnen, mit Lunara an ihrer Spitze, die das Land der Ebene überfielen. So entschlossen, wie Lunara ihren Weg ging, mochte er ihr lieber nicht in die Hände fallen.

Diese Amazonen mussten wohl ebenfalls ziemlich gefährlich gewesen sein, denn sonst hätte man sicherlich nicht solche Geschichten über sie geschrieben.

Sein Blick flog abermals vom Buch zurück zu den beiden nackten Frauen in seinem Bett. Seine beiden Amazonen! Sie forderten wirklich alles von ihm ab, aber er war jung und im vollen Saft.

Seine Augen tasteten ihre Körper ab.

Aneinander gekuschelt hatten sie im Moment nur sich selbst. Zwar waren sie schwanger, aber dennoch schier unersättlich. Gerade genoss er es, sie nur mit den Augen zu streicheln. Vor allem Lunara war ein Bild von einer Frau! In dem Buch befanden sich auch Zeichnungen der Amazonen und in jeder davon konnte er ein Stückchen seiner Schwester finden.

Kraftvoll, entschlossen und siegesgewiss. Lunara war zweifellos die richtige an dieser Stelle! Das Schicksal hatte sie beide zusammen geführt und er war ihr so unendlich dankbar, dass die Tuck jetzt doch kein Amazonenstamm geworden waren.

Und auch an seinen Vater musste er gerade wieder denken, doch damit schweiften seine Gedanken zur Mutter, die er nie kennengelernt hatte.

Nur durch Lunaras Erzählungen hatte er sich ein Bild von Sandra gemacht. Vielleicht konnte er sie eines Tages treffen.

Wenn die Mission, die sich Lunara vorgenommen hatte, ein Erfolg werden konnte, dann konnte er auch nach Wiesenland gehen, um sie zu besuchen. Sicherlich hatte er seine Stärke, wie auch Lunara die ihrige, von der Mutter bekommen.

Konnte es sein, dass auch Sandra tief in sich drin eine Kämpferin gewesen war? Und sicherlich noch immer ist?

Sejla begann lauter zu schnarchen und er blickte zu ihr. Sie war kräftig und ebenfalls gut gebaut, aber sie hatte nicht Lunaras Ausstrahlung. Auch Sejla hatte einen Platz in seinem Herzen erobert, allerdings war der von Lunara deutlich größer.

Er konnte sich noch nicht vorstellen, wie es dann sein würde, wenn Lunara im Frühling aufbrechen würde, denn schon alleine der Gedanke daran, sie eine Weile nicht zu sehen, sie nicht im Arm halten zu können, der zog ihm sein Herz zusammen.

Darum musste er sich schnell ablenken und schlug wieder das Buch auf.

Er las von Otrere, einer der Königinnen der Amazonen. Sie war die Geliebte des Kriegsgottes Ares und auch in ihr sah er ein kleines Stück von Lunara. So, als wäre die Schwester die Tochter von Otrere.

Erneut gingen seine Gedanken zu Lunara hinüber und ihr Leib fing seinen Blick. Sie war einfach viel zu schön, als dass er diesen Anblick nicht zu jeder Tages- und Nachtzeit genießen wollte.

Ausgestreckt lag sie mit den Füßen zu ihm. Den Kopf leicht zu ihm geneigt, wodurch er ihr Gesicht auch im Schlafen sehen konnte. Der rötliche Schein des Feuers leuchtete auf ihrer Haut, glänzte auf ihrer im Schlaf feucht gewordenen Scham. Wovon sie wohl gerade träumte?

Sanft hob und senkte sich ihre Brust.

Er streichelte ihren Leib, ohne sie zu berühren, aus der Entfernung und das Buch wurde dadurch zur Nebensache.

Dodarus spürte, wie er auf Lunara reagierte und das Verlangen nach ihr ihn erregte.

Obwohl er erst vor kurzem aus dem Bett aufgestanden war, war er doch schon wieder bereit, in sie einzudringen.

Noch schlief sie selig, doch sein Geist rief schon nach ihr. Und ihr Geist schien es zu hören, denn im Schlaf öffnete sie leicht die Beine und gab ihm einen tieferen Blick auf das, was er im Moment gerade sehnlichst wollte.

Aber es war Sejla, die zuerst erwachte und mit ihrer Bewegung Lunara anstieß.

Beide Frauen machten für ihn in der Mitte Platz, aber als er sich von seinem Platz erhob, bemerkte Lunara seine Erregung.

„Komm zu mir, mein Liebster!", sagte sie und drehte sich auf den Rücken. Sie streckte ihm fordernd beide Hände entgegen und er ging zu ihr hinüber.

Aus der Bewegung glitt er auf ihren Bauch und in ihren Schoß.

„Das habe ich gerade gebraucht!", hauchte Lunara und bäumte sich stöhnend auf.

Um den Druck von ihrem Bauch zu nehmen, stützte er sich mit beiden Händen neben ihrem Kopf auf. Damit gab er ihre Brüste Sejlas streichelnden Händen frei.

Dodarus versuchte sich so langsam wie nur möglich in ihr zu bewegen, doch Lunaras Hüften steigerten gerade ihrerseits das Tempo.

Mit einem Schrei zog sie sich um seinen Penis zusammen, als wenn eine Ziege gemolken werden wollte und zwangsläufig übergab er ihr seinen Samen.

Entspannt und glücklich fiel Lunara daraufhin zurück und tauschte mit Sejla ihren Platz.

Noch feucht von Lunara Schoß gilt sein Glied zwischen Sejlas Schenkel. Während er sie liebte, küsste er Lunara.

Sein Glück konnte nicht größer sein. Unter ihm bäumte sich Sejla jammernd auf. Ihre Beine umklammerten ihn, ließen ihn nicht mehr zu einer Bewegung kommen, bis auch ihre Lust sich gestillt hatte.

Dodarus fiel zwischen sie und hörte, wie die beiden Frauen neben ihm einschliefen. Er streichelte sie und wären sie Katzen gewesen, so hätten sie jetzt wohl voller Wonne geschnurrt.

Er gab jeder einen Kuss und dankte der Göttin dafür, dass er nur diese Beiden hier hatte. Eine Horde von lüsternen Amazonen wäre wohl auch für ihn zu viel geworden.

Im Traum sah er Lunara auf ihrem Rappen auf sich zu stürmen.

Die Königin der Amazonen persönlich! Und er war ihre Beute!

64. Kapitel
Dem Tode so nah

Sie kniete auf dem Pfad, den Kopf gesenkt und wartete auf den tödlichen Hieb. Doch warum schlug der Mann nicht zu? Radunta hob ihren Blick und sah auf das zum Schlag erhobene Schwert.

„Bitte mach es schnell!", forderte sie den Mann auf.

„Mich zuerst!", flehte Sofia neben ihr.

Tinka miaute aus der Tasche und Sofia griff hinein. Sie schmuste mit dem Tier und hielt sie dann dem Mann hin. „Das ist Tinka! Sorgt bitte gut für sie und tötet mich jetzt endlich!", bettelte sie.

Der Mann ließ das Schwert sinken und nahm die kleine Katze in die Hand.

„Jemand, der eine Katze hat und sich so um sie sorgt, der kann nicht schlecht sein!", bemerkte er und gab das Schwert an einen der anderen Männer weiter.

„Erhebt euch! Wir werden euch fesseln, in unser Dorf bringen und dann entscheiden, was mit euch geschieht!", legte er noch fest.

Und wenig später waren sie auf einem versteckten Waldpfad unterwegs.

Der Mann vor ihr hatte Tinka auf der Schulter, hinter ihr lief Julian und nach ihm folgte Sofia. Radunta konnte sie weinen hören.

Was würde mit ihnen geschehen?

Die Männer würden sie sicher nicht am Leben lassen, denn sie war die Tochter ihres Todfeindes.

Oft hatte sie gehört, wie sich der Vater mit seinen Heldentaten im Kreise seiner Männer gebrüstet hatte und jetzt würde der Zorn dieser Opfer von Xanders Gewalt ihr ein Ende bringen. Ein hoffentlich schnelles Ende und nicht solch ein grausames, wie es

Voltura ereilt hatte! Noch immer hatte Radunta eine Gänsehaut, wenn sie nur an die fürchterlichen Schreie der Freundin dachte.

Der Wald lichtete sich und ein kleines Tal öffnete sich vor ihnen. Bunt bemalte Hütten drückten sich gegen die Hänge und verschlungene Pfade mit Seilen als Geländer zogen sich von Hütte zu Hütte.

Ganz unten plätscherte ein Bach dahin, aber an der einen Seite, am Ausgang des Dorfes, zeigte das Gewässer seine ganze Kraft, denn dort fiel der Bach über eine Felskante donnernd in die Tiefe und plätscherte danach weiter.

Am schwersten war der Weg wohl für Steppenwind, denn die Stute rutschte immer wieder mit einem Huf vom Pfad ab. Vermutlich waren die Wege mit Absicht so schmal angelegt, um es den Verfolgern zu erschweren und sie bei Gefahr besser verteidigen zu können.

Darin spiegelte sich sicherlich immer noch die Angst vor Xanders brutalen Nachstellungen wider.

Am Ende eines Pfades stand eine einsame, mit roter Farbe bemalte, Hütte mit vergitterten Fenstern.

In dieses Gebäude wurden sie gebracht, ihre Fesseln wurden gelöst und dann waren sie zu dritt alleine in dem Raum.

Der Mann hatte Tinka mitgenommen und Sofia hockte sich, noch immer weinend, an der Wand nieder.

Radunta ließ ihren Blick durch die Hütte gleiten. Drei Betten, ein Tisch und ein paar Hocker waren darin. Alles war sehr schön eingerichtet und nicht mit dem Kerker von Xander oder ihrem Aufenthaltsort vom Abend zuvor vergleichbar. Wenn die Gitter nicht an den Fenstern gewesen wären, dann hätte man hier kein Gefängnis vermutet.

Grübelnd ließ sich Radunta auf der Bettkante nieder. Es war weich und sie dachte an den Aufbruch am Hain der Göttin zurück.

Rückblickend hatte sie dabei Angst vor den Rebellen gehabt und Voltura vor den Kannibalen. Waren damals schon ihre beiden Schicksale von der großen Göttin aufgezeigt gewesen?

Sicherlich!

Und wenn dem so war, dann würde sie den nächsten Tag nicht überleben und damit war dies ihre letzte Nacht auf Erden. Und der geliebte Mann war in ihrer Nähe!

Radunta erhob sich und trat zu Julian.

„Ich habe Angst! Sie werden mich morgen ganz sicher töten und ich wollte noch so vieles mit dir sehen und erleben. Bis gerade eben hatte ich mein Leben noch vor mir und momentan bin ich dem Tod doch schon so nah!", offenbarte sie ihm ihre Gedanken.

Julian zog sie an seine Brust und streichelte ihr Haar.

„Woher willst du wissen, dass sie dich töten werden? Nicht du bist für die Gewalt verantwortlich, sondern dein Vater!", erwiderte er.

„Die große Göttin hat es mir bei unserem Aufbruch im Hain gesagt!"

„Und trotzdem hast du diesen Weg auf dich genommen?", fragte Sofia schniefend.

„Für und gab es nur diesen!", entgegnete Radunta.

Die Hüttentür wurde geöffnet und ein Mann brachte Brot, Käse und Wein für sie.

Zumindest würde man sie nicht verhungern lassen.

Sie setzten sich an den Tisch und aßen schweigend dieses Mahl.

Jeder hing dabei seinen Gedanken nach.

Zum ersten Mal, seit sie Julian getroffen hatte, hatten sie ein Bett. Das konnte doch kein Zufall sein! Es war sicherlich ein Abschiedsgeschenk der großen Göttin und sie wollte es nutzen!

Vor dem Fenster wurde es langsam dämmrig und sie fragte Julian: „Beweist du mir ein letztes Mal deine Kunstfertigkeit und lässt mich dieses Glück fühlen? Ich möchte in deinen Armen liegen und dich in mir spüren, mit dir ein letztes Mal schlafen!"

„Liegen schon und den Arm kann ich dir ebenfalls reichen, aber sonst? Dieses abscheuliche Ende von Voltura steckt mir noch in den Gliedern!", antwortete Julian.

„Ich bitte dich aber darum!", drängte Radunta nach.

Sofia legte sich in eines der Betten und drehte sich demonstrativ mit dem Gesicht zur Wand. Das war wohl ihre stumme Einverständniserklärung.

Radunta streifte die Todesangst von sich und machte ihren Kopf mit einer von Volturas Methoden frei.

Es dauerte dennoch eine Weile, bis sie Julian endlich so weit hatte, dass er das Lager der Lust mit ihr teilte und sie vor Glück fliegen ließ.

Mit seinem Samen in ihrem Schoß würde ein Teil des Geliebten auch im Jenseits für immer in ihr sein. Sie würde dort auf ihn warten und mit dieser Gewissheit schlief Radunta schließlich glücklich ein.

Mitten in der Nacht weckte sie ein Wimmern, welches von Sofias Seite kam.

Radunta löste sich aus Julians Armen, setzte sich im Bett auf und streifte sich das Unterkleid wieder über.

Leise und auf Zehenspitzen ging sie zu Sofia und berührte die Nichte an der Schulter.

„Was ist?", fragte sie flüsternd.

„Es tut so weh!"

„Deine Narben?", fragte Radunta.

„Nein! Hier drin in meinem Kopf! Immer, wenn es dunkel wird, dann habe ich wieder diese Bilder! Dann bin ich erneut im Keller und spüre den Schmerz! Ich will, dass das aufhört!", wimmerte Sofia.

„Das braucht Zeit!", entgegnete Radunta und nahm sie tröstend in den Arm.

Sie spürte, wie sich Sofia beruhigte und langsam einschlief, dann schlüpfte sie zurück unter Julians Decke, aber der Schlaf kam nicht zurück.

Die Unausweichlichkeit des eigenen Todes ließ sie zittern.

Und die Erkenntnis, dass mit ihrem Ableben Julian für Sofia sorgen musste. Der Geliebte würde die Nichte beschützen, aber konnte er ihr helfen? Das konnte sicherlich nur die große Göttin und ein Bittgebet flog zu ihr hinauf.

Nach unendlich vielen angstvollen Momenten zeichnete die Morgensonne ein Gittermuster an die Wand und wenig später kamen die Männer, um sie zu holen.

Zu dritt gingen sie, wieder mit hinter dem Rücken gefesselten Händen, nach unten.

Direkt an dem Wasserfall war ein großer Felsvorsprung und dort warten schon viele Menschen.

„Ich bin die Tochter von König Xander! Die beiden sind nur zufällig bei mir. Bitte tötete nur mich und lasst sie am Leben!", sagte Radunta laut.

Ein Gemurmel war unter den Menschen zu hören, bis einer nach vorn trat und erklärte: „So sei es! Du wirst sterben und die anderen beiden dürfen leben!"

Radunta kniete sich an den Rand der Felsplatte und sah in den Wasserfall, der unter ihr in die Tiefe fiel.

Der Mann trat mit dem Schwert zu ihr und holte aus.

65. Kapitel
Der letzte Augenblick

Radunta kniete drei Schritte vor ihm an der Kante und Julian konnte ihr nicht mehr helfen. Der hinter der Geliebten stehende Rebell hob gerade sein Schwert zum tödlichen Schlag.

Julian hatte sich dazu entschlossen, in dem Moment, in welchem die Geliebte den Tod fand, sich loszureißen, nach vorn zu stürmen und nach unten in den bodenlosen Abgrund zu springen, denn wozu sollte er ohne sie noch weiterleben?

Sofia hatte Radunta am Morgen einen Zopf geflochten und dieser war jetzt oben wie ein Kranz um ihren Kopf gelegt, damit ihr Haar nicht den Schlag des Schwertes behindern würde.

Es war beängstigend gewesen, mit welcher Ruhe und Gelassenheit Radunta dem Tod entgegengesehen hatte.

Ein letztes Mal hatten sie sich in der Nacht geliebt.

„Auch wenn dein Samen in mir nicht mehr aufgehen wird, so möchte ich ihn bei meinem Tod in mir haben", hatte sie gesagt.

Momentan verschleierten die Tränen seinen Blick.

„Tötet mich zuerst! Ihr müsst mich töten! Jetzt! Sofort! Ich halte das nicht mehr aus! Und wo ist Tinka?", jammerte Sofia laut neben ihm.

Unwirsch brüllte er sie in seiner Verzweiflung an: „Meine Geliebte stirbt gleich und du sorgst dich um deine Katze? Kannst du auch etwas anderes, als ständig nur zu jammern? Das geht mir schon seit Tagen auf die Nerven! Sie macht das, damit du leben kannst! So wie Voltura! Die Schamanin ist für dich in den Tod gegangen, weil du zu feige warst!"

„Julian! Lass es gut sein!", hörte er Raduntas Stimme.

Er blickte zu ihr und sie hatte sich im Knien halb zu ihm umgedreht.

„Kümmere dich um sie! Sie muss überleben! Und nun werde ich Voltura endlich wiedersehen! Macht es gut!", erklärte Radunta laut, ihre Stimme war ruhig und gefasst.

„Hier ist deine Katze!", sagte ein etwa acht Jahre altes Mädchen, das an Sofia herantrat.

„Mika! Halte ein!", hörte er eine Frauenstimme von hinten rufen.

„Sie muss sterben! Sie ist Xanders Tochter!", antwortete der Mann mit dem Schwert.

Eine füllige Frau schob sich durch die Menschenmenge nach vorn und trat zu Radunta.

„Du hast gerade Voltura erwähnt. Sie war meine Lehrerin", erzählte die Frau.

„Meine ebenfalls. Die Kannibalen haben sie vorgestern Nacht...", begann Radunta und ihre Stimme brach.

„Voltura ist tot?", entgegnete die ältere Frau erschrocken.

Julian antwortete: „Ja!"

„Sie muss ihr folgen! Für all das, was ihr Vater getan hat, hat sie den Tod verdient!", drückte Mika laut aus.

„Hatte sie eine Waffe, wie diese hier?", erkundigte sich die Frau und zog einen Dolch, der dem von Radunta glich.

„Ja! Aber den kann sie der toten Schamanin ja auch abgenommen haben!", bemerkte Mika trotzig.

„Das hätte die große Göttin sicherlich nicht zugelassen!", entgegnete die Frau.

„Trotzdem muss sie sterben!", antwortete Mika starrköpfig und hob das Schwert zum Hieb.

„Für das, was ihr Vater getan hat? Dann springe du doch hinter ihr her, für das, was dein Vater mir angetan hat!", brüllte die Frau Mika an, der daraufhin zurückzuckte.

Viel leiser setzte sie fort: „Jemand darf doch nur für das bestraft werden, was er selbst bewirkt hat! Und wenn sie ein reines

Herz hat, so ist sie unschuldig. Niemals hätte Voltura ihr einen geweihten Dolch gegeben, wenn sie dessen unwürdig war!"

Die Frau durchtrennte die Fesseln an Raduntas Handgelenken und sagte: „Erhebe dich! Wer bist du?"

Radunta erhob sie zögernd, wandte sich zu der Frau um und antwortete: „Radunta!"

„Du bist die Radunta, von der mir Voltura immer vorgeschwärmt hat?", fragte die Frau und steckte den Dolch ein.

„Wenn es keine andere dieses Namens gibt? Ich weiß es nicht!"

„Ich bin Marina!", entgegnete die Frau und fiel Radunta um den Hals.

„Die Marina, die früher mal die beste Freundin meiner Mutter war?", antwortete Radunta mit einer Gegenfrage.

„Ja! Wie geht es Mildred?", erwiderte Marina.

„Könnten wir erst mal alle die Fesseln abbekommen?", fragte Sofia, aber er sah in ihrem Blick, dass sie etwas anderes plante.

Als einer der Männer zuerst ihm und dann ihr die Schnur zerschnitt, warf er sich Sofia in den Weg und brachte sie nur zwei Schritte vor dem Abgrund zu Fall.

Sofia weinte, schrie und schlug um sich, aber mit Raduntas und Marinas Hilfe war sie schnell wieder zurück zu den Menschen gezogen.

„Was hat sie?", erkundigte sich Marina.

„Lange Geschichte!", entgegnete Radunta.

„Erzähle sie mir beim Essen! Wir sollten ein großes Fest geben!"

„Für die Tochter des Königs?", erwiderte Mika.

„Nein! Für Radunta! Die Tochter meiner besten Freundin!", sagte Marina und schlug dem Mann spielerisch gegen die Schulter.

„Und wo ist jetzt ihr Dolch?", fragte sie, bis Mika diesen aus seiner Tasche zog.

Sofort hatte Radunta die Waffe wieder an ihrer Seite.

Sofia hatte Tinka in der Hand und das Tier beruhigte sie geschwind. Schmusend mit der Katze stand Sofia vor ihm und er achtete auf jede Bewegung der Prinzessin.

„Julian! Du musst dich bei ihr entschuldigen!", forderte die geliebte Frau ihn jetzt auf und es klang streng.

„Entschuldige Sofia! Ich habe es nicht so gemeint!", sagte er laut.

Ein paar Augenblicke später waren sie abermals auf verschlungenen Wegen aufwärts unterwegs, dieses Mal allerdings zu Marinas Hütte.

Die Frau war gerade noch rechtzeitig gekommen, um Raduntas Leben zu retten und augenblicklich erzählte sie mit Radunta vor ihm. Die beiden Frauen schnatterten regelrecht und er verstand nur einen Bruchteil davon.

Sofia war vollkommen abwesend und kraulte Tinka. Alles andere um sie herum nahm sie vermutlich nicht mehr wahr und er musste sie ein paar Mal auf dem Weg halten, weil sie gestolpert war.

Dann waren sie endlich an Marinas Behausung angelangt. Die ältere Frau bat sie mit einer Handbewegung einzutreten und schloss hinter ihnen die Tür. Der Raum war gemütlich eingerichtet und ein kleines Feuer brannte im Kamin, aber wohl noch nicht lange.

„Ich bin gerade erst aus einer anderen Siedlung zurückgekommen. Bitte setzt euch!", erklärte Marina.

Während Sofia und er sich setzten, tuschelten die beiden anderen Frauen in der Ecke.

Vermutlich erklärte Radunta Marina gerade, was mit Sofia geschehen war, aber die Prinzessin war im Moment völlig abwesend, kraulte die schnurrende Katze und es tat ihm leid, dass er sie so angebrüllt hatte.

Die eine Nacht ohne Tinka hatte ihr vermutlich mehr zugesetzt, als sie vorher wohl selbst geglaubt hätte.

Wenig später fanden Brot, Wurst und Wein ihren Platz auf dem Tisch. Auch eine Schale Milchbrei für die Katze stand kurz darauf bereit.

Mit dem Blick zu Tinka aß Sofia und er behielt sie im Auge.

Er würde sie wohl in der Nacht an das Bett fesseln müssen, damit sie sich nichts antun konnte.

Julian seufzte und blickte sich um.

Zwei Betten gab es. Wo wäre sein Platz für die Nacht?

Hoffentlich bei Radunta!

66. Kapitel
Marinas Weg

Gerade eben hatte Radunta noch mit ihrem Leben abgeschlossen und gegenwärtig saß sie lachend an Marinas Tisch. Irgendwie musste jetzt wohl die Anspannung heraus. Es war schon alles etwas bizarr, denn die große Göttin hatte sie genau in das Dorf geführt, in dem die älteste Freundin ihrer Mutter wohnte.

Marina und Mildred kannten sich von Kind auf. Vor Jahren hatte Marina noch auf der Burg gelebt, aber da war Radunta gerade mal vier Jahre alt gewesen. Sie konnte sich nicht mehr daran erinnern, aber Marina erzählte im Moment lustige Kindergeschichten von ihr, die ihr ein bisschen peinlich waren.

Aber es lenkte Sofia ein wenig von ihrem Schmerz ab.

In dieser Hütte würden sie den Winter über bleiben können, aber was sollte werden? Sollte sie sich ihr Leben lang hier in den Bergen verstecken? Was hatte die große Göttin vor?

Zumindest waren sie erst mal in Sicherheit und Sofia konnte hier vielleicht auch geholfen werden.

Kurz hatte sie Marina von Sofia berichtet und die Frau hatte gesagt: „Die große Göttin hat euch gut geführt, denn weder Voltura noch du hättet ihr helfen können. Nur jemand, der das Gleiche erlebt und durchlitten hat, der kann ihr Beistand leisten."

Radunta hatte es vermieden, weiter fragend auf die ältere Frau einzugehen, Marina würde schon zum gegebenen Zeitpunkt etwas davon erzählen.

Nach ihrer Erklärung würde am Abend für sie zu ehren eine Feier stattfinden und dabei hatten die Menschen am Morgen noch ihrem Tod gefordert.

Diesmal hatte es die große Göttin wirklich spannend gemacht! Wenn Marina nur einen Augenblick später gekommen wäre, oder Julian nicht so gebrüllt hätte, dann wäre sie jetzt schon tot. Und

Julian sicher mit ihr. Sie hatte an seinen Augen gesehen, was er vorgehabt hatte.

„Es hat sicher noch einen weiteren Grund, dass ich hier bin!", dachte sich Radunta, denn hier waren all die Menschen versammelt, die, so wie sie, den Vater irgendwie loswerden wollten.

Vielleicht sollte sie sich an die Spitze der Bewegung stellen, die den Vater von der Insel jagte! Mit Julian an ihrer Seite traute sie sich das zu!

Doch noch waren das Hirngespinste und sie musste erst einmal das Vertrauen der Menschen gewinnen. Alles andere würde sich ergeben.

Zuerst musste Sofia von den seelischen Schmerzen befreit werden und dafür musste sie jetzt auf Marinas Fähigkeiten vertrauen.

„Wenn Sofia wieder laufen und reiten kann, dann breche ich mit ihr auf. Ich kenne einen Platz, an dem ich schon vielen Frauen in ihrer Situation geholfen habe!", bemerkte Marina.

„Dann werden wir euch begleiten!", setzte Radunta hinzu.

„Nein! Nur ich und Sofia werden dorthin gehen. Dein Platz ist hier! Du musst mich vertreten, wenn wir gehen!", beendete Marina das kurze Gespräch, dann zeigte sie ihnen die Plätze für die Nacht und holten die Sachen, welche die Männer von Steppenwind gebracht hatten.

Die Stute war auf einer Waldlichtung untergestellt, auf welcher die Gemeinschaft auch Esel, Kühe, Schweine und Ziegen hielt.

Eines der Schweine war extra zur Feier des Tages geschlachtet worden und wurde gerade unten auf dem Felsplateau gebraten. Der Duft davon strömte momentan durch die ganze Siedlung und zog die Bewohner nach unten.

Von der erhöhten Position, auf welcher Marinas Häuschen stand, konnte Radunta in das ganze Tal hinabsehen.

Zwei Dutzend Hütten konnte sie ausmachen, aber sicher waren noch ein paar im Dickicht des Waldes versteckt. Nur weil das

Laub schon etwas lichter geworden war, konnte sie die Gebäude überhaupt sehen. Im Sommer wären sie alle gewiss unter dem Grün der Bäume versteckt. Es sah malerisch und idyllisch aus, aber diese unwirtliche Schlucht in den Bergen war natürlich nur eine Zuflucht der Not.

Die Menschen, die hier siedelten, hatten früher alle in der Ebene rund um Xanders Burg gelebt und waren dort Bauern gewesen. Hier mussten sie als Waldläufer, Jäger und Sammler ihr kärgliches Dasein fristen.

In Radunta reifte die Entscheidung heran, diese Menschen wieder zurück auf ihre Felder und auf ihre angestammten Höfe zu führen.

Das war die Aufgabe, wegen der die große Göttin sie hierher gebracht hatte. Allerdings musste sie zuerst das Vertrauen der Bewohner gewinnen! Und das würde sicher schwierig sein, denn schließlich war sie die Tochter des verhassten Königs.

Höchstwahrscheinlich war ihr Eintreffen hier genau deshalb so spät im Jahr gewesen, denn jetzt kam der Winter und da war es völlig unmöglich, über die Berge wieder zurück in die Ebene zu gehen. Oder von dort hier heraufzukommen. Hier war sie vor Xanders Zugriff beschützt! Drei Monate hatte Radunta damit mindestens Zeit, um, mit Julians und Marinas Hilfe, die Männer hinter sich zu vereinigen.

Nahm sie sich aber zu viel vor? Sie war gerade mal achtzehn!

Zweifelnd lehnte sie an der Holzbarriere und blickte hinab, wo eine bunte Menschenmenge sich auf dem Plateau versammelte. An jener Stelle, an welcher sie vor ein paar Stunden noch den Kopf verlieren sollte.

„Habe Geduld! Du kannst es schaffen. Ich helfe dir!", hörte sie die liebliche Stimme der Göttin in ihrem Kopf.

Ihre Hand rutschte auf den Dolch an ihrer Seite, jene Waffe, die ihr die tote Freundin einst im Namen der Gottheit übergeben hatte.

312

Raduntas Blick ging nach oben, zu den grau werdenden Wolken. Es würde sicher nicht länger als einen Mond dauern, dass hier alles tief verschneit sein würde und Marina hatte ja gesagt, dass sie sich noch mit Sofia aufmachen wollte.

Wie, als hätte sie die Frau mit ihren Gedanken gerufen, trat diese augenblicklich zu ihr an das Holz. Offensichtlich hatte sie Raduntas Blick in die Wolken gesehen, denn sie erklärte: „Ich werde Sofia dann noch mal untersuchen, denn wir müssen in den nächsten Tagen aufbrechen!"

„Sei bitte vorsichtig bei ihr. Die Wunden ihres Körpers haben sich schon geschlossen, aber sie hat den Lebensmut verloren. Und das Vertrauen in die Menschen! Sofia sucht den Tod!", erwiderte Radunta.

„Ich kann sie gut verstehen. Vor mehr als zwölf Jahren ist mir dasselbe passiert, was Wolfger ihr angetan hat. Mikas Vater hat mich in Xanders Kerker geschändet!"

„Sofia war schon beinahe über Wolfger und seine Gewalt hinweg und dann sind diese acht Bestien über sie hergefallen", erzählte Radunta und blickte zur Hütte zurück, durch deren Tür Sofia gerade mit Julian nach draußen trat.

„Aber jetzt lasst uns nach unten gehen, damit wir mitfeiern können!", erklärte Marina und beschritt den Pfad nach unten.

In der letzten Zeit hatten sie von Wasser und Brot gelebt, doch heute würde es einen Braten geben!

Marina ging voran, Sofia und Julian folgten ihr.

In ihre Gedanken versunken, lief Radunta hinter den Freunden her. Sie dachte daran, was Marina gesagt hatte.

Xander tat das schon seit vielen Jahren mit den Frauen in seinem Kerker! Warum hatte sie in all dieser Zeit nichts davon gemerkt?

Allerdings war ja auch sie ein Kind der Gewalt!

Dass musste enden! Sie musste es beenden!

67. Kapitel
Auf dem Weg zu einer Göttin

ast eine Woche wohnte Sofia jetzt schon in Marinas Haus. Radunta und ihr Freund hatten sich in die Gefängnishütte verzogen, um dort wer weiß was zu tun. Es hatte sie schon irgendwie in der ersten Nacht gestört, dass sich die beiden anderen direkt neben ihr ihrem Verlangen hingegeben hatten.

Jeden Tag hatte Marina sie zwei Mal untersucht. Einmal am Morgen und nochmal abends, vor dem zu Bett gehen. Es war ihr jedes Mal peinlich und sie wurde zugleich auch daran erinnert, woher sie diese Narben hatte.

Besonders die Untersuchung am Abend sorgte dann dafür, dass in der Nacht diese grässlichen Albträume kamen.

Daraus folgend war es auch ganz normal, dass sie in jeder Nacht schreiend erwachte. Dass Marina sie aber danach immer wieder tröstend in den Arm nahm, das war nicht zu erwarten gewesen, aber es tat so gut.

Gewissermaßen war Marina jetzt ständig in ihrer Nähe. Sie sang mit ihr, erzählte kleine Geschichten von Tieren aus dem Wald und lenkte sie damit den ganzen Tag von diesen dunklen Rückblicken ab. Das war viel besser als alles, was Radunta oder Voltura mit ihr zuvor gemacht hatten.

Natürlich hatte sie verstanden, dass zuerst die Wunden heilen mussten, aber am Hain der Göttin hatte sie nur den ganzen Tag grübelnd im Gras gelegen und mit Tinka gespielt.

Es war daher sicherlich einfach zwangsläufig gewesen, dass die zerstörerischen Gedanken in ihrem Kopf rumort hatten.

Momentan besserte sich auch das.

Sie konnte ein Messer liegen sehen, ohne es sich sofort in die Brust stoßen zu wollen und trotzdem blieb der seelische Schmerz in ihr.

Am Anfang hatte Marina gesagt, dass sie etwas Ähnliches durchgemacht hatte, aber seit dem hatte sie nicht ein Wort mehr darüber verloren und Sofia hatte nicht gewagt, sie danach zu fragen. Es würde ja vielleicht auch ihren eigenen Schmerz nur wieder viel stärker machen.

Das Schlimmste daran war aber, dass sie sich gerade nicht mehr traute, unter anderen Menschen zu sein.

Schon alleine der Gedanke daran trieb ihr den Angstschweiß auf die Stirn. Sich Marina zu öffnen hatte ein paar Tage gedauert, aber die ältere Frau hatte wohl für sie Verständnis. Da kam dann sicherlich deren eigene Erfahrung zum Tragen.

Jetzt neigte sich der Tag wieder seinem Ende zu und nach der obligatorischen Untersuchung sagte Marina zu ihr: „Morgen brechen wir auf. Die Wunden sind so weit verheilt, dass du auch wieder reiten kannst. Wir müssen uns auf einen langen Weg machen. Die große Göttin wartet!"

Ohne auf eine Antwort von ihr zu warten, ging Marina und ließ Sofia in der Hütte zurück.

Damit hatte sie Zeit zum Nachdenken!

Die große Göttin hatte ihr im Hain nicht helfen können, warum sollte sie es jetzt tun? Weil die äußerlichen Wunden geschlossen waren? War das nicht alles sinnlos?

Sofias Augen wanderten in dem Raum umher. Marina hatte das Messer auf dem Tisch liegen lassen und die alten Selbstzweifel kamen augenblicklich zurück.

„Nimm mich!", schrie die Waffe sie an.

Schritt für Schritt schob sich Sofia an den Tisch heran. Der Drang, nach dem Messer zu greifen, wurde übermächtig. Was sollte das alles noch? Noch mehr Qual? Vor ihr lag die Lösung!

Als sich ihre Hand um den Messergriff zur Faust schloss, trat Marina zurück in die Hütte.

Mit einem Blick hatte sie die Situation erfasst, aber sie stand nur einfach an der Tür. Warum sagte sie nichts? Warum machte sie nichts?

Langsam schob Sofia die Waffe zurück. Das war nicht der Ausweg!

Marina trat zu ihr und streichelte ihre Wange.

Diese tröstende Berührung löste wieder den Tränenstrom bei Sofia aus.

Schluchzend lehnte sie an Marinas Schulter und die Freundin hielt sie einfach fest. Es war so, wie die Berührungen der Mutter früher und abermals kamen die dunkeln Gedanken zurück.

„Warum hat mich meine Mutter verraten?", schluchzte Sofia.

„Sie hat dich nicht verraten! Keine Mutter würde das tun!", beruhigte Marina sie leise.

Julian hatte damals etwas Ähnliches gesagt, aber einem Mann war nicht zu trauen.

Es dauerte eine Weile, bis sich Sofia wieder beruhigt hatte.

„Ich habe Radunta um ihre Schimmelstute gebeten. Du wirst ab morgen darauf reiten", erklärte die ältere Frau, als wäre nichts gewesen.

Diese scheinbare Normalität sorgte gegenwärtig dafür, dass Sofia sich in das Bett legen und schlafen konnte. Sie war beschützt.

Nichts konnte ihr geschehen.

Aber im Traum sah sie Wolfger wieder und sie spürte den Schmerz seiner Gewalt in ihrem Unterleib. Ihr Schrei war sicher im ganzen Tal zu hören gewesen.

Keuchend saß sie im Bett und Marina kam erneut zu ihr herüber.

„Wann endet das?", fragte Sofia.

„Niemals!", entgegnete Marina leise und im Mondlicht konnte sie die Tränen auf dem Gesicht der älteren Frau sehen.

„Bleib bei mir im Bett!", bat Sofia und schließlich kuschelte sie sich an Marina an.

In Marinas Arm schlief sie letztlich bis zur Morgendämmerung durch. Sanft wurde sie dann von der älteren Frau geweckt.

„Wir müssen los!", flüsterte Marina, obwohl es ja sonst hier keiner hören konnte, aber diese leise Stimme und dieses Flüstern bewirkten eine größere Ruhe in Sofias Gemüt.

Waschen, Frühmahl und Sachen zusammen packen waren schnell erledigt. Zum Schluss steckte sich Sofia noch Tinka in die Umhängetasche.

Marina ging mit solch einer Routine an alle Aufgaben, dass deutlich zu sehen war, dass sie so eine Reise nicht zum ersten Mal unternahm.

Wenig später, die Bewohner der Siedlung erwachten gerade, waren sie zu Fuß auf dem Weg durch den Wald.

Auf einer Lichtung am Rande der Schlucht standen die Pferde und Marina führte sie zu der Schimmelstute. Dort half die Frau ihr auf und ging zur Seite.

Das breitbeinige Sitzen auf dem Pferderücken war gewöhnungsbedürftig, aber ihr Schoß tat dabei nicht mehr weh.

Marina kam zu ihr zurück und hatte ein graues Maultier am Zügel.

„Es hat die breiteren Hufe im Wald!", erklärte sie ihre Wahl.

Das Maultier wieherte zur Bestätigung und Marina schwang sich behände in dessen Sattel.

„Können wir?", fragte sie fürsorglich.

Sofia spürte in sich hinein, alles war gut und sie nickte ihr danach zu.

Langsam ritten sie von der Wiese in den Wald hinein. Sie folgten einem Waldpfad und waren damit auf dem Weg zur Göttin.

Schon wieder!

Das würde dann der dritte Platz sein, an dem Sofia den Schutz der großen Göttin und deren Heilung erbeten würde.

Aber Marina hatte am Abend gesagt, dass der Schmerz niemals enden würde. Wozu machten sie dann diese Reise?

Abermals waren die Zweifel in ihrem Kopf, aber sie würde Vertrauen haben müssen!

Sofia warf einen letzten Blick über ihre Schulter zurück.

Radunta stand am Rande der Lichtung und winkte ihr zu.

Voltura und die Tante hatten ihr nicht helfen können, konnte es Marina?

Sofias Blick ging nach vorn, auf den Rücken der vor ihr reitenden älteren Frau.

68. Kapitel
Wunsch auf Heilung

Am Rande der Lichtung stehend sah sie den beiden Frauen hinterher, die langsam im lichter werdenden Wald verschwanden. Raduntas Blick wanderte von dort zu dem Baum neben sich. Das Laub war fast so rot, wie ihr Haar.

In den letzten Tagen hatte sie sich einfach nur dem Genuss hingegeben. Praktisch hatten sie und Julian die Hütte niemals verlassen. Oder wenn, dann nur kurz.

Immer und immer wieder hatten sie sich voller Leidenschaft geliebt und waren zusammen eingeschlafen und danach am Morgen gemeinsam erwacht.

Schön war es gewesen, allerdings kam jetzt der Moment, vor welchem sie sich am meisten gefürchtet hatte. Sie würde unter die Menschen hier müssen, weil sie ja Marinas Vertretung in der Siedlung für die Zeitdauer ihrer Abwesenheit übernehmen musste.

Bei jedem Blick in die Augen der Menschen konnte sie erkennen, dass diese in ihr die Ursache für ihre Flucht sahen.

Nicht dem Vater gaben sie die Schuld, nur ihr. Und das, obwohl sie mit Xander gebrochen hatte.

Würde der Vater sie in seine Finger bekommen, so wäre das Schwert des Henkers wohl nicht die einzige Strafe, die er ihr zugedacht hätte.

Und auch Mika hatte ja schon bei ihr Maß genommen.

Praktisch war sie also jetzt mit Julian alleine auf der Welt! Sie schickte Sofia einen Wunsch auf Heilung hinterher und wandte sich wieder dem Weg zu der Hütte zu, in welcher Julian auf sie warten würde.

Langsam und in Gedanken ging sie den schmalen Pfad zum Gebäude hinab. Vermutlich würde es eine ruhige Zeit für sie werden, da sie bestimmt niemand um ihre Hilfe bitten würde.

Dabei wollte sie doch helfen und sie musste auch irgendwie das Vertrauen der Menschen gewinnen, denn sonst würde wohl keiner mit ihr in den Kampf gegen den Vater ziehen.

Oder sollte sie einfach hier im Exil bleiben?

Solange der Vater nicht wusste, dass sie hier war, würde er wohl auch nichts unternehmen. Sollte jedoch ihr Aufenthaltsort, und damit der von Sofia, durch irgendetwas oder irgendjemanden verraten werden, so würde der rachsüchtige Mann sicher alle Hebel in Bewegung setzten, um ihrer habhaft zu werden.

Mit anderen Worten: eigentlich brachte sie mit ihrer Anwesenheit hier nur alle in tödliche Gefahr! Das war es eventuell auch, was sie in ihren Augen sah!

Aber das rote Laub zeigte ihr nur zu deutlich, dass sie ohne die Gemeinschaft der Menschen hier im Winter irgendwo erfrieren würde.

Alleine im Wald war sie tot.

Selbst mit Julian an ihrer Seite, der sich ausgezeichnet im Wald auskannte, hatte sie kaum eine Chance. Sie hatten keine Bleibe und auch keine Vorräte. Die Erfahrung ihres Geliebten würde den sicheren Tod nur um ein paar Tage hinauszögern.

Hier war der einzige Platz, an dem sie leben konnte, überall sonst würde sie sterben!

Ihre Hand fiel auf den Dolch mit dem silbernen Griff, den ihr einst Voltura gegeben hatte. Fast zärtlich streichelte sie die Waffe. Wenn es sein musste, so würde dieser Dolch ihrem Leben ein Ende setzen, aber zuvor wollte sie noch so viel Zeit wie nur irgend möglich in Julians starken Armen verbringen.

Sie erreichte die Hütte, öffnete die Tür und der Gefährte saß am Tisch.

Radunta flog auf ihn zu und umarmte ihn. Hier waren alle Sorgen fern! Und der Geliebte befreite sie von dem Kleid, welches sie sich erst kurz zuvor angezogen hatte.

Julian zog sie auf seinen Schoß und sie jauchzte auf.

Stürmisch und leidenschaftlich liebten sie sich und nahmen damit bereits die Winterwinde in ihrer Heftigkeit vornweg!

Radunta erwachte im Bett, an Julians Brust geschmiegt, im Halbdunkel der Hütte.

Es schien ihr, als ob ein Specht gegen die Hütte klopfte, dann hörte das Klopfen auf und sie ließ den Kopf zurück auf die Brust des Geliebten sinken.

Wenig später war das Klopfen erneut zu hören und eine Stimme rief: „Hallo?"

Irgendjemand brauchte da ihre Hilfe! Schnell streifte sie sich das Kleid wieder über und trat an die Tür.

Mika stand davor und sie zuckte unwillkürlich vor ihm zurück.

Gerade dieser Mann suchte sie auf? Was wollte er? Rache?

Händeringend suchte er um Worte. Schließlich begann er: „Marina ist ja nicht da. Meine Tochter … du musst ihr helfen … schnell!"

Radunta griff sich den Beutel vom Tisch, warf einen letzten Blick auf Julian und eilte dann Mika hinterher.

Der Mann rannte durch den Wald und im Kleid war es gar nicht so einfach, ihm zu folgen.

Wenig später waren sie an einer größeren Hütte angekommen.

Mikas Frau saß an einem Bett, in dem ein etwa acht Jahre altes Mädchen lag und die Kleine bekam offenbar nur noch schlecht Luft.

„Was ist geschehen?", fragte Radunta die Frau.

„Sie hat eine Biene verschluckt!", erwiderte sie.

Augenblicklich war höchste Not, denn die Kleine begann bereits zu röcheln.

„Hole mir feuchte und kalte Lappen!", wies sie Mika an.

Der stämmige Mann rannte zur Tür hinaus.

Radunta blickte auf das Mädchen herab und deren Gesicht wurde langsam blau.

Die Lappen würden zu spät kommen!

„Gib mir einen kleinen Ast! Irgendein Stück Holz!", schrie Radunta die Frau an, die ebenfalls nach draußen lief.

Sofort riss Radunta den Dolch aus der Scheide und setzte die Klingenspitze auf den Hals des Mädchens.

Diesen Schnitt hatte sie noch nie selbst gemacht, aber wenn sie es nicht versuchte, so würde die Kleine sowieso sterben. Und wenn das schiefging, so konnte sie sich anschließend auch selbst in den Dolch stürzen, denn wenn das Mädchen starb, so würde Mika sie ihr hinterherschicken.

Die Frau kam in die Hütte gelaufen und Radunta stach zu.

Die Frau schrie entsetzt auf und Mika trat hinter ihr in die Hütte.

„Schnell! Das Holzstück!", sagte Radunta und drehte die Klinge.

Ein pfeifendes Geräusch war zu hören, als die Luft wieder in den Hals des kleinen Mädchens strömte.

Mika griff schon zum Schwert, aber die Gesichtsfarbe der Kleinen wurde schon wieder rosa.

Die Frau gab ihr das Ästchen, Radunta kürzte es, schob das Holz anschließend in die Öffnung an der Kehle und zog den Dolch vorsichtig heraus. Jetzt würden die feuchten Lappen sicherlich die Schwellung abklingen lassen.

„Ich bleibe, bis es ihr wieder besser geht!", erklärte sie und griff nach dem Lappen.

Die andere Frau setzte sich neben sie.

Radunta konnte die Sorgen in ihrem vor Schreck bleich gewordenen Gesicht erkennen. Tröstend legte sie die Hand auf den Arm der sicher doppelt so alten Frau.

Diese umarmte sie schließlich und sagte: „Ich bin Siegrun!"

„Radunta!"

Das Mädchen begann sich zu bewegen und Radunta musste jetzt aufpassen, dass das Holzstück nicht wieder herausrutschte. Erst wenn die Schwellung komplett verschwunden war, dann konnte sie die von ihr verursachte Wunde versorgen.

Gemeinsam wachten sie am Bett des Mädchens, während Mika das Schwert wieder zur Seite stellte.

69. Kapitel
Waldpfade

Sie waren schon ein ganz schönes Stück geritten, als sich der Wald vor Sofia lichtete und der Waldpfad damit etwas breiter wurde. Marina verhielt ihr Maultier, wodurch Sofia zu ihr aufschließen und schließlich neben ihr reiten konnte.

„Und? Geht das mit dem reiten?", erkundigte sich Marina.

„Ja! Die Schmerzen in meinem Schoß sind auszuhalten. Schlimmer ist das hier drin!", entgegnete Sofia und schlug sich dabei mit der flachen Hand leicht vor die Brust.

„Du hast gesagt, das wird niemals heilen. Wozu machen wir dann diesen Weg?", fragte sie anschließend die ältere Frau.

„Natürlich! Heilen kann das nie! Nicht einmal die beste Hexe der Welt kann dir diese furchtbaren Bilder aus dem Kopf zaubern und keine Göttin den Schmerz aus deinem Herzen nehmen. Ich kann dir nur zeigen, wie du damit leben kannst. Wie es erträglich wird! Meist!", erklärte Marina.

Sofia nickte.

Gegenwärtig war die Zeit für all die Fragen, die sie im Dorf nicht hatte stellen wollen. Hier im Wald würde keiner ihre peinlichen Äußerungen hören.

„Du hast gesagt, dir ist ähnliches geschehen?", begann Sofia.

Marina seufzte und antwortete: „Ich war im Gefängnis für eine Nichtigkeit. Eine Nachbarin hatte mich beschuldigt, ihr ein Huhn gestohlen zu haben. Am nächsten Tag war die Henne wieder da, denn sie war nur fortgelaufen. Für mich war nach dieser Nacht nichts mehr so, wie zuvor!"

Eine Träne rollte über die Wange der älteren Frau.

„Mikas Vater war Wärter im Gefängnis. Ihm kam meine hilflose Lage wohl wie gerufen. Er tat mir dasselbe an, wie Wolfger dir!

Nicht ganz so schlimm, äußerlich, aber hier drinnen in mir ist durch seine Gewalttat ebenfalls etwas zerbrochen!"

Die Frau verstummte und schluchzte leise.

Die furchtbaren Bilder kamen zurück und schnürten Sofia die Kehle zu. Sie war wieder im Keller!

Gehetzt blickte sie sich um, aber sie waren alleine im Wald.

Langsam beruhigte sich ihr dröhnend hämmerndes Herz.

Leise setzte Marina fort: „Voltura nahm mich bei sich auf, denn ich konnte nicht mehr unter Menschen sein. Ihre Heilung war allerdings nur äußerlich. Sie versorgte meine Winden und es reichte zum Überleben, aber nicht zu mehr. Ich bin noch fünf Jahre später jede Nacht schreiend aufgewacht. So wie du jetzt. Nichts und niemand konnten mir helfen. Ich habe Panik bekommen, wenn ich nur mit einem Mann in einem Raum war. Doch dann hat mir die große Göttin in ihrer grenzenlosen Gnade eine Möglichkeit und einen Platz gezeigt, um damit zu leben. Heute Nachmittag sind wir dort!"

„Aber du hast gesagt, dass es ein langer Weg ist!", erwiderte Sofia verwundert.

„Ja! Der Weg ist lang, aber der Ritt nur kurz! Du verstehst mich?"

„Ich glaube ja! Fünf Jahre?", erkundigte sich Sofia zweifelnd.

„Das hoffe ich für dich nicht. Weißt du, ich bin seitdem mit vielen Frauen dort gewesen. Fast jeder in unserer Siedlung ist ähnliches wie uns beiden widerfahren! Xanders Schergen scheinen einen Spaß daran zu haben, die Seelen von Frauen zu verstümmeln!", erklärte Marina, erneut schluchzte sie und wischte sich danach die Tränen ab.

„Und wie willst du mir jetzt helfen? Verrätst du es mir? Oder müssen wir erst dort sein?", fragte Sofia, um Marina von ihrem Schmerz abzulenken.

Die alte Frau sah sie an und erläuterte: „Diese Gewalt an dir hat deine Seele zerstört. Du fühlst nichts mehr so, wie du es gewohnt warst. Ich werde dir Übungen beibringen, wie du deinen Körper wieder wahrnehmen kannst. Wie du auf deine Gefühle horchen kannst und diese von deiner Angst trennst, die alles andere momentan in dir überlagert!"

Marina machte eine kurze Pause und blickte nach oben, dann setzte sie fort: „Wir werden Meditationen in der Bewegung machen, ich zeige dir Atemübungen, Techniken, wie du den Schmerz selbst fort massieren kannst. Mit Rauch und Duft wird die große Göttin dich umhüllen. Wir werden Musik machen, tanzen und uns unseres Lebens erfreuen. Alles, was dir gute Laune macht, das wird dir dabei helfen!"

„Tanz und Spiel? Singen? Vielleicht auch malen?", fragte Sofia skeptisch.

Marina lächelte sie an und nickte.

„Das wird dann schon der dritte Platz, welcher der großen Göttin geweiht ist. Glaubst du, dort kannst du mir helfen?", erkundigte sich Sofia.

„Der Teich bei Volturas Hütte war, dass du die Verletzung überlebst. Der Hain, damit sich deine Wunden schließen und jetzt geht es darum, wie du mit dieser inneren Qual leben kannst. Vielleicht hat dich Voltura unwissentlich deswegen zu mir bringen wollen, damit ich dir helfe", antwortete die ältere Frau.

„Es tut mir leid, um deine Freundin. Sie hat sich für mich geopfert. Eigentlich wollte ich dort sterben und war auch dazu bereit. Doch dann...", begann Sofia und stockte bei dem Gedanken an Volturas grässliche Schreie.

„Dich trifft daran keine Schuld. Es war Volturas Entscheidung. Und wenn einer Schuld haben muss, dann gib sie Wolfger!"

„Das hat Radunta mir auch schon gesagt!", offenbarte Sofia.

„Deine Freundin ist sehr schlau, trotz ihrer Jugend. Die Weisheit der großen Göttin steckt tief in ihr!"

„Sie ist eine der drei Hüterinnen der Schlange!", offenbarte Sofia und musste daraufhin der älteren Frau diese Sage erklären.

Erzählend trabten sie weiter nebeneinander durch den Wald.

Die Ablenkung vertrieb wirklich den Schmerz. Sogar den in ihrem Unterleib.

Daher würde der Rest sicher auch funktionieren und Marina machte es ja nicht zum ersten Mal.

Gerade war Sofia darauf gespannt, was für einen Platz die Göttin wohl Marina damals gezeigt hatte. War es wieder ein Teich oder See, wie die letzten beiden Plätze? Wasser wäre sicher in der Nähe.

Marina begann ein lustiges Lied zu singen und forderte sie auf, einfach einzustimmen.

Die Heilung der großen Göttin hatte begonnen!

Ansingen gegen die Angst und kichern über den blödsinnigen Text, das tat ihr so gut!

Schließlich öffnete sich der Wald, die Bäume blieben zurück und ein kleines Tal tat sich vor ihnen auf.

Sie folgten einem Bach, der plätschernd über ein paar Steine floss.

Dann hielt Marina das Maultier an, zeigte mit der Hand nach vorn und sagte: „Der Schoß der großen Göttin!"

Sofia sah einen Berghang vor sich und es sah wirklich wie eine geöffnete weibliche Scham aus. Die beiden Bergrücken links und rechts schienen die angewinkelten Oberschenkel zu sein und der kleine Bach entsprang dieser Öffnung.

„Seit Menschengedenken ist das ein heiliger Platz der Frauen. Keines Mannes Fuß hat jemals diesen Boden berührt, denn die große Göttin hätte ihn dafür zerschmettert. Deshalb reitest du auch eine Stute und ich eine Mauleselin!", erklärte die ältere Frau.

Marina stieg ab und half Sofia beim Absitzen.

„Wir brauchen noch Holz! Holst du es? Ich bringe die Tiere zu ihrer Weide!", forderte Marina sie auf.

Ohne ein weiteres Wort ging Marina mit den Tieren zur Seite.

Damit stand Sofia alleine dort. Sie musste in den dunklen Wald! Die Angst war zurück! Sollte sie auf Marina warten?

Das Lied fiel ihr wieder ein.

Laut singend ging sie zur Baumreihe und holte ein paar Äste.

Als sie pfeifend zurückkam, da lächelte die ältere Frau.

Der Weg der Heilung war beschritten worden!

70. Kapitel
Das Messer an der Kehle

Bis später am Abend hatte Radunta an Matikas Bett gesessen und mit Siegrun zusammen gewartet, bis endlich die Schwellung vollständig zurückgegangen war und sie danach die Wunde verbinden konnte.

Jetzt musste der Schnitt nur noch heilen.

Julian hatte sich schon Sorgen um sie gemacht, als sie erst so spät zu ihm zurückgekommen war.

Die anschließende Nacht war wieder erholsam, entspannend, euphorisch und ekstatisch gewesen. Da die Gefängnishütte abseits lag, musste sie auch nicht auf die Nachbarn Rücksicht nehmen, wenn sie die unbändige Lust in der Nacht einfach aus sich herausschreien musste.

Gerade erst war sie erwacht. Julian schlief neben ihr und ihre Hand lag auf seiner Brust. Immer noch konnte sie ihr Glück nicht fassen, dass das Schicksal ihn zu ihr geführt hatte. Nie mehr würde sie ihn loslassen.

Der erste Schein des neuen Morgens fiel rötlich durch die kleinen, vergitterten Fenster in den Raum. Es fühlte sich einfach nur so unglaublich gut an, nackt an den Körper des Geliebten angepresst zu liegen, seinen Arm unter ihrem Kopf zu spüren.

Radunta lag mit dem Rücken zur Wand auf der Seite und Julian beschützte sie mit seinem Körper selbst im Schlaf.

Die Hütte war ungeheizt, doch sein erhitzter Leib gab ihr die nötige Wärme und die dünne Decke über ihnen beiden hielt die Hitze fest.

Als sie Julian für eine neue Runde wecken wollte, klopfte es an der Hüttentür. War da wieder jemand, der ihre Hilfe brauchte?

„Moment!", rief sie, sprang über Julian aus dem Bett und zog sich schnell das Kleid über.

Mit dem Beutel in der Hand stürzte sie zur Tür.

Siegrun stand davor.

„Ist was mit Matika?", fragte sie laut.

Siegrun schüttelte lächelnd den Kopf und antwortete. „Nein. Meiner Tochter geht es gut! Ich bringe dir nur etwas zu essen!" Dabei drückte sie ihr einen Korb mit Früchten und Brot in die Hand.

„Danke dir!", entgegnete Radunta überrascht, nahm den Korb und Siegrun schlenderte wieder davon.

Das Frühmahl war damit gesichert.

Langsam ging Radunta zurück in die Hütte, stellte das Körbchen auf dem Tisch ab, schlüpfte aus dem Kleid und noch einmal unter die Decke zu Julian.

Mit dem Blick zum Korb dachte sie daran, dass wohl jetzt das Eis gebrochen war, welches zwischen ihr und den Dorfbewohnern bis zum Tage zuvor noch gewesen war.

Mit dem Schnitt durch Matikas Kehle hatte sie wohl noch viel mehr zerschnitten. Möglicherweise hatte ihr das Schicksal damit die Gelegenheit gegeben, die Menschen hier von sich zu überzeugen und dann irgendwann auch dafür zu sorgen, dass sie diese Wälder wieder verlassen und in der Ebene leben konnten. Ohne Xander als König fürchten zu müssen.

Wie viele Rebellen gab es wohl? Und wie viele brauchte man, um Xander aus der Burg werfen zu lassen?

Julian räkelte sich unter der Decke und brachte ihre Gedanken wieder zurück in diese Hütte.

Zuerst zählte dieser Moment voller Zweisamkeit. Etwas, was bis gerade eben noch seidenweich darniedergelegen hatte, das nahm unter der Decke deutlich an Größe und Festigkeit zu. Diese Gelegenheit durfte nicht ungenutzt verstreichen und so begann der Tag, wie der vorangegangene geendet hatte: mit einem Schrei der Ekstase.

Viel später saßen sie am Tisch und aßen von den leckeren Früchten, die Siegrun ihnen gegeben hatte. Es war ja Herbst und da gab es hier offenbar viel zu ernten.

Offensichtlich hatte die Frau hier auch irgendwo einen Apfelbaum, denn die großen und süßen Früchte waren ganz frisch.

Und dann begann der Tag für sie als Aushilfe von Marina. Kaum war der Korb vom Tisch, da kamen die ersten Menschen zu ihr. Mit Wehwehchen, zum Quatschen, für einen Trunk. Die Hüttentür ging unaufhörlich auf und zu.

Ohne große Pause arbeitete Radunta bis zur Abenddämmerung. Es machte ihr Spaß und es war schön, gebraucht zu werden.

Alles was die Mutter und Voltura ihr in all den Jahren der Ausbildung beigebracht hatten, dass konnte sie momentan ausprobieren. Und die große Göttin würde sicher ihre Hand schützend über sie halten. Das hatte sie ja auch zweifellos bereits getan, als sie die Waffe in den Hals des kleinen Mädchens gestoßen hatte.

Mit der untergehenden Sonne trat Radunta an den Altar, der neben Marinas Hütte aufgebaut war. Er stand so, dass die Strahlen in diesem Moment genau das Abbild der großen Göttin in ein rötliches Licht tauchten.

Beim Anblick dieses Lichtes stellte Radunta fest, dass ihre monatliche Blutung schon eine Woche zu spät war.

Oder schon über einen Monat?

In all der Aufregung der Flucht und der Sorge um Sofia hatte sie nicht darauf geachtet, doch gerade eben hatte ihr die große Göttin wohl einen Denkanstoß gegeben.

Eventuell hatte sich Julians Samen bereits in ihrem Schoß verfangen.

Aber wollte sie jetzt schon ein Kind? Oder doch noch nicht?

Bis vor wenigen Augenblicken hatte sie sich darüber noch keine Gedanken gemacht und bis vor ein paar Wochen gab es ja da auch noch nichts zu überlegen, doch jetzt hatte sie Julian!

Aber sollte das Kind in solch einer Situation auf die Welt kommen? Ständig auf der Flucht? Mit Angst vor Xander und seiner Rache?

„Große Göttin! Gib mir einen Rat!", sagte sie und verbeugte sich vor dem hölzernen Abbild.

Auf dem Weg zurück zur eigenen Hütte blieb sie vor Marinas Tür stehen. Das Gebäude war unverschlossen und auf dem Tisch stand ein Becher. Ein Sonnenstrahl fiel durch das Fenster genau darauf und vielleicht war dies das Zeichen der Göttin.

Die Tür stand weit offen und Radunta trat ein.

Was mochte wohl für ein Trunk in dem Gefäß sein?

Sie schnupperte an dem Getränk. Es roch nach Kräutern und schillerte im letzten Sonnenlicht. Wenn es wirklich der Wille der Göttin war, dass sie genau diesen Trunk zu sich nehmen sollte, dann wollte sie diesem Willen auch Genüge tun, denn die Entscheidung einer Gottheit sollte man nicht in Zweifel ziehen.

Radunta setzte den Becher an und kippte das Gebräu in einem Zug hinunter.

Es schmeckte widerlich und würgte in ihrem Halse!

Der Becher entglitt ihrer kraftlos gewordenen Hand und fiel polternd zu Boden.

Nach Luft schnappend und unter Krämpfen brach sie neben dem Tisch zusammen und rollte sich auf dem Fußboden der Hütte umher. Mit beiden Händen drückte sie auf ihren Bauch und versuchte die Schmerzen zum Verschwinden zu bringen.

Wimmernd zog sie die Beine an, um den Druck von ihrem Unterleib zu bekommen.

Was war das nur gewesen?

Vielleicht hätte sie doch vorher fragen sollen!

Schließlich spürte sie, wie ihre Blutung wieder einsetzte, aber so stark, wie noch nie zuvor.

Rasch ließen jetzt die Schmerzen nach, aber sie musste mit einem Tuch versuchen, das Blut von ihrer Kleidung fernzuhalten.

Schnell streifte sie sich das Kleid über die Hüften nach oben, setzte sich mit dem nackten Hintern vor den Tisch und zog ein Tuch aus der Kiste, die neben ihr stand.

Zum Glück war dieses Stoffstück in genau der richtigen Größe und hatte wohl auch genau diese Aufgabe gehabt.

Ein „Schade!", sauste wehmütig durch ihren Kopf, aber sie konnte noch viele Kinder haben.

Mit Julian, wenn der Vater endlich bestraft war!

Taumelnd kam sie wieder auf die Füße und schlurfte zu ihrem Geliebten zurück.

71. Kapitel
Zwei Frauen alleine im Wald!

Der neue Morgen weckte Sofia, weil die Sonne ihre Nase kitzelte. Neben ihr schnarchte Marina im Moos. Fünf Schritte entfernt saßen zwei Hasen am Bach und stillten ihren Durst in dem silbern glänzenden Gewässer. Sicherlich waren es zwei Häsinnen, denn einen Rammler hätte die große Göttin sicher von hier fern gehalten.

Es war ein Platz der Frauen!

Alles war so friedlich auf dieser Lichtung und die beiden Fellträger störte es auch nicht, dass Tinka auf Samtpfoten zu ihnen schlich. Die Katze schmuste mit den beiden gleich großen Häsinnen.

Sofia setzte sich auf, streckte sich und ihr fiel ein, dass dies die erste Nacht ohne Albtraum gewesen war! Es ging voran!

Leise erhob sie sich, ging barfuß zum Bach und kniete sich direkt neben die Hasen, die aber von Tinka abgelenkt waren.

Dieser Platz schien nicht von dieser Welt zu sein. Das Wasser war frisch, klar und eiskalt. Der Raureif war sicher erst vor wenigen Augenblicken rings um sie herum getaut, denn das Gras glänzte noch feucht.

Sofia wandte den Kopf zur Seite. Verlockend war der steinerne Schoß der Göttin dort zu sehen und er war so hoch, dass darin sicher ein Mensch aufrecht stehen konnte.

Er war nur etwa zwanzig Schritte von ihr entfernt, aber sie wagte nicht, ihn zu betreten, obwohl er nach ihr zu rufen schien.

Es wäre gewiss eine Art von Entweihung, selbst von einer Frau, aber den Felsen berühren, das ging vermutlich.

Ohne Schuhe und Strümpfe ging sie über die Wiese zu der Öffnung und selbst aus der unmittelbaren Nähe blieb dieses markante Bild. Es wurde sogar durch das Moos noch verstärkt, welches an der Stelle wuchs, wo auch bei ihr das Haar die Scham bedeckte.

Obwohl es mitten im Herbst war, war es in diesem kleinen Tal gar nicht so kalt. Von drei Seiten von den Bergen umgeben und die Sonne von der vierten Seite wurde es gelegentlich sogar richtig warm.

Dennoch musste das Feuer jetzt geschürt werden und dazu lief Sofia augenblicklich zum Waldrand.

Am Abend zuvor hatte sie da noch pfeifend versucht, die Angst zu vertreiben, momentan trat sie einfach einen Schritt vor, zog einen Ast heraus und schleppte ihn zum Feuer.

Marina erwachte gerade, setzte sich auf und lächelte sie an.

Schnell war der Ast zerkleinert, das Feuer geschürt und sie beide knieten an dem Bach, um sich zu waschen.

„Womit beginnen wir heute?"

„Du hast doch schon begonnen!", antwortete Marina und zeigte zum Waldrand, von welchem sie gerade den Ast geholt hatte.

Sofia nickte verstehend.

Die ältere Frau bespritzte sie mit Wasser und lächelte sie an, dann fragte sie: „Worauf hättest du denn Lust?"

Sofia überlegte, was Marina ihr am Tage zuvor beim Ritt erzählt hatte. Gesungen hatten sie ja bereits. Vielleicht diese Meditation, von der sie gesprochen hatte?

Ein paar Augenblicke später standen sie sich beide auf der Wiese gegenüber. Marina machte die Figuren vor, erklärte sie und Sofia versuchte diese nachzumachen.

Am Anfang sah es wohl ziemlich komisch aus und sie brauchte ein paar Versuche, um bei mancher davon das Gleichgewicht zu halten, aber dann wurde es besser.

Daraufhin tapste Tinka zwischen sie beide und versuchte die Übungen ebenfalls, aber das sah so komisch aus, dass sich Sofia laut prustend rücklings ins Gras fallen ließ. Lachend hielt sie sich den Bauch.

Nach den Übungen brachte Marina aus ihren Satteltaschen ein herrlich duftendes Fladenbrot zum Lagerfeuer. Essend sah sie wieder Tinka zu, die gegenwärtig abermals mit den beiden Hasen spielte.

Ein Vogel begann am Rande des Waldes mit einem Lied und der Schmerz war weit fort. Im Gras sitzend ließ sich Sofia das Brot schmecken und es war genauso lecker, wie es zuvor gerochen hatte.

Es schien so, als ob an diesem Platz im Wald alles perfekt war. Hier verstanden sich Mensch und Tier. Jeder hatte Spaß und Sofia hatte das erste Mal seit langem wieder herzhaft gelacht.

„Nun mache ich Musik und du tanzt!", erklärte Marina nach dem Brot, holte eine Trommel und setzte sich an das Feuer.

„Hier? Mitten im Wald?"

„Warum nicht. Schau! Tinka macht es dir vor!", erwiderte Marina und zeigte zur Seite.

Die kleine Katze schien wirklich zu tanzen und Sofia hob sie sich auf den Arm. Der Vogel sang immer noch sein Lied, Marina nahm den Takt mit der Trommel auf und Sofia begann sich einfach mit dem Rhythmus mitzubewegen.

Tinka schnurrte vor Vergnügen und Sofia schloss ihre Augen.

Sie war eins mit dem Lied. Und mit der Natur hier.

Tanzend in der warmen Sonne, mit den nackten Füßen im besonders weichen Gras, vergaß Sofia schließlich alles um sie herum. Rings um sie war Musik, sogar tief in ihr drin, denn ihr Herz schien mit dem Trommeltakt zu schlagen.

Schließlich hüllte ein Wohlgeruch sie ein, der nicht von dieser Welt sein konnte. Die große Göttin war hier und tanzte mit ihr zusammen. Es fühlte sich so an, wie sie damals mit Franziska im Blumenbeet hinter der Burg getanzt hatte.

Damals, wie lange war das her? Noch kein halbes Jahr und dennoch schien es nicht dieses Leben gewesen zu sein.

Immer wieder sprangen ihre Gedanken auf die Zeit vor dieser grauenvollen Nacht. Jedes Mal ein kleines Stück länger! Schön waren die Momente, die vom Schmerz danach wieder zerstört wurden, kurz bevor sie abermals zurücksprang.

Gute und schlechte Momente wechselten in schneller Folge vor ihren geschlossenen Augen ab. Franziska, Wolfger, die Mutter, Xander, Andreas, der Keller, das Blumenbeet, die Gittertür und zum Schluss wieder die Wiese mit der Göttin, Tinka und Marina!

Sofia fiel um, landete auf dem Rücken und schaute nach oben.

Weiße Wolken zogen über ihr dahin. Das waren die Wolken des Sommers und nicht die grauen des schon bald folgenden Winters.

Tinka tippte ihr mit der Pfote auf die Nase und sie hob das Kätzchen in die Luft. Alles würde gut werden. Es musste gut werden! Das erste Mal seit langem wusste sie wieder, dass sie leben wollte.

Der Tod und der Schmerz waren hier fern, aber was würde geschehen, wenn sie diesen Platz in ein paar Tagen wieder verlassen mussten?

Würde dieser unglaubliche Schwermut dann wieder zurückkommen?

Marinas Trommel verstummt und die Frau ließ sich neben sie ins Gras fallen.

„Schau mal! Da ist auch eine Katze!", sagte sie und zeigte auf eine Wolke, die wie Tinka aussah.

„Und da ein Hase!", setzte Sofia hinzu und zeigte auf eine andere.

Das Spiel ging weiter, der Schmerz war fort. Vorerst!

72. Kapitel
Der Schoß der Göttin

Ein neuer Tag auf der Lichtung der Göttin begann. Sofia schlug die Augen auf und blickte zu einem Himmel, der sich langsam in das Grau von Winterwolken veränderte.

Sie setzte sich auf und sah in die braunen Augen eines Rehs, das nur ein paar Schritte vor ihr stand. Noch nie war sie diesen scheuen Tieren so nahe gewesen, doch auf dieser Lichtung war wohl alles möglich.

Seit mehr als einer Woche waren sie jetzt schon hier und diese furchtbaren Angstattacken waren immer weniger geworden. Marina hatte ihr gezeigt, wie sie diese schnell wieder in den Griff bekam und jetzt würde es wohl Zeit, wieder unter Menschen zu gehen.

Sie würde versuchen müssen, das hier gelernte mit nach draußen zu nehmen.

Das Reh nickte ihr zu, als wolle es ihre Gedanken bestätigen und ging langsam zum Waldrand hinüber.

Marina gähnte neben ihr, streckte sich und sagte dann: „Guten Morgen! Hast du gut geschlafen?"

Sofia nickte.

„Die dritte Nacht hintereinander, ohne einen Albtraum!", gab sie zurück und streckte sich ebenfalls.

„Das ist gut!", erwiderte Marina, erhob sich, legte ihre Decke zusammen und holte wieder dieses leckere Brot.

Wie konnte das nach all der vergangenen Zeit noch so verführerisch duften? Es mochte wohl an diesem Ort liegen!

„Ich glaube, wir müssen bald diese Lichtung verlassen. Oder?", fragte Sofia und zeigte nach oben, wo die Wolken gerade schon viel niedriger über ihnen dahin zogen.

Marina nickte kauend. „Heute!", erklärte sie, nachdem sie den Bissen heruntergeschluckt hatte.

„Heute schon!", gab Sofia zurück und schaute sich um.

Hinter ihr war die Grotte zu sehen und an diesem Morgen schien sie besonders verlockend zu sein. Es mochte wohl auch an der Sonne liegen, die gerade diese Stelle mit ihrem Licht traf.

Marina hatte bestimmt ihren Blick gesehen.

Bisher hatte es Sofia vermieden, diese Stelle zu betreten, doch augenblicklich sagte die Freundin zu ihr: „Die große Göttin lädt dich ein, in ihren Schoß hineinzugehen. Zieh dein Kleid aus!"

Fragend blickte Sofia Marina an, doch die nickte zur Bestätigung.

Sie erhoben sich von ihren Plätzen am Feuer, gingen hinüber und Sofia streifte sich ihre Kleidung ab.

Nackt und schutzlos stand sie damit vor Marina. In den letzten Tagen war dieses Gewand wie ein Schutzpanzer gewesen und was kam jetzt?

„Klettere hinein, gehe zehn Schritte in die Tiefe der Höhle und dann kommst du wieder zurück", erklärte Marina und gab ihr die Hand, damit Sofia besser in die Öffnung steigen konnte.

„Komme auf allen vieren zurück und dann springst du vom Rand der Grotte in die Quelle davor!", gab die ältere Frau ihr noch mit auf den Weg.

Die Sonne beleuchtete den Felsspalt für ein Stück.

Schritt für Schritt zählte Sofia bis zehn, kniete sich danach hin und kroch auf Händen und Knien zum Ausgang zurück, dem hellen Licht entgegen.

Es schien ihr dabei so, als ob der Gang, den sie gerade eben aufrecht gegangen war, gegenwärtig viel enger war. Beim Kriechen traute sie sich nicht, den Kopf zu heben. War das nur Einbildung? Das war doch alles Stein um sie herum. Oder?

War sie wirklich gerade im inneren der Göttin? In ihrer Scheide? Wie ein Kind bei der Geburt?

Nackt und auf dem Weg zum Licht?

Immer enger wurde der Kanal und schließlich musste Sofia das letzte Stück auf dem Bauch rutschen. Das Wasser, welches unter ihr floss, half ihr beim Gleiten. Endlich war sie mit dem Kopf draußen und ließ sich in den Tümpel der Quelle fallen. Von springen war nicht die Rede, denn sie konnte sich am Rande nicht aufrichten.

Sofia tauchte in dem eiskalten Wasser unter.

Prustend kam sie wieder hoch und drehte sich zurück.

Die Öffnung war wieder riesengroß. Da hätte sie sogar mit nach oben gestreckten Händen hineingehen können.

Erfrischt und belebt stieg sie am Rande des Beckens, mit Marinas Hilfe, wieder auf die Wiese.

„Das war wie eine Geburt!", bemerkte sie und blickte wieder zu der Grotte.

„Ich weiß! Die große Göttin hat dich wiedergeboren! Aller Schmerz ist von dir genommen! Und für alles andere hast du die Übungen!", entgegnete Marina.

„Ich danke dir!", sagte Sofia und fiel der anderen Frau, ungeachtet der nassen Haut, um den Hals.

Marina löste sich lachend aus der Umklammerung, gab ihr ein Tuch zum Abtrocknen und hielt ihr danach das Kleid hin.

Während sich Sofia anzog, ging die ältere Freundin schon die beiden Reittiere auf die Lichtung holen.

Damit waren das wohl jetzt die letzten Momente, die Sofia hier sein würde. Sie trat an die Felsgrotte heran, legte ihre Hand gegen den Stein und sagte leise: „Ich danke auch dir!"

In sich hörte sie eine Stimme, die ihr offenbarte: „Das hier ist dein sicherer Platz und wann immer du in Not, Angst oder Panik bist, dann denke an mich und diesen Flecken!"

„Das werde ich tun!", entgegnete Sofia und verbeugte sich vor der großen Göttin.

Hinter sich hörte sie die Stute wiehern und wandte sich zu Marina zurück.

Auf dem Weg zu dem Pferd sammelte sie Tinka auf, steckte sich die Katze wieder in ihre Umhängetasche und trat an das Reittier heran.

„Schön war es hier!", erzählte sie, blickte noch einmal zurück und stieg dann auf den Rücken der Schimmelstute.

Neben ihr schwang sich Marina flink in den Sattel ihre Mauleselin.

„Dieser Platz ist von jetzt an immer in dir!", sprach Marina und wiederholte damit das, was die Göttin schon zu ihr gesagte hatte. Vermutlich hatte sie es vor vielen Jahren auch Marina enthüllt.

Langsam ritten sie aus dem Tal heraus und im selben Moment setzte der erste Schneefall ein. Nur leichte Flocken und vorerst nur ein paar einzelne, aber ein untrügliches Zeichen dafür, dass es wirklich an der Zeit gewesen war, diesen wundervollen Platz zu verlassen.

Nach der Geburt hatte die große Göttin sie jetzt in die Welt entlassen, wie ein Kind, dass man irgendwann mal ziehen lassen muss.

Vielleicht so, wie die Mutter sie hatte loslassen müssen. Gegenwärtig konnte sie ohne Schmerz in der Brust an Zondala denken. Da war keine Wut mehr in ihr.

Und zu allem anderen würde sie lernen müssen, damit zu leben.

Das hatte Marina ihr ja bereits auf dem Herweg erklärte.

Augenblicklich war es Zeit für ein Winterlied und Sofia stimmte es an. Es klang schräg und falsch, war aber lustig!

73. Kapitel
Winterwind

Seit fast einem Monat lag jetzt schon Schnee rund um das Tal. Erst damit war Radunta wirklich sicher vor der Rache ihres Vaters. Vor der Schneeschmelze war an sie von der Ebene aus kein Durchkommen mehr. Von der anderen Seite aus schon, aber von dort drohte ihr keine Gefahr.

Der Gebirgszug lag wie ein Riegel zwischen ihr und Xander.

Nachdem Sofia mit Marina wieder in die Siedlung zurückgekommen war, war die Nichte wie eine andere. Nur manchmal war der Schmerz noch in ihrem Gesicht zu sehen.

Sofia machte gelegentlich sogar Scherze und am Morgen hatte sie neben dem Altar der Göttin einen Schneemann gebaut.

Mit dem Tuch um den Kopf und mit roten Wangen war Sofia wie ein kleines Kind um die Schneegestalt herumgehüpft.

Radunta hob den Blick von dieser Schneeskulptur zu den tief hängenden Wolken und hing ihren Gedanken nach. In den letzten Wochen waren immer wieder Männer aus den anderen Dörfern bei ihr gewesen. Matikas Rettung war wirklich der Auslöser für etwas gewesen, was man eventuell auch „Befreiungsbewegung der Rebellen" nennen konnte.

Radunta sagte einfach: „Kampf gegen den tyrannischen Vater", dazu.

Vermutlich traf beides zu.

Mika und Siegrun hatten den größten Einfluss in dieser Siedlung und durch ihre Fürsprache waren auch die anderen Rebellen auf ihre Seite gewechselt.

Der Winter war somit die Zeit der Vorbereitung, denn wenn der Schnee geschmolzen war, dann wollten sie unverzüglich handeln!

Wenn sie den Erklärungen vertrauen konnten, dann waren es etwa tausend Männer und Frauen, die den Kampf aufnehmen wollten.

Sieg oder Tod waren die Alternative und jeder musste sich dessen bewusst sein, denn würden sie verlieren, dann würde Xander wohl kaum ruhen, bevor nicht auch der letzte Rebell in den Kochtöpfen des Gottes Matuna gelandet war.

Sie und Sofia davon vielleicht einmal ausgenommen, denn der Vater würde sie sicherlich einer ganz speziellen Rache unterziehen.

Manchmal dachte sie wehmütig an ihre Mutter Mildred, die sie ja dort hatte zurücklassen müssen. Sie fragte sich, wie es ihr wohl ging? Hatte der Vater sie schon für die Flucht seiner Beute bestraft?

Daran wagte sie lieber nicht zu denken.

Zu schlimm waren die Bilder, die sie von Sofias grauenhaften Verletzungen und von Barbaras geschundenem Leib noch im Kopf hatte.

Dick in den Mantel eingehüllt, trat sie in Marinas Holzhaus ein. Jetzt, im Winter, war es in der ungeheizten Gefängnishütte einfach viel zu kalt.

Der Not gehorchend und sich dem Verstand beugend, war sie mit Julian in die Hütte der Schamanin gezogen. Das stellte sich für ihr Liebesleben allerdings etwas schwierig dar, denn mit Sofia in der Nähe war es schwierig, von ihr ungesehen, Zärtlichkeiten mit Julian auszutauschen. Nachts, wenn alles finster war, stumm im Bett! Nicht wirklich das, was sie vor lauter Lust in die Welt hinausschreien wollte.

Und das würde bis zur Schneeschmelze einfach so weiter gehen, weiter gehen müssen.

Regelmäßig trank sie jetzt das Gebräu, das ihr die große Göttin empfohlen hatte, denn bis zum Sieg über Xander brauchte sie sich über Kinder und die Zukunft keinerlei Gedanken zu machen.

Erst danach war dann die Zeit dafür gekommen.

Momentan vertrieb sie sich die Tage damit, dass sie Marina bei all den Sachen zur Hand ging, die eine Schamanin im Winter so zu tun hatte und dabei verging wenigstens die Zeit.

Da sie beide dieselbe Lehrmeisterin gehabt hatten, waren ihr Kenntnisse auch ähnlich, allerdings hatte Marina die größere praktische Erfahrung. Mitunter kamen sie beim Kräuter trocknen auch ins fachsimpeln und die anderen beiden Insassen der Hütte sahen sie dann fragend an, doch die ganzen Blätter zu erklären würde länger als einen Winter dauern.

Es war zumindest schön, dass Sofia es ertrug, mit Julian, einem Mann, in einem Raum zu sein. Sogar nebeneinander an einem Tisch zu sitzen, wie Radunta gerade feststellte.

Marinas Behandlung, von der die beiden Frauen ihr nach der Rückkehr nicht ein Wort berichtet hatten, hatte wohl Erfolg gehabt. Und sie freute sich für die Nichte.

Die Tage waren kurz, die Nächte lang und ihr Blick fiel auf das Bett. Sehnsüchtig wartete Radunta gerade auf die Dunkelheit. Der Winterwind pfiff um die Hütte und löste im Kamin einen Klagelaut aus.

„Ich gehe mal Holz holen!", bemerkte Julian.

„Ich helfe dir!", setzte Sofia hinzu und beide verließen zusammen die Hütte.

Da war wirklich nicht mehr diese Angst zu spüren, die Sofia noch im Hain der Göttin vor ihm gehabt hatte.

Radunta beugte sich zu Marina herab, die am Tisch saß, und sagte zu ihr: „Ich danke dir!"

Die Schamanin zog fragend die Augenbrauen hoch, nickte dann aber verstehend.

„Ich glaube, sie ist über den Berg. Ihr braucht also nachts nicht mehr so leise zu sein!", entgegnete Marina schmunzelnd.

Ein bisschen war es Radunta schon peinlich, dass die ältere Frau ihre nächtlichen Liebesspiele, trotz aller Heimlichkeiten, bemerkt hatte.

Die beiden anderen Mitbewohner kamen mit dem Holz zurück und Julian heizte den Kamin noch einmal auf.

Draußen fiel langsam die Dämmerung über das Dorf.

Marina kochte eine leckere Suppe aus den Pilzen, die sie im Herbst gesammelt und getrocknet hatte. Tinka tapste unter dem Tisch herum und Sofia hob sie auf.

Mit der Zeit war Tinka schon etwas größer geworden und passte nicht mehr in zwei Hände. Sie ließ sich jetzt nur noch von Sofia hochheben und schlief auch bei Sofia in dem dritten Bett. Wie ein Wächter.

Das Essen kam auf den Tisch und Raduntas Gedanken sausten wieder nach draußen. Sie entschuldigte sich bei der Mutter und bei Barbara, die sie beide in der Burg hatte zurücklassen müssen, aber sie hatte nur eine retten können.

Ein stilles Tischgebet für die große Göttin folgte und alle langten bei der wohlschmeckenden Suppe kräftig zu. Beim Essen erzählte Marina eine kleine Wintergeschichte, während es vor der Hütte vollkommen dunkel wurde.

Jetzt konnte Radunta es nicht mehr erwarten, dass das Licht endlich gelöscht werden würde.

Marina nickte ihr schmunzelnd zu, als sie die Kerze ausblies.

Alle vier verschwanden in ihren Betten und diesmal ließ Radunta das Unterkleid auch schon lautlos vor dem Bett fallen. Das Stroh raschelte, als sie sich auf Julian zubewegte.

Sie musste schmunzelnd, als sie an das Gesicht dachte, was er gleich machen würde, wenn seine suchenden Finger feststellen würden, dass sie bereits nackt war. Sie drückte sich ihm entgegen und schon hörte sie den Seufzer seiner Überraschung, als er ihre Brust berührte.

Der Winterwind würde jetzt alle anderen Geräusche überdecken. Schnell schwang sie ein Bein über seinen Körper und spürte an ihrem Schoß, dass er schon für sie bereit war.

Seufzend senkte sie ihren Unterleib ihm entgegen und nahm ihn in sich auf.

74. Kapitel
Weite Wege

*D*ieser Winter hatte mehr geändert, als sich Lunara jemals gedacht hatte. Natürlich war ihr an dessen Beginn bewusst gewesen, dass sich etwas ändern musste, aber dass alle Tuck da so mitgezogen hatten, das hatte sie selbst überrascht.

Im Laufe des Winters waren alle Angehörigen der Stämme in Häusern untergekommen. Es gab nicht ein einziges Zelt mehr auf dem Plateau vor der Höhle.

Robby und seine Gefährten schafften es, zusammen mit den Menschen, ein Haus am Tag zu errichten, wobei die kybernetischen Wesen für den Transport des Baumaterials zuständig waren.

Die Menschen schufen sich dann ihre Häuser selbst und mit den Bauwerken entstanden auch die ersten Familien. Es war am Anfang unmerklich gewesen. Ein Mann war einfach mit einer Frau in das erste Haus gezogen. Vermutlich hatte er es für gut befunden, denn gegenwärtig wollten alle so leben.

Damit änderte ein einziger Winter, ein paar Monate, die Lebensweise der Tuck so gravierend, wie es nie zuvor gewesen war.

Jahrhundertelang waren sie nomadisierend umhergezogen, hatten geraubt, um zu überleben und derzeitig war alles anders.

Die Stadt des Wissens nahm also Gestalt an und es war abzusehen, dass Lunara mit der Schneeschmelze in die Ebene hinaus musste, um dafür zu sorgen, dass es den Tuck auch weiterhin gut ging.

Sie hatte sich dazu entschlossen, nur Sejla auf diese Reise mitzunehmen. Zwei Frauen waren wohl bessere Botschafter, als eine Gruppe von halbnackten Reitern, denn schließlich konnte ja unten in den Königreichen noch keiner der Menschen wissen, was sich im Gebirge getan hatte.

Zwei Frauen, von denen eine noch mit sämtlichen Königshäusern verwandt war, waren wohl das Beste, was die Tuck im Moment noch zu bieten hatten. Und sie würde auf ihrem geliebten Donnerschlag reiten können, obwohl es auf Robby sicherer und schneller gegangen wäre, aber die Furcht der anderen Menschen vor einer riesengroßen Spinne würde da wohl eher kontraproduktiv für Verhandlungen sein.

Am Schlimmsten war für Lunara allerdings die Vorstellung, den geliebten Mann für eine Weile zurückzulassen, aber es ging eben nicht anders.

Daher nutzten sie die verbleibenden Tage so intensiv, wie nur irgend möglich.

Sowohl Sejla, als auch sie waren momentan im sechsten Monat schwanger. Bei ihnen war die Rundung des Bauches nicht mehr zu übersehen. Seit einer Weile stand Lunaras Bauchnabel wie ein Knopf hervor.

Mitunter bekam sie schlecht Luft, oder sie hatte Krämpfe im Unterleib, aber das war nach dem gefundenen Buch auch normal. Das andere Buch half ihr dabei, auch mit dem hervorstehenden Bauch noch die Lust mit Dodarus zu finden.

Ihr eigenes Haus hatte Robby als eines der ersten in der Nähe des Tunnels gebaut und momentan dachte Lunara darüber nach, ein Gebäude direkt vor diesen Tunnel zu setzen.

Damit konnten sie den Eingang besser beschützen und es würde ein Gebäude des Wissens sein. Eine Art von Universität. Sie hatte dieses Wort in einem der Bücher gelesen und es kam ihr passen vor.

Kaum von ihr gedacht, machte sich Robby auch schon auf den Weg.

Mitten in diesen Bau hinein begann der Schnee zu schmelzen und somit würde Lunara die Fertigstellung des Bauwerkes erst sehen, wenn sie wieder mit den verschiedenen Gelehrten zurückkommen würde.

Nach einer langen und zärtlichen Verabschiedung von Dodarus schwang sie sich in den Sattel. Sejla bestieg ebenfalls ihr Pferd und der Mann reichte ihnen die Satteltaschen herauf.

Der halbe Stamm war zu ihrer Verabschiedung auf dem Platz vor der Baustelle des Hauses angetreten. Alle wussten wohl, was von dieser Reise für sie alle abhing. Nur mit Wissen alleine konnte man nicht leben, man brauchte auch noch Korn und Fleisch dazu!

„Reite vorsichtig und passe auf unser Kind auf!", sagte Dodarus zu ihr und fast dasselbe äußerte er auch zu Sejla.

Seine beiden Frauen mit seinen beiden Kindern ritten langsam die Gasse entlang und erreichten wenig später die Ebene.

Dort blickte Lunara noch einmal aus dem Sattel zurück und fragte sich, ob es wohl wirklich so gut sein würde, alleine in die Ebene nach unten zu reiten.

Sejla griff nach ihrer Hand und drückte diese.

Diese Berührung gab ihr den Mut, diesen Weg zu gehen.

Aber was würde Sandra zu ihr sagen? Mit dem Verlassen der Tuck holten sie augenblicklich die Fragen der Zivilisation ein.

Sie trug das Kind ihres eigenen Bruders in ihrem Bauch!

Seufzend schaute Lunara nach vorn, trieb ihre Fersen in die Seite des Hengstes und Donnerschlag jagte davon.

In den Satteltaschen von Donnerschlag und Sejlas Pferd waren einige der Bücher verstaut, die sie den gelehrten Männern zeigen und erklären wollte.

Die ersten davon waren über Landwirtschaft geschrieben, weil ihr erster Anlaufpunkt die Mutter und Fürst Reinhold sein würden.

Eine Woche würde der Ritt vielleicht dauern, denn Sejlas Pferd war nicht so schnell wie ihr Rappe.

Die nächsten geplanten Punkte ihres Weges waren Mortunda und Cenobia. Es war sicher ein Wink des Schicksals, dass sie die Schwester der Königin von Mortunda, die Nichte des Königs von Cenobia und die Tochter der Fürstin von Wiesenland war.

Nur zu Waldonien hatte sie nicht den Bezug, es sei denn, dass Sofia ihren Prinzen Frederic geheiratet hatte, dann wäre sie über die Nichte auch mit dem König von Waldonien verwandt.

Konnte man eigentlich bessere Voraussetzungen für solch eine Mission haben?

Und dennoch hatte sie Angst vor der Mutter und der Schwester.

Was würden sie sagen?

Lunara zog an Donnerschlags Zügel und ließ das Pferd im Schritt gehen, denn eines hatte sie bei ihrer Reiseplanung nicht beachtet: Die durch die Schwangerschaft angeschwollenen Brüste taten beim schnellen Reiten weh.

Und sie erkannte an Sejlas Gesichtsausdruck, als diese sie eingeholt hatte, dass es der Freundin ähnlich ging. Damit brauchten sie eine Lösung für das Problem, um dennoch schnell an ihr Ziel gelangen zu können.

Als sie am Abend das alte Lager wieder erreicht hatten, in welchem der Schamane noch immer sein Zelt hatte, beschlossen sie, bei ihm die Nacht zu bleiben und aus etwas Stoff notdürftig ein paar Oberteile zu machen, mit denen sie dann am nächsten Tag weiterreiten konnten.

Der alte Mann freute sich sichtbar über den Besuch. Ein bisschen war es ja auch Lunaras Schuld, dass er hier so alleine leben musste, aber er hatte sich geweigert, mit ihnen an den neuen Lagerplatz an der Drachenhöhle zu wechseln. Er wollte hier, unweit ihrer heiligsten Stätte, bleiben.

Von hier aus war es aber immer noch ein weiter Weg!

75. Kapitel
Die letzte Nacht?

Der beginnende Frühling hatte seine grünen Knospen wieder an die Büsche gezaubert und damit wurde es für Radunta Zeit, ihren ehrgeizigen Plan zu verwirklichen. Jetzt, da der Schnee im Gebirge taute, und als reißender Bach durch das Tal stürzte, war für Xander der Weg zu ihr wieder frei.

Der natürliche Schutz verschwand damit zusehends und jeder Tag konnte der letzte für sie in Freiheit sein.

Es blieb ihr eben nur übrig, dem rachsüchtigen Vater zuvorzukommen.

In den letzten Monaten hatte sie die Männer zusammenbekommen, mit denen sie Xander von der Insel vertreiben konnte und jetzt galt es, das entschlossen zu tun.

Radunta legte den Kopf ins Genick und blickte auf die Wolken hinauf, die über ihr nach Süden zogen. Das würde auch ihre Richtung sein!

Jetzt gab es kein Zurück mehr, denn am Morgen hatte sie die Melder zu den anderen Siedlungen geschickt.

Es war wohl ziemlich seltsam, dass die Männer auf eine junge Frau hörten, aber offensichtlich war die große Göttin bei ihr und half ihr.

Am Rande des Baches sitzend schaute Radunta jetzt in die tosenden Wellen, die dieser kleine Bach durch das Schmelzwasser hatte. Es war bei den Menschen hier wohl ähnlich. Zu lange hatte sich der Zorn auf Xander in ihnen aufgestaut und jetzt konnte ihn niemand mehr aufhalten.

Mit Kraft bahnte sich das Gewässer seinen Weg und der Zorn auf den verhassten König suchte sich den seinigen.

Es war wohl kein Zufall gewesen, dass sie diesen Weg aufzeigte, und derzeit konnte es niemand mehr aufhalten. Wer sich diesem

Zorn entgegenstellte, dem würde dasselbe passieren, wie jemanden, der so leichtsinnig wäre, und in diesen Bach stieg.

Selbst die größten Steine wurden davon hinfort gespült!

Und wenn es Schicksal war, dann war es völlig ausgeschlossen, dass sich Radunta dem entzog.

Allerdings steckte die Angst vor dem Ende noch immer in ihr.

Sie kannte den jähzornigen Vater und seine unberechenbare Gewalt nur zu gut. Und für ihren Plan musste sie ihm gegenübertreten.

Alleine!

Diesen Teil ihres Planes hatte sie bisher niemanden erzählt und sie verschloss diese Furcht davor tief in sich, denn sie musste Zuversicht und Siegeshoffnung ausstrahlen.

Wenn einer der Männer ihre Zweifel bemerken würde, dann wäre alles verloren!

Möglicherweise würden die Rebellen dann sie und Sofia gegen ein Stück Land eintauschen, wobei ein Handel mit Xander immer ein unkalkulierbares Risiko barg.

Am Rande der Schlucht hinter ihr machten sich die Männer und Frauen dieser Siedlung abmarschbereit.

Marina rief nach ihr und Radunta stemmte sich von ihrem Platz hoch. Vor dem ersten Schritt zitterten ihre Beine, dann hatte der Mut der Verzweiflung sie eingeholt.

Sieg oder Tod!

Das galt ganz besonders für sie!

Sofia trat mit dem Beutel aus der Hütte.

„Du kommst mit? Das musst du nicht!", sagte Radunta.

„Doch! Ich muss! Ich muss mich meinen Peinigern stellen!", erwiderte Sofia entschlossen.

Beide Frauen umarmten sich und Julian gab ihr ihren Beutel.

Unter Marinas Führung stiegen sie zur Lichtung mit den Pferden hinauf.

Erst seit ein paar Tagen waren die Reittiere aus dem Stall heraus, in welchem sie notgedrungen, wegen des kalten Winters im Gebirge, eingesperrt gewesen waren.

Steppenwind sprang wie ein Fohlen umher und man konnte die Freude der Stute über den nun folgenden Ritt deutlich erkennen. Sie war etwas runder geworden, was den Bemühungen des Hengstes in jener so bedeutsamen Nacht am Anfang ihrer Flucht geschuldet war, aber es würde sicher noch bis zum Herbst dauern, bevor das Fohlen dann da sein würde.

Der Sattel passte noch und sie würden auch nur langsam reiten, denn nicht jeder in der Siedlung hatte ein Reittier.

Marina überließ Sofia ihre Mauleselin und Julian lief neben Radunta her, so wie er es schon auf dem Weg in dieses Tal gemacht hatte.

Es würde einige Tage dauern, bis sie vor der Burg des Vaters sein würden, aber den kürzeren und direkten Weg wollte niemand gehen. Zu grausam waren die Krieger des Gottes Matuna!

Unterwegs würden sich ihnen die anderen Gruppen anschließen. Zuerst würde sie ihr Pfad nach Norden, dann nach Osten und am Thamasius entlang letztendlich nach Süden führen.

Es war ein weiter Weg!

Mehr als eine Woche waren sie jetzt schon unterwegs. Es wurde Abend und sie sahen die Lichter der Stadt Londinum auf der gegenüberliegenden Flussseite.

Bereits seit ein paar Tagen gingen sie nur noch in der Dunkelheit, denn zu nahe waren sie schon der Burg.

Tausend Männer und Frauen, ein dutzend Reit- und Tragtiere, schoben sich relativ geräuscharm durch die Nacht.

Schließlich flüsterte Julian neben ihr: „Da ist die Burg!"

Die Umrisse waren nur schwach gegen den etwas helleren Himmel zu sehen.

Sie waren da!

Und sofort ließ die verdrängte Angst vor dem Vater sie zittern.

Nur warum?

Er hatte ihr ja eigentlich nichts getan. Es war sicherlich nur die Furcht vor dem, was er tun konnte!

Radunta ließ sich aus dem Sattel gleiten und führte Steppenwind am Zügel.

Sie betraten ein Wäldchen und würden dort, in Sichtweite der Befestigung, warten.

Ihre Augen versuchten, die Dunkelheit zu durchdringen.

Erneut zitterte sie, denn wenn der Plan schiefging, dann war das ihre letzte Nacht auf Erden.

Nachdem Steppenwind versorgt war, setzte sich Radunta neben Julian. Es war ziemlich frisch in dieser Nacht und Feuer durften sie auch nicht mehr machen.

Schützend und wärmend legte ihr der Geliebte den Arm um die Schultern. Viel zu viele nutzlose Gedanken und Befürchtungen sausten durch ihren Kopf. Vor knapp einem halben Jahr war sie von hier geflüchtet und heute war sie freiwillig wieder hier.

Sie musste verrückt sein, dieses Unterfangen zu wagen!

Warum? Hätte sie nicht auch mit Julian irgendwo im Gebirge verschwinden können? Warum tat sie sich das an?

Wegen der Menschen! Und wegen der Rache des Vaters! Das war die Antwort. Die große Göttin hatte sie hierher geschickt, um zu helfen.

Xanders Gewaltherrschaft, von der ja auch sie ein Produkt war, musste beendet werden.

Und zwar mit Gewalt!

Eine Weile später lag sie, an Julian gekuschelt, unter einer Decke im weichen Moos. Der Geliebte hatte sicherlich instinktiv den perfekten Platz für diese Nacht gefunden.

Julian kannte sich im Wald gut aus und an seine breite Brust gelehrt waren alle Zweifel fort, aber sie kamen zurück, und dabei wollte sie doch einfach nur hier liegen und an nichts denken.

„Was denkst du?", fragte Julian leise.

„Daran, dass ich nichts denken möchte!", erwiderte sie flüsternd.

Ein Kuss berührte zärtlich ihre Lippen. Nur gehaucht!

Obwohl sie bis gerade nur kuscheln wollte, gingen ihre Hände augenblicklich abwärts auf eine Reise in der Dunkelheit.

Julian stöhnte auf, als ihre Fingerspitzen das Ziel ihrer Suche ertastet hatten.

„Bitte nimm mir diese unnützen Gedanken aus dem Kopf! Lass mich einfach nur glücklich sein!", hauchte Radunta und streifte sich ihr Kleid über den Kopf.

76. Kapitel
Familienbande

Dieses Pferd hätte Sandra unter tausenden sofort wiedererkannt, aber was machte Donnerschlag hier auf dem Burghof? Gerade war sie auf der Wiese hinter der Burg gewesen, um die ersten Frühlingsblumen zu pflücken, als sie bei der Rückkehr vor dem von ihrer Tochter so abgöttisch geliebten Hengst stand.

„Lunara!", rief sie laut aus und hoffte, dass nicht nur der Hengst den Weg zu ihr zurückgefunden hatte.

Hinter einer der Hütte tauchte die Tochter mit einer anderen Frau auf und rannte schreiend auf sie zu.

„Mutter!", rief sie schluchzend, als sie ihr um den Hals fiel.

„Ich habe dich so vermisst!", brachte Sandra, ebenfalls unter Tränen, hervor.

Erst jetzt spürte sie den Bauch der Tochter, der sich gegen ihren Leib presste.

„Erzähle mir alles!", bat sie, als sie sich aus der Umklammerung gelöst hatte.

„Das ist Sejla!", sagte die Tochter als Erstes und die junge Frau begrüßte sie. Sie war eindeutig aus dem Stamm der Tuck, aber was machten diese zwei Frauen alleine hier?

Augenblicklich war Sandras Neugier geweckt.

„Hast du deinen Vater getroffen? Ist das Kind von ihm?"

„Nein! Archus ist tot!", erwiderte Lunara.

„Bist du geflohen?"

„Nein! Der Kahn hat mich mit einer wichtigen Mission betraut", antwortete Lunara.

Lunara drehte sich zu Donnerschlag um und Sandra sah das vertraute Symbol auf der nackten Schulter der Tochter.

„Du bist eine der Schlangenhüterinnen?", fragte sie und strich mit den Fingern über die deutlich fühlbare Narbe.

„Ja! Aber das ist noch nicht alles!", bemerkte Lunara und drehte sich mit einem Stapel von Büchern zurück zu ihr und auch die andere Frau hatte jetzt einige Bücher in der Hand.

„Wir müssen zuerst zu Reinhold! Dann kann ich dir alles erzählen!", erklärte Lunara.

Gemeinsam liefen sie über den Burghof, betraten die Treppe des Haupthauses und stiegen in den Saal nach oben, in welchem Fürst Reinhold gerade Audienz hielt.

Geduldig wartete Lunara am Rande des Saales, bis sie an der Reihe sein würde.

Es dauerte eine Weile, bis der Herrscher sie zu sich heran winkte.

Lunara machte einen Knicks vor Reinhold und entgegnete: „Ehrwürdiger Vater und Fürst. Ich habe hier einige Bücher, mit deren Inhalt ihr die Landwirtschaft in Wiesenland auf das zehnfache dessen steigern könnt, was es im letzten Jahr war. Und ich bin gekommen, um euch im Namen des Kahns der Tuck einen Friedensvertrag anzubieten."

Das Geschnatter der Menschen ringsum verstummte augenblicklich und man hätte ein Tuch zu Boden fallen hören können.

Mehr ernten und mehr davon behalten? Und die Überfälle würden ebenfalls enden? Das wäre für die Menschen hier viel zu schön, um wahr zu sein! Oder etwa nicht?

Wie hatte die Tochter das nun angestellt?

Reinhold winkte ein paar seiner Gelehrten zu sich und erhob sich dann. Er gab der Tochter die Hand, dann zog er sie zu sich und umarmte die verdutzte Lunara, denn das hatte der Mann noch nie zuvor gemacht.

Selbst bei Sandra konnte er kaum seine Gefühle zeigen, doch jetzt hatte er für alle sichtbar Tränen in den Augen.

„Ich danke dir, meine Tochter!", setzte er noch hinzu.

Ein Jubel der Anwesenden begann und erst jetzt wusste Sandra, warum im vergangenen Herbst die Überfälle der Tuck so plötzlich zu Ende gegangen waren. Lunara musste etwas erreicht haben, was seit Jahrhunderten niemanden mehr gelungen war.

„Ich erkläre euch dann später, wie man die Schrift lesen kann!", sagte Lunara zu den gebildeten Männern, die gerade die Bücher inspizierten.

Vermutlich hatte sie den fragenden Gesichtsausdruck des einen Gelehrten bemerkt.

„Das kann ich auch machen!", erklärte die andere Frau und Lunara dankte ihr.

Damit hatte die Tochter Zeit für sie und schon wenig später saßen sie zusammen auf der Bank am Fenster, auf der sie auch früher immer gesessen hatten.

„Erzähle!", forderte Sandra jetzt eindringlicher.

Lunara druckste ein paar Augenblicke herum.

„Du weißt ja, dass mich die Tuck entführt haben", begann sie schließlich zögerlich. Dabei strich sie in Gedanken über den deutlich sichtbaren Babybauch.

Mit dem Blick in den Süden setzte Lunara hinzu: „Ich bin jetzt die Frau des Kahns. Sein Kind ist in meinem Leib und in dem von Sejla."

Es kam Sandra so vor, als versuchte die Tochter ihr irgendwie auszuweichen und nicht die ganze Wahrheit zu erzählen. Wieso war sie überhaupt schwanger aus dem Lager des Khans entkommen? Oder hatten sich die Sitten in den Jahren so geändert? Sie selbst hatte doch damals bis zur Geburt im Zelt bleiben müssen!

„Mein Kind ist an demselben Platz gezeugt worden, an dem ich geboren wurde!", erzählte Lunara weiter.

Die Erinnerung an diesen furchtbaren Ort und den Schmerz rauschte wieder durch Sandras Körper. Eigentlich doppelter

Schmerz: Einmal die Zeugung, die ja eine Vergewaltigung gewesen war, und dann diese qualvolle Geburt.

Sie sah sich selbst wieder auf diesem steinernen Tisch und musste die Tochter tröstend in den Arm nehmen.

War es dieser Schmerz, der Lunara bei der Erzählung stocken ließ?

„Irgendetwas verschweigst du mir!", entgegnete Sandra und sah in die großen Augen der Tochter.

„Ich weiß nicht, wie ich es dir sagen soll!"

„Einfach raus damit!", forderte Sandra sie auf.

„Der Khan der Tuck ist dein Sohn!", antwortete Lunara und schlug die Lider nieder.

Es dauerte einen Moment, bis die Erkenntnis Sandras Verstand erreicht hatte. Wenn ihr Sohn der Khan der Tuck war, dann war das Kind in Lunaras Bauch von … „Der Vater deines Kindes ist dein Bruder?", brach es aus ihr heraus.

„Bitte verurteile mich nicht dafür!"

„Aber wieso?", setzte Sandra ihr entgegen.

„Weil ich ihn liebe!"

„Ja! Er ist dein Bruder. Du solltest ihn wie einen Bruder lieben, aber doch nicht so!", stieß Sandra entsetzt aus und zeigte mit der Hand auf Lunaras Bauch.

Die Tochter blickte sie verzweifelt an, dann drehte sie sich zum Kamin und zog einen brennenden Zweig aus dem Feuer hervor.

„Wie dieser Ast steht mein Herz in Flammen. Befiehl diesem Feuer hier, zu verlöschen. Vermagst du das?", fragte Lunara und hielt ihr die Fackel hin.

„Du kannst es nicht. Und ich kann meinem Herzen ebenfalls nicht befehlen, ihn nicht wie einen Mann zu lieben! Mit Herz, Verstand und Körper! Mein Kind wird den besten Vater haben, den man sich nur vorstellen kann!", setzte Lunara hinzu, steckte den

Ast zurück in den Kamin und wollte von der Bank aufstehen, doch Sandra fiel ihr jetzt um den Hals.

Die Zweifel waren augenblicklich fort. Nur Lunara zählte noch. Und das Enkelkind, das in ihr heranwuchs.

„Erzähle mir mehr von meinem Sohn!", bat Sandra und setzte hinzu: „Von deinem Mann!" Dabei streichelte sie den Bauch der Tochter.

Lunara lehnte sich zurück, blickte nach Süden und begann von der ersten Begegnung mit ihrem Bruder zu berichten.

Die Liebe war so stark in ihr zu spüren, dass Sandra augenblicklich wusste, warum sich Lunara in den Bruder verlieben musste.

Diese Wendung des Schicksals gab der Geburt der Zwillinge vor so vielen Jahren eine ganz neue Bedeutung und söhnte Sandra gleichzeitig mit ihrer Vergangenheit aus.

77. Kapitel
Angst und Hoffnung

$\mathcal{J}$etzt war also der Moment gekommen, vor dem sich Sofia so lange gefürchtet hatte! Sie kniete am Waldrand und spähte zu der Burg hinüber, in welcher sich ihre Peiniger befanden. Neben ihr kauerte Radunta und auf deren anderer Seite war Julian sichtlich besorgt um sie beide.

Warum war sie überhaupt mitgekommen? Sicherlich nur, weil sie nicht alleine in der Siedlung zurückbleiben wollte!

Stoßartig ging ihre Atmung, ihr Herzschlag raste und sie war wieder in diesem Keller dort drüben! Sie fühlte den Schmerz, als wäre es gerade jetzt, doch es war Monate her!

Marina nahm sie in den Arm und flüsterte: „Denke an deinen sicheren Platz!"

Das Bild half, die Anspannung ließ allerdings nur langsam nach.

Irgendwo hinter ihnen waren tausend Männer und Frauen in diesem Wäldchen versteckt, das eigentlich gar nicht so groß war!

Sofia schaute zu Radunta hinüber. Die Tante ballte die Faust. So lange hatte sie auf diesen Tag zugearbeitet und derzeitig hofften alle, dass sie siegen würden.

Vorsichtig krabbelten sie wieder zurück in die Deckung der Bäume. Das erste Blattgrün würde sie hoffentlich vor den Spähern von der Burg verbergen.

Im Versteck der Senke fragte Sofia die Tante: „Was ist dein Plan? Die werden uns doch sicher nicht einfach so das Tor aufmachen und ein Willkommensplakat aufhängen! Und zum Stürmen dieser Befestigung sind die Leute zu unerfahren."

„Ich habe es euch bisher nichts gesagt, damit sich niemand verplappern kann! Ich werde in die Festung reiten, mein Vater wird mich bestrafen wollen und in den Kerker werfen. Mit

Radaborgs Hilfe werde ich dort rauskommen und in der Nacht für euch das Tor öffnen. Der Rest ist dann ein Kinderspiel!", erklärte Radunta, als wäre es das Einfachste der Welt.

„Du spinnst doch!", rief Sofia erschrocken aus.

Auch Julian wollte sie zurückhalten, doch Radunta wehrte ihn ab.

„Nein! Alles gut! Der Plan ist perfekt! Ich kenne meinen Vater! Der wird sich unter keinen Umständen die Gelegenheit nehmen lassen, mich da unten eine Nacht in Furcht schmoren zu lassen!", beharrte Radunta auf ihrem verrückten Entschluss.

„Und woher weißt du, dass du nicht sofort da unten auf dieser grässlichen Bank angekettet wirst?", fragte Sofia und es schüttelte sie regelrecht bei ihren eigenen Worten.

„Vertraue mir! Ich kenne Xander!", erwiderte Radunta.

Die Tante erhob sich, löste sich aus Julians Umklammerung, verabschiedete sich von ihnen und ging nach hinten, wo irgendwo ihre Stute an einem Baum angebunden war.

Dieser Plan war verrückt, aber Sofia musste zugeben, dass es das einzige Konzept war, welches erfolgversprechend schien. Sie hatte die Bastion gesehen und die war uneinnehmbar. Zumindest von außen!

Sie bemerkte die Angst in Julians Augen und legte den Arm tröstend um seine Schultern. Das musste wohl ziemlich komisch aussehen, denn Mika schmunzelte neben ihr.

Hinter ihnen war der Hufschlag der Schimmelstute zu hören.

Damit gab es für Radunta kein Zurück mehr und für sie auch nicht.

Jetzt waren sie gezwungen, auf die Nacht zu warten.

„Möge dieser Plan funktionieren!", gab sie der Tante leise mit auf den Weg.

Nie im Leben wäre sie auf die Idee gekommen, dort noch einmal freiwillig hineinzugehen.

Radunta spekulierte hoch, mit der Annahme, dass ihr Vater so reagierte, wie sie es sich vorgestellt hatte und Sofia hoffte, dass Radunta ihren Vater wirklich richtig eingeschätzt hatte.

Rund um sie herum wurde Essen verteilt, aber sie bekam keinen Bissen herunter. Die Angst schnürte ihr die Kehle zu, doch jetzt war es die Furcht um Radunta.

Waffen wurden kontrolliert und alles ging ohne einen einzigen Laut von sich.

Wenn dann die Dunkelheit kam, dann mussten tausend Menschen ohne ein einziges Geräusch diese tausend Schritte bis zur Burgmauer gehen.

Sollte auch nur ein einziger in der Finsternis stolpern, niesen oder sonst irgendeinen Laut von sich geben, dann wäre alles verloren.

Da gerade Neumond war, würde sie das Mondlicht nicht verraten, aber mit nur einer von oben geworfenen Fackel wäre das Vorfeld der Burg sicherlich gut zu sehen und die Pfeile würden auf die kurze Entfernung mit tödlicher Präzision jedes Leben auslöschen.

Alles hing an Radunta und der Überraschung der Wachmannschaft!

Nur noch warten war momentan angesagt.

Wenn irgendetwas an dem Plan schiefging, dann war Radunta schon jetzt verloren. Vermutlich saß sie bereits in der Kerkerzelle! An etwas anderes wagte Sofia im Moment gar nicht zu denken.

Erneut begann ihr Herz vor Panik schneller zu schlagen.

Mit geschlossenen Augen begab sie sich in Gedanken zur Lichtung mit dem Schoß der Göttin. Langsam wurde sie ruhiger und als sie die Augen wieder öffnete, ging hinter der Burg gerade die Sonne unter, wie ein Melder in der Nähe flüsternd berichtete.

Alle nahmen im letzten Licht ihre Ausrüstung auf, kontrollierten noch einmal, dass nichts klapperte und begaben sich danach leise zum Waldrand.

Nicht ein einziger Ton war zu hören, obwohl gerade zweitausend Füße den Waldboden berührten.

Dieser Teil funktionierte schon mal perfekt!

Die Finsternis setzte ein und jeder sah noch einmal nach dem Weg, den er gleich gehen musste. In der Nacht würde jeder dem Vordermann die Hand auf die Schulter legen und fünf Reihen würden zum Tor hinübergehen. Sich dorthin tasten wäre wohl die bessere Beschreibung bei der gerade einsetzenden Dunkelheit.

Auch Sofia reihte sich ein. Marina, die vor ihr ging, war kaum zu erkennen. Wie ein Heer von Geistern schoben sie sich auf die Burg zu und wenig später stand Sofia mit dem Rücken an der Mauer neben dem Tor.

Drinnen waren die Wachen sicher keine fünf Schritte entfernt.

Sie vernahm, wie die Männer lachten und erzählten.

Ihr Herz klopfte unerhört laut! Das musste doch weit zu hören sein! Wieder begann sie ihre Übungen, um die Angst unter Kontrolle zu bekommen.

Sich auf die Atmung konzentrierend, wurde es besser. Nur hier singen durfte sie nicht, dann wäre die Furcht schneller gewichen.

Alle warteten augenblicklich eigentlich nur noch darauf, dass sich das Tor öffnen würde, aber nichts geschah.

Die Wache lachte drin und Sofia versuchte angespannt lauschend etwas über Radunta zu erfahren, aber die Männer unterhielten sich über verschiedene Biersorten.

„Mach schon, Radunta!", dachte sie und setzte ein: „Große Göttin, hilf ihr!", hinterher.

Nicht ein Ton war vor der Burg zu hören. Die vier Männer hinter dem Tor machten mehr Lärm, als die tausend davor!

Wo blieb aber Radunta?

78. Kapitel
Rache und Verzweiflung

Der perfekte Plan hatte eine Schwachstelle gehabt. Zwar hatte der Vater wie beabsichtigt reagiert, sie in den Kerker geworfen und ihr eine Nacht Bedenkzeit vor der Verkündung des Urteils gegeben, aber sie hatte nicht mit Wolfgers Gier und Rache gerechnet.

Offenbar hatte der Vater ihm ihre Hand versprochen und daher war er mit zwei Kumpanen zu ihr in den Kerker gestiegen und hatte sich brutal das genommen, was seiner Meinung nach ihm gehört hatte.

Gegen einen der Schurken hätte sie sich wehren können, aber gegen drei war es aussichtslos gewesen.

Die zwei Männer hatten sie gehalten, während Wolfger sie brutal geschändet hatte. Zumindest ihre beiden unteren Körperöffnungen. Den Mund hatte er sich erspart, weil er wohl gewusst hatte, dass sie ihm alles abgebissen hätte, was er ihr zwischen die Zähne geschoben hätte.

Zu ihrem Glück hatten die beiden anderen Männer sie nur gehalten und nicht auch noch ihren Leib missbraucht.

Momentan lag sie nackt und vor Schmerzen wimmernd genau auf jener Stelle, an der vor Monate Sofia genauso gelegen hatte.

Sie malte sich für Wolfger gerade tausend Tode aus, die er sterben würde, aber zuerst mussten die Schmerzen abklingen.

Die Hände auf ihren Schoß gepresst, bat sie die große Göttin um Hilfe und die Qual wurde langsam erträglicher.

Schließlich kam sie schwankend auf die Füße, schleppte sich mühsam an das Gitter und rief: „Radaborg!"

Es dauerte, bis der weißhaarige Kerkermeister vor ihr erschien.

„Ach Kindchen. Du hättest bleiben sollen, wo immer du die ganze Zeit gewesen bist! Morgen wirst du sterben!", sagte er.

365

„Gib mir den Schlüssel!", bettelte sie.

„Den hat Wolfger!", erklärte Radaborg.

Der nächste Teil des Vorhabens scheiterte gerade.

„Aber ich muss hier raus!", schrie sie und rüttelte verzweifelt am Gitter, doch das war stabil mit der Wand verbunden.

Irgendwie musste sie den Rebellen das Tor der Burg öffnen, aber im Moment bekam sie noch nicht mal die Kerkerzelle auf.

Es war zum Verzweifeln! Draußen standen tausend Kämpfer in der Nacht, um ihr zu helfen und der Schlüssel, um Xander zu stürzen, befand sich in Wolfgers Tasche.

„Verdammt!", brüllte sie und rüttelte erneut mit aller Kraft am Gitter.

Eine nackte Frauengestalt tauchte im Gang auf und es dauerte einen Moment, bis Radunta erkannte, dass es Barbara war!

Wo kam die Frau denn gerade her? War ihre Zelle etwa nicht abgeschlossen gewesen?

Radunta bemerkte die Bestürzung in Radaborgs Augen.

Barbara sah wie ein Geist aus. Ihre Haut war schmutzig grau und sie hatte lange verfilzte Haare, die ihr bis weit ins Gesicht hingen.

„Was ist? Was machst du hier? Wo ist Sofia?", fragte Barbara mit brüchiger Stimme.

„Ich muss hier raus, um meinen Vater zu töten! Sofia ist in Sicherheit!", antwortete sie und Barbara trat an das Gitter.

„Du lebst noch?", fragte Radaborg mit zitternder Stimme die alte Frau.

„Man hat mich zum Sterben in eine Zelle geworfen, aber ich lebe noch!"

„Das war vor vielen Monaten! Wie konntest du das ohne Essen und Trinken überstehen?", erkundigte sich der alte Mann mit bebender Stimme. Vermutlich dachte er, dass Barbara nur noch ein Gespenst war, eine Untote und dazu passte ihr Aussehen wirklich.

„Ich war beinahe tot! Schwebend zwischen dieser Welt und der, in welcher die Ahnen sind, hat mich mein Meister Dakora geheilt und mit allem versorgt, was ich brauchte. Die Kraft der Ahnen steckt jetzt in mir. Vielleicht hat mich auch nur die Rache am Leben gehalten. Erst dein Schrei hat mich wieder hierher zurückgeholt. Jetzt will ich Xander heimzahlen, was er mir und Sofia angetan hat", erklärte Barbara.

„Und jetzt auch mir!", offenbarte Radunta und wischte sich eine Träne aus dem Gesicht.

„Hilf mir!", bat Radunta und griff in die Stäbe.

„Was kann ich tun?", entgegnete Barbara.

„Das Gitter muss fort! Draußen stehen tausend Männer, die Xander an den Hals wollen und ich kann ihnen das Tor nicht öffnen!"

Barbara nickte und griff augenblicklich ebenfalls in die Verstrebung der Tür. Die alte Frau zog daran und Radunta drückte mit aller Kraft dagegen.

Es dauerte einen Moment, dann verkündete ein Knirschen das Ende des Gitters und Radunta schlüpfte durch den sich öffnenden Spalt in den Gang.

„Ich muss das Burgtor öffnen!", stieß sie entschlossen aus.

„Ich helfe dir und danach töte ich Xander!", antwortete Barbara mit jetzt fester Stimme.

„Schnell! Komm mit!", rief Radunta.

Die Schmerzen waren momentan fern.

Zwei nackte Frauen rannten durch den Keller.

Radunta suchte den Geheimgang, den sie einst mit Sofia im Arm hinaufgestiegen war, fand die Tür, griff sich eine Fackel und stieg Barbara voran.

Nach vielen verwinkelten Gängen und Treppen standen sie endlich auf dem Hof der Burg.

Im Schein eines Feuers erkannten sie, dass nur vier Männer das Burgtor bewachten. Zwar waren sie bewaffnet, aber sie waren für eine organisierte Gegenwehr zu überrascht, als die nackten Frauen auf sie zugestürzt kamen.

Es gab einen kurzen Tumult, doch mit ein paar Schlägen hatten sie die Männer zur Seite geräumt.

Das Burgtor war allerdings mit einem eisenbeschlagenen Riegelbalken versehen, den wohl vier Männer nicht anheben konnten, zumindest bewegte er sich trotz aller Kraftanstrengungen nicht ein Stück!

Noch eine Schwachstelle dieses so grandios gescheiterten Planes!

Nur dieser Riegel behinderte sie noch!

Hinter ihnen war das Trampeln vieler Stiefel zu hören, denn der lautstarke Kampf am Tor hatte wohl die restliche Wache alarmiert.

Ängstlich sah Radunta über die Schulter nach hinten und konnte schon die Fackeln der Männer erkennen.

Nur noch kurze Zeit und sie würden bei ihnen sein. Dann wäre sie wieder im Keller und diesmal würde Barbara sie nicht retten können.

„Nein! Es muss gehen!", schrie Radunta verzweifelt und stemmte sich mit aller Kraft gegen den schweren Verschlussbalken.

„Versprich mir, Xander zu töten!", äußerte Barbara mit ruhiger Stimme.

Radunta antwortete: „Er wird seine gerechte Strafe finden! Das schwöre ich dir, bei meinem Leben!"

Die alte Frau schubste sie zur Seite, brüllte: „Ihr Ahnen steht mir bei!", und stemmte sich unter den Riegelbalken.

Immer näher kamen die Männer der Wache.

Radunta war wie gelähmt und blickte den Wachleuten mit Angst entgegen, dann wandte sie ihren Blick zu Barbara und bat die große Göttin um Hilfe.

Es dauerte noch einen Moment, dann flog der Riegel nach oben und Barbara wurde von einem halben Dutzend Pfeilen getroffen.

Radunta sprang auf, riss einen der Torflügel auf, brüllte: „Kommt!", und warf sich zur Seite.

Dabei zog sie Barbaras sterbenden Leib zur Mauer und sah zu den Männern auf, die neben ihr brüllend in die Burg strömten.

Plötzlich waren Julian und Sofia neben ihr.

Die Freundin warf sich weinend über Barbara, während Julian einen Umhang organisierte, den er Radunta um die nackten Schultern legte.

Sie nahm einen Gürtel von einem der Wachen und band sich diesen um.

„Wir müssen uns Xander schnappen, damit er nicht wieder verschwindet!", erklärte Sofia und wischte sich die Tränen aus dem Gesicht.

79. Kapitel
In Geborgenheit!

Bis tief in die Nacht hatte Lunara mit der Mutter auf der Bank gesessen. Am Kamin hatte sie die ganze Zeit von Dodarus erzählt und jetzt fehlte er ihr so unendlich. Ihr Herz krampfte sich alleine bei dem Gedanken zusammen, dass er so weit von ihr entfernt war und sie noch so lange auf ihn verzichten musste, denn ihre Mission hatte gerade erst begonnen.

Im Augenblick stand sie mit Sejla in ihrem alten Zimmer, das sich in den vergangenen Monaten nicht ein Stück verändert hatte. Aber sie hatte es als Mädchen verlassen und jetzt war sie eine Frau! Und bald schon Mutter!

Alles in diesem Raum kam ihr wohl dadurch verändert vor.

Am meisten aber freute sie sich auf das weiche Bett!

In den letzten Tagen hatten sie in der Steppe geschlafen. Auf dem Gras am Feuer, zugedeckt mit einer Decke und jetzt standen sie in einem warmen Raum.

Sandra hatte die Kammer einheizen lassen und das Bett war so verlockend und breit genug für zwei war es auch noch!

Sejla angelte die Puppe von der Fensterbank, die Sandra vor vielen Jahren für sie genäht hatte und vielleicht war es ein Gegenstand, den ihre, oder Sejlas, Tochter bald in den Händen halten konnte.

„So etwas Schönes habe ich noch nie gesehen!", stellte Sejla bewundernd fest.

Lunara dachte erneut an die verschiedenen Kindheiten zwischen ihr und der Freundin.

„Ich werde Sandra darum bitten, dir auch eine zu machen!"

„Danke dir! Das Bett ist wirklich sehr weich!", bemerkte Sejla, strich über den Strohsack und setzte sich auf die Kante der Umfassung.

Eine der in letzter Zeit so häufigen Blähungen entfleuchte Lunaras Körper und beide Frauen mussten lachen.

„Zum Glück ist mir das nicht vorhin bei der Ansprache passiert!", sagte Lunara.

„Das wäre was geworden!", entgegnete Sejla schmunzelnd.

Zum ersten Mal seit Tagen waren sie gerade auch in Geborgenheit, denn das Tor der Burg war geschlossen und kein wildes Tier konnte sie hier überfallen.

In den letzten Nächten hatte immer eine von ihnen Wache halten müssen und sie hatten darauf vertraut, dass Donnerschlags feines Näschen sie rechtzeitig gewarnt hätte.

In den Siedlungen von Wiesenland wollten sie auf dem Weg hierher lieber nicht einkehren, denn die Wut auf die Tuck steckte noch zu tief in den Menschen. Zu leicht hätte sich da einer der Bauern an ihnen rächen können.

Von jetzt an konnten sie mit einer Abordnung aus Wiesenland sehr viel sicherer weiter reisen.

Aber zuvor wollte sie erst einmal ein paar Tage hier zu Kräften kommen, denn der Ritt war doch schon ganz schön anstrengend gewesen.

Eine der Mägde hatte ihre Beutel und Satteltaschen in die Kammer gestellt und Lunara beugte sich über ihre Sachen. Zwar konnte ihr auch Sandra etwas von ihrer alten Kleidung geben, aber an diesen Dingen hier hing noch des Geliebten Duft.

Mit einem Tuch vor der Nase ließ sie sich mit dem Rücken in das Bett fallen.

„Du fehlst mir so!", stöhnte Lunara.

Sejla setzte hinzu: „Ich bin doch hier!"

Lunara zog das Tuch von den Augen und sah Sejlas lächelndes Gesicht über sich. Im Scheine der Kerze vom Tisch glitzerten ihre Augen. Oft hatten sie das Bett zusammen mit Dodarus geteilt.

Immer war der Bruder zwischen ihnen gewesen. Momentan war er fern! Und Sejlas Lippen waren nah! Viel zu nah!

Die Freundin gab ihr einen leidenschaftlichen Kuss und Lunara fand daran gefallen.

∾ ∾

Der neue Morgen weckte zwei nackte Frauen, die aneinander gekuschelt in dem Bett lagen. Der Beginn dieser Nacht war viel zu schön gewesen und gerade wusste sie auch, warum die große Göttin ihr auf dieser Reise Sejla zur Seite gestellt hatte.

Mit einem Kuss weckte sie die Freundin, schob Sejla eine Haarsträhne aus dem Gesicht und ließ sich auf der Seite neben ihr nieder.

Den Kopf in die Hand gestützt streichelte Lunara Sejlas Bauch und auch in ihrem eigenen befand sich gerade ein kleiner Mensch, der momentan in Geborgenheit lebte.

Diese Mission würde auch die Zukunft dieser beiden Kinder sichern. Und möglicherweise aller Menschen in Mirento!

Mit gegenseitigem Streicheln und Zärtlichkeiten begann der neue Tag. Es war ein Glücksgefühl, welches sie beide umarmte. Zwei nackte, schwangere Frauen, die sich ekstatisch gegenseitig zu jenem Punkt trieben, an welchem sie von diesem unglaublichen Segen überflutet wurden.

Von dieser Leidenschaft, die man einfach hinausschreien musste, ohne Rücksicht auf die Nachbarn! Oder auf die Mägde, die sicherlich gerade draußen über den Gang liefen.

Und so ließen sie sich auch nicht stören, als eine von ihnen kurz durch die Tür zu ihnen herein sah, denn durch die Bettumrandung waren ihre nackten und innig verschlungenen Körper vor den Augen der Magd geschützt.

Erst sehr viel später konnten sich beide voneinander lösen, wuschen sich zusammen in einer Schüssel, die ihnen die Magd gebracht hatte und gingen dann, frisch eingekleidet zu Sandra, die in der Küche der Burg schon das Frühmahl für sie vorbereitet hatte.

Mit einer Umarmung begrüßte die Mutter sie und Sejla.

An Sandras Schmunzeln konnte Lunara sehen, dass ihre morgendliche Aktivität der Mutter wohl nicht verborgen geblieben war.

Nach dem Essen begann der Tag damit, dass sie den Gelehrten die Bücher vorlesen mussten und den alten Männern dadurch das Lesen beibrachten.

Das war wohl das putzigste, was Lunara jemals gemacht hatte.

Denselben Männern mit dem weißen Bart, die ihr vor Jahren den Unterschied zwischen Frosch und Eidechse erklärt hatten, erklärte sie momentan die Drei-Felder-Wirtschaft und die Funktion von Düngemittel!

Auch Sejla genoss dieses Gefühl von Überlegenheit sichtlich. Die pure Freude strahlte aus ihren Augen. Das war sicherlich auch dem Beginn des Tages und dem puren Glück des Beisammenseins geschuldet.

Und mehr als ein bisschen freute sich Lunara schon auf die folgende Nacht. Auf die Geborgenheit, die Zweisamkeit und die Zärtlichkeiten der anderen Frau.

Auf dieses unbeschreibliche Glücksgefühl, dass schon allein bei dem Gedanken daran ihren Unterleib so ein schönes Kribbeln bescherte.

Aber wozu sollten sie bis zum Abend warten? Es würde ja auch bald einen Mittagspause geben und wenn man sich mit dem Essen beeilen würde, dann blieb noch etwas Zeit, um sich fallen lassen zu können.

Die alten Männer wären sicher darüber entsetzt, was da zwei junge Frauen nackt in einem Bett taten! Aber was sollten diese Konventionen?

Sie trug das Kind ihres Bruders in sich!
Liebe war stärker, als alles andere auf dieser Welt!

80. Kapitel
Ein Plan der Rache!

Endlich hatte sich das Tor geöffnet. Sofia hatte schon nicht mehr damit gerechnet, als die Kampfgeräusche direkt neben ihr von Raduntas Anstrengungen kündeten. Jetzt würde Sofia diesen Ort ihrer Schändung und des Schmerzes erneut betreten, doch ihre Füße wollten dies offensichtlich nicht.

Dutzende Männer liefen von hinter ihr nach vorn und stürmten an ihr vorbei in die Burg. Julian schob sie zur Seite und zog sie schließlich am Arm hinter sich her.

Er wollte sie wohl nicht alleine in der Nacht lassen und war zu stark, als dass sie diesem Zug widerstehen konnte.

Somit stolperte Sofia zwangsläufig hinter ihm her in das Licht des von Feuern beschienenen Burghofes.

Direkt neben dem Tor kniete Radunta nackt über einer ebenfalls nackten Frau. Es war Barbara, in deren Leib einige Pfeile steckten. Weinend warf sie sich über die sterbende Freundin.

„Ich bin so froh, dass du noch am Leben bist! Grüße mir deine Mutter!", hauchte Barbara und setzte hinzu: „Ich gehe jetzt meinen Weg zu den Ahnen. Dakora wartet schon viel zu lange auf mich!"

Mit der Hand strich Barbara über ihre Wange, bevor sie nach hinten fiel. Für sie kam jede Hilfe zu spät!

Barbaras Tod löste die Starre von Sofias Seele und jetzt wollte sie ihre Rache haben!

Sie sah die Tante an, die neben ihr kniete, und sagte: „Wir müssen uns Xander schnappen, damit er nicht wieder verschwindet!"

Zornig wischte sie sich die Tränen aus dem Gesicht, sprang auf und sah Wolfger, der nur ein paar Schritte von ihr entfernt mit einem Mann kämpfte.

Das war ihr erster Dämon!

Sofia griff sich ein am Boden liegendes Schwert und stürzte sich damit schreiend auf den Mann. Wolfger war für einen Moment so überrascht, dass er seine Deckung vernachlässigte und einen tödlichen Hieb am Hals bekam.

Wie in wilder Raserei hieb Sofia auf den sterbenden Mann ein.

Erst Julian und Radunta konnten sie mit vereinten Kräften wieder von ihrem Opfer trennen.

In den paar Augenblicken hatte sie Wolfger mehr als ein Dutzend Schnitte beigefügt.

„Das Schwein hat es verdient!", erklärte Radunta und spuckte auf dessen toten Leib.

Sofia sah an sich herab. Das Kleid war vorn vollkommen vom Blut durchtränkt. Erschrocken ließ sie das Schwert aus den Fingern gleiten und zu Boden fallen.

„Jetzt mein Vater!", rief Radunta wütend und zog sie einfach hinter sich her.

Zu dritt liefen sie zwischen den kämpfenden Männern hindurch in die Burg hinein.

Radunta vor ihr hatte nur einen Dolch. Julian trug einen Speer! Und niemand hielt sie auf.

Die eigenen Kämpfer waren noch im Hof damit beschäftigt, die Wachen zu bekämpfen, aber offensichtlich war Radunta hier bekannt und wurde nicht aufgehalten.

Vielleicht war es aber auch ihr Aufzug, der die Männer zurückschrecken ließ: Radunta war praktisch nackt, mit dem Umhang, und sie war voller Blut, wie ein Racheengel!

„Hier entlang!", brüllte Radunta und stieß einen Mann zur Seite, der vor sie getreten war.

Der Mann flog fünf Schritte weit davon!

Die Wut der Tante musste riesengroß sein und verlieh ihr auch die Kraft eines Riesen.

Die Trauer um Barbara und die Wut auf den Großvater vernebelten augenblicklich auch Sofias Blick. Sie riss einen Dolch von der Wand und taumelte Radunta hinterher.

Nach unzähligen Gängen und Kammern hatten sie den Thronsaal erreicht.

Xander stand vor ihnen und hatte ein großes Schwert in der Hand.

Julian schleuderte seinen Speer auf ihn und dieser prallte von Xanders Leib ab. Offenbar trug er eine Rüstung unter seiner Kleidung!

Radunta stürzte auf ihn zu, aber bevor sie ihn erreichen konnte, riss Julian sie zurück. Gerade noch rechtzeitig, bevor Xanders Schwert sie wohl in zwei Teile getrennt hätte!

„Stirb!", schrie Sofia und schleuderte den Dolch in Richtung seines Halses.

Die Waffe traf, aber sie prallte ebenfalls wirkungslos von ihm ab.

Was war hier los?

Höhnisch lachte Xander und kam langsam mit dem Schwert auf sie zu. Wo waren die anderen? Schutzlos stand sie vor Xander und konnte sich nicht mehr bewegen.

Noch drei Schritte trennten sie vom Tod!

Drohend hob Xander das Schwert, als vier Kämpfer ihn überwältigten.

Radunta stürzte sich mit dem Dolch auf den am Boden liegenden Mann, doch der beantwortete ihre Versuche, ihn zu töten, nur mit einem höhnischen Lachen.

Immer wieder stieß Radunta zu, doch jedes Mal prallte der Dolch von ihm ab.

„Du kannst mir nichts tun! Niemand kann das!", lachte Xander.

„Mildred hat mir einen Trunk gegeben, der mich unverwundbar und unsterblich macht!", setzte Xander noch hinzu.

Der Großvater lachte hämisch und Radunta ließ von ihm ab. Sie kniete am Boden und schob sich die wirren Haare aus dem Gesicht. Alleine ihre Augen wären für jeden anderen tödlich gewesen.

„Der darf damit nicht durchkommen! Kennst du einen Gegenzauber?", fragte Sofia, doch Radunta schüttelte den Kopf.

Langsam und schwankend kam die Tante wieder auf die Füße.

„Bringt ihn nach unten in den Kerker!", wies Radunta die Männer an, die den lachenden König an ihnen vorbei aus dem Raum zerrten.

„Der darf damit nicht ungestraft davonkommen!", murmelte jetzt auch Radunta und überlegte offensichtlich, welche Strafe sie Xander geben konnte.

Sofia nahm sie in den Arm und überlegte ebenfalls.

Zumindest war der Großvater momentan unten im Kerker und konnte niemanden mehr etwas tun. Da unten, wo sie nie wieder einen Fuß hinsetzen wollte!

Eine Idee raste durch ihren Kopf, die sicher von der großen Göttin persönlich kam.

„Du hast mir doch mal erzählt, dass du Dämonen beschwören kannst?", erkundigte sie sich.

„Ja! Aber was sollen die ihm tun? Er ist unverwundbar! Und unsterblich!", entgegnete Radunta zweifelnd.

„Manchmal kann Unsterblichkeit ein Fluch sein!", bemerkte Sofia und zog Radunta hinter sich her.

„Wir müssen nach unten ins Verlies! Zu ihm!", erklärte Sofia.

Sie stiegen die Treppe hinab und mit jedem Schritt wurde es ihr mulmiger.

Julian musste sie schließlich sogar stützen, als sie den Kellergang betraten.

„Wo war noch mal der Raum, aus dem du mich befreit hast?",
fragte sie mit zitternder Stimme.

Radunta ging vor ihr her und schob dann die Tür auf.

Das Holzgestell stand immer noch an seinem Platz und wenn
Julian sie nicht gestützt hätte, dann wäre sie jetzt dort davor zusammen gebrochen.

„Was hast du vor?", fragte Radunta.

„Lass deinen Vater holen!", entgegnete sie und vernahm es
selbst kaum.

Wenig später war Xander in dem Raum. Gehalten von vier
Wachleuten, verhöhnte er sie: „Ihr seid so töricht! Ich kann warten, bis ihr beide tot seid! Ich bin unsterblich und ich werde auf
euren Gräbern tanzen! Auf denen eurer Enkel!"

Radunta sah sie fragend an und Sofia sammelte all ihren Mut.

81. Kapitel
In den Klauen der Dämonen

Was hatte wohl die Mutter bewogen, Xander diesen Trunk zu geben? Sicher hatte er ihn ihr mit Gewalt abgerungen, aber damit war Xander jetzt vor jeder Form von Rache geschützt!

Sie stand neben Sofia in dem von Fackeln beleuchteten Kellerraum und musste sich jetzt auch noch die unflätigen Beschimpfungen und Beleidigungen des Vaters anhören.

Gerade eben hatte Sofia noch gezittert, doch augenblicklich ging ein Ruck durch den Körper der Nichte.

Sofia trat einen Schritt auf Xander zu und sagte mit fester Stimme zu den Wachleuten: „Bindet ihn auf das Gestell!"

Der Tonfall von Sofias Stimme ging ihr dabei durch den ganzen Körper und ließ sie beinahe erstarren. Was hatte sie vor?

Sofia drehte sich zu ihr zurück, die Wachen schlossen die Ketten um Xanders Hände und Beine, wobei er sie immer noch verspottete.

Die Augen der Nichte waren anders und Radunta erschauderte regelrecht beim Anblick von Sofias Gesicht.

„Ich habe mich meinen Dämonen gestellt! Kommen wir jetzt zu den Dämonen meines Großvaters!", begann Sofia kalt.

Sie machte eine kurze Pause und schickte die Wachleute mit einer Handbewegung aus dem Raum. Auch Julian trat zur Tür.

Mit einer eiskalten Stimme, die wohl kaum von Sofia kam, und vor der selbst Xander seine Lästereien einstellte, sprach Sofia: „Ich wünsche mir acht immer geile Dämonen her. Mit Pimmeln, so dick und lang, wie mein Unterarm! Kannst du das?"

„Nichts leichter als das!", bestätigte Radunta, die augenblicklich begriffen hatte, was Sofia vorhatte.

Die Nichte wandte sich zurück zu Xander und sagte: „Du hattest mir damals viel Spaß gewünscht und ich bin froh, dass ich dir jetzt deinen Wunsch zurückgeben kann! Viel Spaß, Großvater!"

Ohne ein weiteres Wort drehte sie sich zur Tür um und trat zu Julian in den Kellergang.

Radunta blickte zu ihr und damit war es jetzt an ihr, die Rache zu vollziehen.

Ein Zauberspruch und die zotteligen, grässlichen Gestalten mit den langen Klauen und, wie von Sofia gewünscht, untenrum mehr als gut bestückt, erschienen in der Kammer.

„Lieber Vater! Du wirst sicherlich bald einsehen, dass Unsterblichkeit auch ein Fluch sein kann!", bemerkte Radunta.

Der erste Dämon trat hinter den Vater und Radunta hörte Stoff zerreißen. Xander brüllte und das Brüllen wurde zu einem Röcheln, als der zweite Dämon vor ihn trat.

Augenblicklich war es Zeit für sie, aus dem Bereich der Gefahr zu entkommen, denn mit diesen Dämonen war nicht zu spaßen.

Sie würden über jeden Menschen herfallen, der diesen Raum jemals wieder betreten würde.

Mit hastigen Schritten erreichte sie die Tür und wurde von Sofia aus den Klauen des ersten Dämons gerissen, der sie von hinten an den Hüften gepackt hatte.

Schnell schlug Julian die Tür hinter ihr zu.

„Du bist ganz schön fies! Dich möchte ich nicht zur Feindin haben!", erklärte Radunta und umarmte Sofia im Kellergang.

„Sichert diese Tür! Niemand darf sie jemals wieder öffnen!", sagte Sofia und brach bewusstlos zusammen.

Sie fing die Nichte auf, hob sie auf ihre Arme, nickte Julian zu und ging zur Treppe.

Aus dem Dunkel des Kellers wankte Radaborg ihr entgegen und sie trat auf ihn zu.

„Wo ist meine Mutter?", fragte sie.

„Xander hat sie in der anderen Burg, in Londinum, in den Kerker werfen lassen! Zusammen mit deinen Geschwistern!", erklärte der alte Kerkermeister mit Tränen in den Augen.

„Ich werde sie holen!", bemerkte Julian, der dies ebenfalls gehört hatte.

Jetzt stieg Radunta, mit Sofias schlaffen Leib auf den Armen, nach oben, wo mal ihr Zimmer gewesen war. Darin sah alles noch so aus, wie es vor ihrer Flucht gewesen war.

Zuerst legte sie Sofia auf dem Bett ab, dann zog sie sich ein Kleid an, wusch Sofia Wolfgers Blut ab, und zog der Nichte dann ebenfalls ein Kleid von sich an.

Auf einem Hocker neben Sofia sitzend, dachte sie an diesen Tag und mit diesen Gedanken kamen die Schmerzen in ihrem Unterleib zurück.

Schnell ging sie zu einem Schränkchen und mischte sich einen schmerzstillenden Trunk.

Marina trat durch die offene Tür zu ihr und entgegnete: „Ich kenne einen Platz, an dem du deine Dämonen loswerden kannst!"

„Dann sollten wir bald dorthin aufbrechen!", antwortete Radunta und umarmte die Schamanin.

Diese Umarmung setzte einen Strom von Tränen bei ihr in Bewegung.

Marina streichelte sie und flüsterte: „Lass alles raus! Tränen können die Seele abwaschen!"

Es dauerte eine Weile, bis Radunta wieder zur Ruhe gekommen war, dann legte sie sich zu Sofia und Marina deckte sie beide zu.

Julian war auf dem Weg nach Londinum und damit würde dies die erste Nacht seit langem sein, die sie nicht in den Armen des Geliebten war, aber von jetzt an würden viele Nächte folgen.

Ohne Angst! Alles würde gut werden!

Schließlich zogen die Müdigkeit und der Trunk ihr die Augen zu.

Auch im Traum erschienen ihr die Dämonen. Sie hatten Wolfgers Gesicht! Jetzt würde es ihr wohl wie ihrer Nichte gehen, aber Sofia hatte ihre Peiniger zur Rechenschaft gezogen, das unterschied gerade die Nichte von der Tante.

Oder machte sie das gleich? Denn es war ja Sofia gewesen, die Wolfger in einem wahren Blutrausch getötet hatte.

Barbara fiel ihr wieder ein und im Traum stand die alte Frau in einer glänzenden Rüstung unter lauter Männern, die sich vor ihr verbeugten. Die Ahnen hatten sie gnädig in ihre Ruhmeshalle aufgenommen.

Als Radunta wieder erwachte, saß Julian an ihrem Bett.

„Und?", fragte sie leise.

„Deiner Mutter geht es, den Umständen entsprechend, gut. Auch deinen Geschwistern ist nichts passiert. Sie sind im Zimmer deiner Mutter."

„Danke dir! Bitte halte mich!", bat Radunta und erhob sich schwankend aus dem Bett.

Julian zog sie an seine Brust und das fühlte sich so unglaublich gut an.

„Ich werde heute noch mit Marina auf eine Reise gehen, um meine eigenen, inneren Ungeheuer loszuwerden!", erzählte sie.

„Da werde ich dich begleiten! Ich muss euch doch beschützen!", antwortete Julian.

„Das geht nicht!", ließ sich die gerade erwachende Sofia vernehmen. „Kein Mann darf da hin!", setzte sie noch hinzu.

„Ja! Und je eher ich mich den Dämonen stelle, desto besser wird es für mich! Ich bin ja auch bald wieder zurück!", erklärte Radunta ihm.

Nur widerwillig ließ Julian sie wieder los.

„Pass auf meine Mutter und Sofia auf!", bat sie den Geliebten und begann ihren Beutel zu packen.

Marina erschien in der Tür und nickte ihr zu. Noch ein kurzer Besuch bei Mildred und ein letzter Kuss für Julian, dann würde sie mit Steppenwind wieder nordwärts reiten.

„Auf dem Rückweg bringe ich dir Tinka mit!", sagte sie zu Sofia und verabschiedete sich mit einer Umarmung von der Nichte.

Julian begleitete sie bis zum Tor.

Seine Fürsorglichkeit tat so gut, aber vorerst musste sie sich schweren Herzens von ihm trennen.

82. Kapitel
Neuer Wind in alten Gemäuern

*R*adunta war am Morgen aufgebrochen und momentan streifte Sofia durch diese alte Burg. Es war wie so eine Art von Zwang, sich den eigenen Ängsten zu stellen.

Und während die Tante auf dem Weg zum Schoß der Göttin war, um ihre Dämonen loszuwerden, saß Sofia bei Mildred auf einem Hocker und hörte der Frau zu, die von den Bedingungen in dem anderen Kerker berichtete.

Es war ihr dort nicht wirklich gut gegangen, aber die Männer hatten ihre hilflose Situation nicht ausgenutzt. Nur die Kälte und der Hunger hatten die Gesundheit der älteren Frau angegriffen.

Das einstmals rote Haar, was sicherlich dieselbe Intensität wie das von Radunta gehabt hatte, war jetzt von grauen Strähnen durchzogen.

Und während dieses Gespräches schweiften ihre Gedanken immer wieder zu ihrem Dämon ab, der sich da unten irgendwo im Kerker unter ihren Füßen befand.

Julian hatte die Tür zum Keller zumauern lassen, das hatte er ihr auf dem Gang erzählt. Niemals wieder würde sie ihren Fuß in dieses grässliche Kellerloch setzen. Vielleicht wäre es auch gar keine schlechte Idee gewesen, den Keller einfach zuzuschütten.

Wer brauchte schon einen Kerker, wenn allen Menschen Gerechtigkeit widerfahren konnte?

Ein gerechter und gütiger König führte nicht mit der Angst vor Strafe, sondern mit Güte und Lob! Da brauchte es keine Folterinstrumente!

Eine andere Sache ging ihr ebenfalls im Kopf herum: Konnte sie der eigenen Mutter jemals wieder unter die Augen treten? Sie war entehrt und hatte der Mutter unglaublich viel Kummer gebracht.

Und die Mutter? Zondala hatte sie geopfert! Zwar hatte sie Barbara mit einem Heer zu ihrer Rettung geschickt, doch das war vermutlich nur dem Volk von Mortunda geschuldet gewesen. Oder doch nicht?

Hätte Xander mit sich reden lassen? Vermutlich nicht! Ein Frösteln überlief Sofias Körper, wenn sie nur an den unbarmherzigen Großvater dachte. Mitleid mit ihm hatte sie aber nicht!

Doch sie musste Barbara, dem letzten Opfer seiner Gewalt, noch zu einem ehrenvollen Übergang in das Reich der Ahnen verhelfen.

Julian hatte die sterbliche Hülle der Freundin in der kleinen Kapelle der Burg direkt vor dem Altar der Göttin aufbahren lassen und jetzt war es ihre Aufgabe, ihr die letzte Ehre zu erweisen. Darum bat sie Mildred um ihre Mithilfe und fragte auch Julian nach den Bestattungsriten für Barbaras toten Leib.

Zu dritt stiegen sie in den Burghof hinab und betraten die kalten Räume.

Julian hatte Barbara eine Rüstung anlegen lassen. Wo auch immer er diese hergenommen hatte. Mit Tränen in den Augen trat Sofia zu der Freundin, die sie seit Ewigkeiten kannte. Barbara lächelte im Tode! Sie hatte ihre Aufgabe erfüllt und ihnen allen zum Sieg verholfen. Und was war Sofias Aufgabe? Zumindest erst einmal die Freundin zu bestatten.

Und das sollte noch an diesem Tag erfolgen!

Vielleicht hier in dieser Kapelle? Schon ein paar Särge waren unter den Bodenplatten eingelassen und Steine markierten die Positionen dieser Gräber. Kleine Reliefs mit den Heldentaten der darin Bestatteten zeugten von ihrem ehrenvollen Leben.

Sofia schaute zu Mildred hinüber, die auf einer dieser Platten kniete. Dort lag wohl ihr erster Mann, der damals von Xander getötet worden war.

Sie sah die Tränen und die liebevolle Geste, mit der Mildred die Konturen des Bildes mit den Fingerspitzen entlang fuhr. Konnte sie die ältere Frau jetzt mit ihrer Frage unterbrechen?

Sofia wartete noch einen Augenblick, kniete sich neben Mildred und fragte schließlich: „Könnte Barbaras Leiche hier unter diesen Steinen ruhen? Sie hat doch ihr Leben für unser aller Freiheit gegeben?"

„Natürlich! Da drüben ist noch ein Platz frei!", entgegnete Mildred, erhob sich und trat zu einer Stelle, die sich direkt vor dem Altar befand.

Dies war ein ganz besonderer Ort und er war perfekt, für eine ganz besondere Frau.

Dankbar fiel Sofia der älteren Frau um den Hals, blickte zu Julian und der sagte sofort: „Ich kümmere mich darum!"

Wenig später kamen ein paar Männer mit Spaten und Spitzhacke in die Kapelle und hoben das Grab aus.

Die beiden Frauen verließen den Raum, der schon nach wenigen Augenblicken vom Steinstaub der Arbeiten gefüllt gewesen war.

„Wirst du denn jetzt weiterhin die Königin sein?", fragte Sofia.

Mildred überlegte einen Augenblick, danach schüttelte sie den Kopf und erklärte: „Es ist wohl Zeit, dass ich Radunta diesen Thron und die Krone übergebe! Wenn sie wieder zurück ist, so werde ich mit Marina diesen Weg ins Gebirge gehen und sie wird an meiner Stelle dieses Königreich führen. Vielleicht ist mein Platz von jetzt an Volturas verwaiste Hütte! Das könnte ich mir so schön vorstellen!"

„Das klingt gut. Ich denke mal, dass Julian dann sicher der König wird. Einen besseren kann dieses Land eigentlich nicht bekommen. Oder was denkst du?"

„Ich kenne ihn noch zu wenig, aber er scheint meiner Tochter gutzutun. Nur das zählt doch. Oder?", antwortete Mildred.

„Na ja! Er muss auch ein Herz für die Menschen hier haben!"

„Da hast du auch wieder recht, aber ich denke mal, dass Julian das hat!", erwiderte die ältere Frau.

Das Geräusch der Arbeiten aus der Kapelle war bis zu ihnen zu hören und auch Julian machte sich dabei nützlich. Sicherlich war Barbara für ihn auch so etwas wie eine Freundin gewesen. Zumindest aber seine Befehlshaberin, als er als Knappe im Heer war. Und gerade bezeugte er ihr wohl damit seine Ehrerbietung.

Am Tor der Burg stehend, blickte Sofia auf das flache Land hinaus. Wieder kam ihr die Frage nach ihrer Aufgabe in den Kopf.

Vor Monaten war abgemacht gewesen, dass sie Prinz Frederic heiraten würde, doch gegenwärtig fühlte sich das falsch an.

Sie in den Händen eines Mannes?

Sofia schüttelte es alleine bei dem Gedanken daran. Es hatte ewig gedauert, bis sie Julian in ihrer Nähe geduldet hatte, doch berühren durfte er sie immer noch nicht.

Zuerst kam die Beerdigung, dann würde sie darüber nachdenken, zur Mutter nach Mortunda zurückzugehen oder hier zu bleiben.

Vielleicht sollte sie sogar mit Mildred in die kleine Hütte ziehen?

War das nicht ein Verstecken vor der Welt? Sollte sie sich nicht lieber ihrem Schmerz stellen? Zumindest der Mutter erst mal eine Botschaft schicken, dass sie überlebt hatte. Was schrieb man da? *„Liebste Frau Mutter. Mir geht es gut. Ich bin entehrt, geschändet und verstört, aber sonst in alles in Ordnung?"* Das fühlte sich irgendwie nicht richtig an!

Vielleicht erst mal nur ein paar Worte.

Julian trat zu ihr und sagte: „Das Grab ist jetzt bereit."

Jetzt würden die Menschen zur Kapelle kommen und sie würde die Freundin ehrenvoll beerdigen können.

Dankbar nickte sie ihm zu und ging zurück zur Kapelle.

Hinter ihr kamen schon die ersten Gäste dieser Feier.

83. Kapitel
Ein Tag der Freude

Es war ein herrlicher Frühlingstag und nicht nur das ließ Zondalas Herz vor Beglückung hopsen. Lunara war bei ihr eingetroffen und ein Brief von Sofia war an diesem Tag ebenfalls in ihre Hände gelangt. Der Tochter ging es gut und der Schwester desgleichen. Weder mit dem einen, noch mit dem anderen hatte Zondala gerechnet.

Sofia hatte ihr ebenfalls mitgeteilt, dass Xander seine gerechte Strafe erhalten hatte.

Dazu kam auch noch, dass Lunara offensichtlich ebenfalls im sechsten Monat schwanger war. Ihre beiden Bäuche hatten sich bei der stürmischen Umarmung berührt.

Da war dann auch ihre gar nicht so königliche Seite bei ihr durchgebrochen, als sie einfach mitten in der Audienz, zwischen all den Bittstellern, der Schwester schreiend um den Hals gefallen war.

Damit war dann auch dieser Empfang für diesen Tag beendet gewesen, wofür aber alle anwesenden Menschen Verständnis hatten.

Gerade saßen sie zusammen im Saal und Lunara erzählte von ihren Erlebnissen. Das Glück war ihr anzusehen und so sah Zondala keinen Grund, die Schwester dafür zu schelten, dass deren Kind vom eigenen Bruder war. Viel zu sehr freute sie sich für Lunara.

Dazu kam jetzt auch noch die Begeisterung darüber, dass dieser leidige Grenzstreit zwischen Wiesenland und den Tuck gerade hoffentlich der Vergangenheit angehörte.

Mit dem Ende von Xander würden wohl auch die Angriffe der Piraten auf Mortundas Küsten beendet sein, auch wenn Sofia darüber nichts berichtet hatte.

Eventuell würde damit eine Zeit des Friedens für das Königreich beginnen und das Wissen aus Lunaras Büchern konnte dem Fortschritt der Montanindustrie von Mortunda nur zuträglich sein.

Diese „Stadt des Wissens", wie sie Lunara geplant hatte, war genau nach Zondalas Geschmack und sie freute sich auch darüber, dass Lunara jetzt die Nachfolge von Barbara als Hüterin der Schlangen angetreten hatte.

Es mochte wohl ein Wink des Schicksals sein, dass im Moment zwei dieser Hüterinnen schwanger waren und die Zukunft in ihren Bäuchen trugen.

Nur die dritte in ihrem Bund, die Schamanin Ursula, war sicher dafür schon zu alt. Es wäre noch viel mehr ein Zeichen gewesen, wenn alle drei Hüterinnen ein Kind in ihrem Schoß trügen.

Auf ein Zeichen von Zondala wurde ein Festmahl aufgetafelt, zu welchem Lunara ihre Freundin Sejla hinzu bat. Die junge Frau war ebenfalls von Zondalas Bruder schwanger und somit wurde es eben eine Art von erweiterter Familienfeier.

Bis zum Tage zuvor hatte Zondala noch nichts von ihrem Bruder gewusst, außer, dass Sandra ihn damals bei den Tuck hatte zurücklassen müssen. Und heute wurde die Freude mit jeder Nachricht einfach immer größer.

Eigentlich fehlte nur noch Sofia zu ihrem Glück. Wie gern würde sie auch die totgeglaubte Tochter wieder in ihre Arme schließen. Zu lange hatte sie sich Vorwürfe darüber gemacht, die Tochter einfach so geopfert zu haben.

Was war Sofia wohl da drüben auf der Insel geschehen? Der kurze Brief hatte darüber keine Aussage beinhaltet. Und das ließ sicher tief blicken, denn statt des Briefes hätte Sofia ja auch selbst hier erscheinen können. Doch dazu war sie anscheinend noch nicht bereit.

Das war ein kleiner Tropfen Bitterkeit in dem süßen Wein der Freude.

„Du bleibst doch ein paar Tage bei mir?", fragte Zondala mitten im Mahl die Schwester.

Lunara nickte nach einem Augenblick Bedenkzeit. Es war mehr als augenfällig, dass es sie schnell wieder nach Hause zu Dodarus zog.

„Ich kann ja die Gelehrten von Cenobia zu uns einladen. Dann kannst du länger bleiben und dennoch deinen Auftrag erfüllen!", erklärte Zondala.

„Das wäre wirklich sehr schön!", antwortete die Schwester und auch Sejla stimmte nickend zu.

Auf ein Handzeichen gingen die Mägde daran, zwei der Gästezimmer für die Schwester und Sejla vorzubereiten.

„Wir brauchen aber nur ein Zimmer!", erklärte schließlich Lunara, als die Mägde in den Raum kamen, um den Vollzug des Auftrages zu verkünden.

Zondala sah, wie Sejla schmunzeln musste, als eine der beiden Mägde rote Ohren bekam.

„Wir sind ein bisschen unkonventionell! Wir Frauen von den Tuck!", ergänzte Lunara mit einem Lächeln.

Die junge Magd bekam damit zu den roten Ohren auch noch einen hochroten Kopf. Sie war sichtlich froh, als sie den Raum wieder verlassen konnte.

Achim trat in den Raum. Der Mann hatte gerade die Melder nach Cenobia geschickt, um deren Gelehrte hierher zu bringen.

Nur wenn man den Wohlstand gerecht mit allen teilen würde, dann würde dieser Fortschritt auch halten. Wenn nur einer davon ausgeschlossen war, dann war das Potenzial für einen neuen Krieg schon wieder gelegt.

Wohlstand, Glück und Freude für alle! Das war es, was zählte! Dafür standen doch die drei Schlangenhüterinnen. Da war es nur natürlich, dass Lunara und Sejla das auch lebten.

Der Abend kam und das kleine Fest endete.

Schon lange waren Andreas und Franziska in den Betten, obwohl sie etwas länger gebraucht hatte, um den Sohn von Donnerschlags Rücken wieder auf den Boden des Burghofes zu bekommen, aber die Aussicht darauf, dass der Hengst noch mindestens eine Woche hier sein würde, versöhnte den Sohn mit seinem Zimmer.

Lunara hatte es sogar übernommen, Franziska in ihr Bett zu bringen und ihr ein Schlaflied zu singen. Da war schon deutlich die werdende Mutter zu sehen.

Alles Glück dieser Welt war momentan unter dem Dach dieser Burg versammelt. Mit dem Blick zur untergehenden Sonne bat Zondala darum, dass es auch lange halten möge.

Mit der Dunkelheit verschwanden alle in ihren Zimmern.

Zondala streifte aber dennoch ruhelos durch die Gänge. Die Nachricht der Tochter ließ sie nicht zur Ruhe kommen. Was hatte Sofia ihr wohl verschwiegen? Sie mochte sich eigentlich gar nicht vorstellen, was Xander ihr angetan haben könnte. Und dennoch war da so ein dunkles Bild in ihrem Kopf.

Die Geräusche aus Lunaras Zimmer trieben sie jetzt aber zu Achim, denn wie konnte man solch einen Tag des Glückes besser beenden, als in den Armen des geliebten Mannes.

Oder eben, in Lunaras Fall, in den Armen der geliebten Frau.

Das sah Achim offensichtlich ebenfalls so und somit war es auch nicht schwer, ihn davon zu überzeugen, dass sie sich augenblicklich einfach nur fallen lassen wollte.

Zondalas Schnaufen vereinte sich mit dem von Lunara, die im Nebenzimmer in den Armen von Sejla gerade auch ihr Wonneleben fand.

Fast zeitgleich erklang ihrer beider Schrei der Erlösung.

84. Kapitel
Sehnsucht

*U*nendlich lange wartete Julian jetzt schon auf die Rückkehr der Geliebten. Es schmerzte ihn, sie nicht an seiner Seite zu haben. Dazu kam auch noch, dass er praktisch keine Aufgabe hatte, die ihn von der Warterei ablenken konnte.

Nachdem er Barbara bestattet hatte, hatte er daher einfach Sofias Schutz übernommen, denn die Prinzessin ließ keinen anderen Mann außen ihn in ihre Nähe. Selbst er war nur geduldet, aber die zusammen erlebten Monate hatte sie ihm gegenüber etwas weniger empfindlich gemacht.

Gegenwärtig erlebte er wieder jeden Tag, wie traumatisiert Sofia wirklich war. Die furchtbaren Erlebnisse waren immer noch in ihrer Seele verankert. Und das nach über einem halben Jahr.

Julian konnte sich selbst ohrfeigen, dass er die geliebte Frau ebenfalls diesem Schicksal ausgesetzt hatte. Er hätte es verhindern müssen, als Radunta in die Burg geritten war.

Jetzt konnte er nur hoffen, dass die Geliebte nicht ebenso von den Dämonen des Missbrauchs in deren Klauen gehalten wurde, wie die Prinzessin, denn bei Sofia saß er jede Nacht in der Nähe, weil sie manchmal noch schreiend aus einem Albtraum erwachte.

War die lange Zeit der Abwesenheit der Schwere des Traumas geschuldet? Bei Sofia hatte es nur eine Woche gedauert und Radunta war derzeitig schon fast drei Wochen unterwegs! Er hätte sie begleiten sollen!

Jeden Morgen stieg er auf den Turm, um nach ihr Ausschau zu halten. Sofia schlief da meist noch und er hatte nur diese Momente, in denen er die Seele der Geliebten in seinen Gedanken rief!

Es schmerzte, sie zu vermissen. Viele Nächte lang waren sie immer gemeinsam eingeschlafen und zusammen erwacht.

Derzeit hatte er nur diese Momente des Morgens, aber Radunta war noch fern! Sollte er ihr entgegenreiten? Er konnte ja Sofia fragen, wohin er musste, um der Geliebten nahe zu sein. Die tödliche Gefahr dieses Tales nahm er dabei gern in Kauf, denn ohne Radunta drohte sein Herz zu zerbrechen.

Einst war er als Knappe auf diese Insel gekommen, um sich im Kampf zu bewähren. Er hatte zeigen wollen, dass er ein Mann war und vielleicht wäre der Preis eines Sieges die Ernennung zum Ritter gewesen, doch er hatte nicht gekämpft, sondern kampflos die Frau seines Herzens erobert. Einen schöneren Gegenwert konnte er sich gar nicht vorstellen. Allerdings war sie gerade noch immer fern!

Und abermals stieg er in der Finsternis mit einer Fackel den dunklen Turm hinauf. In ein paar Augenblicken würde sich am östlichen Himmel die Sonne zeigen, aber seine suchenden Augen würden den Horizont im Norden abtasten, denn von dort musste die Geliebte wieder zu ihm zurückkommen!

Er ging die letzten Stufen bis zur Turmkrone hinauf und hier war der Blick über die gesamte Ebene frei. Julian konnte den Thamasius mit der Brücke nach Londinum sehen. Würde Radunta von dort kommen? Oder von der Ebene im Westen?

Sein Blick ging zuerst zur Brücke und es war ihm, als ob er zwei Reiter dort sehen würde. Er beschirmte seine Augen mit der Hand vor der aufsteigenden Sonne und machte dort eine Bewegung aus, doch die Brücke war viel zu weit entfernt, um etwas Genaueres erkennen zu können.

Allerdings schien es ihm so, als ob es ein weißes Pferd war, welches da über die Brücke stürmte.

Das konnte Steppenwind sein!

Spielten ihm seine Sinne einen Streich und er stellte sich die Geliebte nur vor? Noch war sie zu weit entfernt, doch da war etwas!

„Bitte sei du es!", bat er die Gestalt.

Es waren zwei Reiter und der Vorderste preschte deutlich dem anderen davon. Während der eine noch auf der Brücke war, bog der andere schon in Richtung Burg ab.

Das konnte nur Radunta sein!

Augenblicklich hastete Julian die Treppe des Turmes wieder hinab. Er stürmte auf den Hof und trieb die Wachmannschaft zum Tor. Schnell war die Pforte offen und er lief hinaus.

Einige der Männer schüttelten den Kopf, doch Julian wusste, was er tat. Oder hoffte er nur, dass es Radunta war?

Vor der Burg stehend suchte er den Weg bis zum Horizont ab, aber der war von hier nur ein kurzes Stück einsehbar.

„Bitte komm!", flüsterte er, als eine Staubfahne ein Pferd im Galopp verkündete. Noch war der Reiter nicht zu sehen, selbst wenn er sich auf die Zehenspitzen stellen würde. Dann konnte er endlich ein weißes Pferd erkennen. Das musste Steppenwind mit der Geliebten im Sattel sein.

Aufgeregt, wie ein kleiner Junge, hüpfte er herum und das Lachen der Wache hinter ihm war ihm dabei völlig egal.

Dann sprengte der Reiter auf ihn zu. Julian sah die roten Haare, die wie ein Mantel hinter Radunta herflogen. Direkt vor ihm bremste sie das Pferd ab und sprang vom Rücken des Tieres direkt in seine Arme.

Julian wirbelte Radunta umher und liebkoste die Geliebte. Seine stürmischen Küsse wurden von ihr genauso leidenschaftlich beantwortet.

„Ich habe dich so vermisst!", sagte er.

„Ich habe dich mehr vermisst!", hauchte Radunta.

Er stellte sie mit den Füßen auf den Boden. Küsse, Liebkosungen und zärtliche Berührungen folgten, bis Marina auf ihrem Maultier bei ihnen eingetroffen war.

Zu dritt betraten sie die Burg und hinter dem Tor übernahm Marina Steppenwinds Zügel. Das war für Julian das Zeichen, Radunta auf seine Arme zu heben und mit der geliebten Frau in den Palas der Burg zu stürmen.

Er hatte sie nicht gefragt, wie der Aufenthalt im Tal der Göttin gewesen war, doch Raduntas Reaktionen zeigten deutlich, dass es ihr besser ging, als Sofia.

Sie klammerte sich an seinen Hals, während er den Gang entlang stürmte. Kaum im Zimmer angekommen, entledigten sie sich in Bruchteilen eines Augenblickes ihrer Kleidung.

Julian hob sie vor sich hoch, dann ließ er sich, mit ihr, nach vorn in das Bett fallen. Radunta umklammerte ihn mit ihren Beinen, wodurch ihr Schoß für ihn geöffnet war.

Im Flug nach unten war er in ihren Körper eingedrungen und die Geliebte begrüßte stöhnend seinen Ansturm.

Es dauerte seine Weile, bis ihrer beider Gemüter sich wieder so weit abgekühlt hatten, dass sie beide etwas langsamer wurden und die Vereinigung auch genießen konnten.

Sehr viel später lagen sie nackt aneinander gekuschelt auf dem Bett. Julian streichelte ihren wunderschönen Körper, den Radunta seinen Fingern verlangend entgegendrückte. Hier war gegenwärtig seine Sehnsucht gestillt! Er hatte Radunta wieder zurück.

„Die große Göttin hat mir verraten, dass es jetzt Zeit für ein Kind ist! Ich möchte deinen Samen in mir spüren!", hauchte sie an seinem Ohr.

Nur einen Augenblick später erfüllte er ihr diesen Wunsch.

85. Kapitel
Krönungen und andere Missgeschicke

Der Wunsch der Mutter hatte Radunta kalt erwischt. Gerade eben war sie im Schoß der großen Göttin gewesen und jetzt sollte sie Königin werden. Einfach so. Von heut auf gleich ein ganzes Königreich regieren und tausende von Untertanen glücklich und zufrieden machen. Konnte sie das? Und wollte sie das?

Dass Mildred ihr das zutraute, das ehrte sie, aber im Moment lag ihr mehr der Sinn danach, möglichst viel Zeit mit Julian zu verbringen.

In Zweifel und Gedanken versunken, lag sie neben dem schnarchenden Mann. So lange war sie von ihm getrennt gewesen, weil sie erst noch Tinka in der Siedlung hatte holen müssen.

Ihre Erinnerungen flogen wieder zur Göttin zurück. Auf jener Wiese an der Quelle, da hatte sie sich so unendlich frei gefühlt, obwohl sie sich in jedem Moment nach Julian gesehnt hatte.

Hatte die große Göttin da schon gewusst, was auf Radunta zu kommen würde? Sicherlich!

Mildred hatte das gewiss bereits an jenem Abend beschlossen, als sie Xander im Keller eingemauert hatten. Hatte die große Göttin einen Rat für sie? Noch war es draußen dunkel, aber sicher würde in ein paar Augenblicken die Sonne am Horizont erscheinen. Das war der Moment, an dem die Kraft der allumfassenden Gottheit am größten war.

Radunta schlüpfte leise aus dem Bett, streifte sich das Unterkleid über und lief barfuß zur Treppe, die auf den Turm führte. Wenn es einen Rat gab, dann wohl da oben, im Licht des neuen Tages. An der Stelle, von der aus auch Julian, nach seiner Erzählung, ihrer Ankunft so sehnsüchtig entgegengefiebert hatte.

Die steinernen Stufen hatten die Kühle der Nacht. Geschwind lief sie hinauf und betrat die Turmspitze, als der erste rötliche Streifen des neuen Tages am Himmel zu sehen war.

Sie hob die Hände zum Himmel und rief: „Große Göttin! Was ist dein Rat für mich?"

Der Wind des Morgens wehte ihr unter das dünne Unterkleid und es wurde ihr kalt. Gerade eben hatte sie die Wärme des behaglichen Lagers gegen diese zugige Position eingetauscht und schon begann sie hier zu frieren.

In dieser Haltung wartete sie.

Der Augenblick zog sich in die Länge.

Wo blieb die Antwort? Was sollte sie tun?

Radunta ließ die Hände sinken und blickte fragend in die halbrunde Sonne, die sich gerade über den Horizont schob.

Es kam keine Auskunft!

Zitternd schlang sie sich die Arme um die Schultern. Was war hier los? Vor ein paar Tagen hatte sie in der eiskalten Quelle gebadet und sie hatte sich dabei wohlgefühlt. Jetzt brachte so ein bisschen Wind sie zum Schlottern?

Zurück zu Julian! Das war augenblicklich der einzige Gedanke, der noch in ihrem Kopf war. Zurück in das warme Bett und in die Arme des geliebten Mannes.

Vielleicht war das die Lösung! Sie sollte Julian fragen!

Wie vom Wind getrieben sauste sie die Treppe hinab und rutschte auf einer der Stufen aus. Sich zu einer Kugel zusammen krümmend rollte sie die Wendeltreppe hinab, doch unten kam der Gang! Davor musste sie unbedingt bremsen, um nicht auf dem Boden aufzuschlagen, doch wie bremste man, wenn man als Kugel einen Abhang hinab purzelte?

Wenn sie die Kugel öffnen würde, dann würde sie sich sicherlich auf den Stufen verletzen. Aber es war auch nicht mehr viel Zeit zum Überlegen.

Und die Zeit reichte nicht!

Geräuschvoll flog sie in den Gang und prallte gegen eine an der gegenüberliegenden Wand aufgestellte Rüstung. Es musste wohl ziemlich gescheppert haben, denn zwei der Mägde kamen sichtbar verstört gelaufen.

Für einen Moment spürte Radunta in ihren Körper hinein. Alles tat ihr weh, aber es schien wohl nichts gebrochen zu sein.

Im kurzen Unterkleid lag sie auf dem Bauch der Länge nach auf dem Boden zwischen den Rüstungsteilen und versuchte sich mühsam wieder zu erheben.

Im Flur stehend blickt sie an sich herab und ihr Körper war von blauen Flecken übersät! Das konnte ja eine Krönung werden! Oder war das die Antwort?

Humpelnd machte sie sich auf den Weg zurück zu Julian, wo sie sich ächzend neben ihn in das Bett fallen ließ.

Der Lärm hatte wohl alle in der Burg geweckt und somit auch den Geliebten.

„Dich kann man aber auch keinen Augenblick unbeobachtet lassen!", seufzte Julian, als er sie ansah.

Zärtlich küsste er sie, aber der Kuss tat trotzdem weh. Vermutlich hatte sie sich auch noch auf die Lippe gebissen. Gern hätte sie jetzt etwas zur Erwiderung gesagt, aber sie kämpfte gerade mit den Tränen.

Vorsichtig streichelte Julian ihr Gesicht. Er erhob sich aus dem Bett, eilte nach draußen und kam mit Marina zurück. Die Freundin brachte ihr einen schmerzstillenden Trunk und es wurde langsam besser.

Noch einmal sah sie sich Arme und Beine an. Das würde ein lustiges Muster ergeben! Erneut küsste Julian sie und diesmal nahm der Kuss den Rest des Schmerzes von ihr.

„Was wolltest du überhaupt da draußen?", fragte Julian.

„Die große Göttin fragen, was ich tun soll!"

„Und?", entgegnete er.

„Sie hat nicht geantwortet!"

„Sie hat dir doch schon die Antwort gegeben!", entgegnete Julian.

„Ja?"

„Natürlich! Ohne das Zutun deiner Göttin hätte deine Mutter dich sicher nicht gefragt!"

„Da könnte was dran sein! Du bist mein Freund, Geliebter und Mann, willst du auch der König an meiner Seite sein?"

„Nichts lieber, als das!", erklärte Julian.

Stöhnend ließ sich Radunta ins Bett zurückfallen.

Julian legte sich neben sie und begann sie vorsichtig zu streicheln. Diese sanften Berührungen lösten die Spannungen in ihr komplett auf. Das tat so gut. Alle Antworten fand sie in Julians Armen. Mit ihm an ihrer Seite konnte ihr nichts passieren. Das hatte der Treppensturz ihr gerade wieder einmal eindrücklich gezeigt. Wäre sie im Bett geblieben, dann hätte sie jetzt auch nicht dieses bizarre Muster auf der Haut.

„Bitte streichle mir die Sorgen fort!", hauchte sie und zog sich das Unterkleid über den Kopf.

Vorsichtig tastete er sich über ihren Körper. Nicht eine Berührung davon schmerzte. Lag es an dem Trunk? Oder an seiner fürsorglichen Bemühung?

Mit geschlossenen Augen lag sie einfach auf dem Bett. So konnte man es als Königin aushalten.

„Ich glaube, du brauchst ein langes Kleid mit langen Ärmeln für deine Krönung!", flüsterte Julian in ihr Ohr.

„Da hast du so was von recht!", pflichtete sie ihm lachend bei.

„Es gibt eine Stelle, die hast du noch nicht gestreichelt!", flüsterte sie und richtete sich zu ihm auf.

Radunta schlang ihre Arme um seinen Hals und küsste ihn, dann zog sie ihn hinter sich her.

86. Kapitel
Heimat!

Dodarus hatte Lunara begleitet, als die geliebte Frau unbedingt ein letztes Mal, vor der Geburt, ihre Familie sehen wollte und er hatte es sich natürlich nicht nehmen lassen, dabei die Mutter aufzusuchen. Lunara konnte schon nicht mehr auf dem Pferd sitzen, aber der Sitzplatz auf Robby schien für sie bequem genug zu sein.

Sejla hatte der Not gehorchend darauf verzichtet, sie beide zu begleiten, aber Lunara hatte ihr versprochen, bei Sandra nach der bestellten Puppe zu fragen und dieses Spielzeug hatte er gerade in den Händen.

Er stand vor Sandra und wusste nicht, was er ihr sagen, was er tun sollte. Er drehte das Stoffstück für sein Kind in den Händen und sah ihr einfach nur in die Augen. Dann fiel die Mutter ihm schluchzend um den Hals und das Eis zwischen ihnen war gebrochen.

So viele Jahre waren vergangen und verloren!

Lunara stemmte sich hoch, küsste ihn zum Abschied und kletterte auf Robby, was ihr nur gelang, weil sich das Spinnenwesen so flach wie nur irgend möglich machte.

„Ich muss noch zu Zondala. In ein paar Tagen bin ich wieder zurück!", rief sie von oben und Robby eilte davon.

Sandra und er sahen ihr einen Moment hinterher und setzten sich dann auf eine Bank, die am Rande des Hofes stand. So vieles wollte die Mutter wissen und er konnte ihr alle Fragen beantworten, aber seine Fragen an sie waren aus seinem Gehirn verschwunden.

Es fühlte sich einfach nur schön an, dass er hier neben ihr saß und ihre Hand hielt. Das hier war die Heimat, die er vielleicht immer gesucht hatte. Diese Frau, die ihn und Lunara, neun Monate unter ihrem Herzen getragen hatte. Die ihn behütet und beschützt hatte. Ihr hatte er mehr zu verdanken, als der Amme und seinem Vater. Ihr hatte er für Lunara Dank zu zollen. Und für sein eigenes Leben.

Mit ihr hatte alles begonnen und gerade saß er hier, drehte die Puppe in den Händen, und suchte nach seinen Fragen.

Aber die Augen der Mutter beantworteten alle seine Unklarheiten. Die Tränen auf ihrer Wange sprachen Bände und ihre Umarmung traf tief in sein Herz.

Viele Stunden später erhoben sie sich von dem Platz wieder und Sandra ging mit ihm in die Burg hinein.

Sie zeigte ihm Lunaras altes Zimmer und er fühlte sich seiner Frau hier so viel näher. Und auch seiner Mutter, die dieses Zimmer in diesem Zustand belassen hatte. Hier hätte er auch wohnen können, mit den hölzernen Pferden spielen und der Puppe. All das tun, was ihm Lunara so oft beschrieben hatte. Die Güte der Mutter zeigte sich in jedem Detail des Raumes.

„Möchtest du hier schlafen?", fragte sie mit leiser Stimme.

Für einen Moment kam es ihm vor, als würde er diese Stube entweihen, doch dann sagte er zu. Noch näher an der Lunara von damals konnte er nicht sein, als in ihrem Bett!

„Ich hole dich dann zum Essen ab!", sagte Sandra, umarmte ihn noch einmal und ging aus dem Gemach hinaus.

Fast schüchtern trat Dodarus an das Bett heran.

Am Kopfende des Bettes saß Lunaras Puppe und er setzte die für Sejla daneben.

War er nicht eigentlich ein wilder Krieger gewesen? Damals, vor etwas mehr als einem halben Jahr? Die Begegnung mit der Schwester hatte ihn verändert. Mehr, als er es sich selbst eingestehen wollte.

Mit Tränen in den Augen ließ er sich mit dem Rücken in das Bett fallen. Das war die Heimat, die er sein Leben lang gesucht hatte. Seine Heimat war Lunara!

87. Kapitel
(K)ein Weg zurück?

*E*inen Monat war Raduntas Krönung jetzt schon her. Vier Wochen, in denen weder sie noch Julian das Zimmer verlassen hatten. Sofia strich abermals alleine durch die Gänge der Burg. Mitunter begleitete Tinka sie, aber meist führte sie nur noch Selbstgespräche und so wirklich wusste sie nicht, was sie hier sollte.

Am Tag zuvor war jetzt auch noch Mildred endgültig abgereist. Sie würde, wie sie es schon gesagt hatte, Volturas Hütte übernehmen und da Radunta nicht aus ihrem Bett kam, war Brilarum im Moment ohne Königin. Und ohne König! Denn die Vermählung zwischen den beiden Turteltauben war unmittelbar nach der Krönung erfolgt.

Und nach dem Fest waren die beiden in dem Raum verschwunden.

Dreißig Tage, vier Wochen, einen ganzen Monat! Das war doch nicht normal! Nur eine der Mägde durfte hinein, um die beiden mit Nahrung zu versorgen.

Nur von ihr wussten sie, dass es beiden noch gut ging. Die zweitwichtigste Aufgabe einer Königin, nach der Regierungsarbeit, nahm die beiden sichtbar in Beschlag. Und mitunter auch hörbar.

Ein neuer Morgen und Sofia stand auf dem Turm. Im Osten befand sich die Sonne gerade einen Finger breit über dem Horizont und sie dachte daran, dass dort irgendwo die Burg ihrer Mutter lag.

Gab es einen Weg dorthin zurück?

War sie schon so weit? Konnte sie mit dieser Schuld Zondala wieder unter die Augen treten? Und konnte sie der Mutter verzeihen? Zweifel sausten durch ihren Leib.

Hinter ihr waren eilige Schritte zu hören.

„Oh! Da habe ich wohl den Sonnenaufgang verpasst!", sagte die Tante und trat neben sie.

Radunta strahlte ein Glück aus, das selbst die Sonne in den Schatten stellen konnte.

Barfuß, im dünnen Unterkleid, grüßte sie die Sonne und fiel anschließend Sofia um den Hals.

„Du schaust nach Hause. Oder?", fragte sie.

„Ja! Wenn das noch mein Zuhause ist!", entgegnete Sofia nachdenklich.

„Ich würde gern meine Schwester kennenlernen. Wenn du mich und Julian dorthin begleiten würdest?", erwiderte Radunta.

„Ich weiß nicht, ob ich das kann!"

„Wegen Wolfger?", erkundigte sich die Tante.

„Ja! Und wegen Xander und wegen …!", begann Sofia, stockte bei ihrer Aufzählung und hatte ihre Hand auf den Schoß gelegt.

Radunta nickte ihr verstehend zu und bemerkte dann: „Überlege es dir. Es war nicht dein verschulden! Und auch nicht das, deiner Mutter. Nur Xander hat daran die Schuld!"

„Ich weiß. Das sage ich mir auch jeden Tag, aber es ist noch nicht in meinem Herzen angekommen!"

„Vielleicht landet es erst dort, wenn du Zondala gegenüberstehst!", erklärte Radunta.

„Mag sein. Und was, wenn nicht?"

„Sie ist deine Mutter. Trotz alledem! Sie wird dich nicht verstoßen! Komm mit runter zum Essen. Ich habe einen Bärenhunger!", erklärte Radunta und musste lachen.

Zusammen stiegen sie die Treppe wieder hinab.

Unten stand Julian mit einem Mantel für Radunta, in welchen er sie sofort einwickelte. Er schüttelte missbilligend den Kopf über seine Frau, aber Raduntas herzliches Lachen brachte auch ihn sofort zum Schmunzeln.

Vielleicht war Raduntas Einfall gar nicht so schlecht. Sofia würde einen Anlass für den Besuch bei der Mutter haben und wenn es schiefging, so konnte sie mit dem Schiff auch wieder hierher zurück.

Im Speisesaal wurde aufgetafelt, als ob zwanzig Gäste kommen würden und dabei waren sie nur zu dritt. Doch das mit dem Bärenhunger war wohl nicht gelogen, denn die Königin aß für zwei.

Sehr viele Teller und Schüsseln später sagte Sofia: „Wenn du möchtest, dann komme ich mit nach Mortunda!"

„Dann machen wir morgen mal ein bisschen Regierungsarbeit und besuchen eine befreundete Königin!", erklärte Radunta.

Julian gab ihr einen Kuss.

„Bis dahin entschuldigst du uns bitte!", setzte die Tante hinzu und war auch schon wieder auf dem Weg in ihre Gemächer.

„Wir sollten was für die Reise einpacken und ein Schiff brauchen wir auch noch!", sagte Sofia zu einer der Mägde.

Damit war das Startsignal für den Hofstaat gesetzt, das eigentlich von der Königin hätte kommen müssen.

Wie in einem Ameisenhaufen wuselten die Mägde umher. Ein Melder wurde nach Londinum gesandt, um das Schiff seeklar zu machen und für einen Tag hatte Sofia richtig gut zu tun.

Dabei fiel ihr allerdings wieder jener Tag ein, an welchem sie verschleppt worden war. Damals hatte sie auch Königin spielen wollen und bei dem Gedanken daran, musste sie ihre Atemübungen machen, um wieder zur Ruhe zu kommen.

Am folgenden Morgen stand Radunta, gekleidet wie die perfekte Königin, schon oben auf dem Turm, als Sofia hinaufstieg.

Gemeinsam begrüßten sie den neuen Tag.

„Bereit?", fragte die Tante anschließend.

„Das kann ich dir nicht sagen. Ich hoffe es", gab Sofia ihr zweifelnd zurück.

„Wird schon! Los jetzt!", erklärte Radunta.

Für einen Rückzieher war es jetzt allerdings zu spät, denn unten fuhr schon die Kutsche vor.

„Ich hole Tinka!", sagte Sofia und eilte in ihr Zimmer.

Mit der Katze auf dem Arm stand sie wenig später an der Kutsche und Julian half ihr beim Einsteigen.

Schaukelnd setzte sich das Gefährt in Bewegung, aber es würde nur ein kurzes Stück bis zum Hafen von Londinum sein, wo das königliche Schiff sie schon erwarten würde.

Die letzte Überfahrt hatte Sofia verschnürt, mit einem Sack über dem Kopf, im Laderaum eines ähnlichen Segelschiffes gemacht. Sieben Monate war das jetzt her!

Vorsichtig stieg sie die schwankende Planke hinauf.

Mägde und Knechte schleppten Kisten und Säcke hinter ihr an Bord und Radunta zeigte ihr ihre Kabine. Es war angenehm und geräumig darin.

„Morgen sind wir in Mortunda!", erklärte Radunta, als sie die Kabine wieder verließ.

Sofia setzte sich auf einen Hocker, der am Boden festgeschraubt war. Jetzt würde sie der Wind in die alte Heimat schieben, wenn die große Göttin das wollte.

Und was, wenn nicht?

Ein Ruck ging durch das Schiff und kaum spürbar bewegte es sich.

Sofia trat auf das Deck hinaus und ging nach vorn. Das war der Platz, der im Moment der Mutter am nächsten war. Bisher hatte sie ihr nur einen Brief geschrieben.

Was würde Zondala sagen?

Erneut sausten die Zweifel und Ängste durch ihren Körper und Sofia begann ihre Bewegungsmeditation auf dem schwankenden Boot.

Radunta schloss sich ihr an.

Zwei Frauen, im Einklang mit der Natur. Eins, mit dem Schiff und dem Wind.

Die Angst ließ sie los. Ruhe und Frieden strömten durch Sofias Körper.

Augenblicklich war der Weg klar vor ihr und von diesem Fahrwasser gab es kein Zurück mehr.

88. Kapitel
Auf dem Heimweg?

Fast die ganze Strecke hatte Radunta mit dem Kopf über der Bordwand gehangen. Dabei war das Wetter ausgesprochen gut. Ein leichter Wind schob das Schilf dahin und Julian hielt seiner Frau die Haare. Vermutlich war diese Übelkeit nicht mit der Reise auf dem Schiff in Zusammenhang zu bringen, sondern eher mit der gemeinsamen Beschäftigung in den vier Wochen zuvor.

Schließlich hatte es sich Radunta in den Kopf gesetzt, ein Kind zu bekommen. Und er wusste schon lange, dass seine geliebte Frau alles möglich machte, wenn sie etwas nur wollte.

Julians Blick ging nach vorn.

Dort drüben war Mortunda! Das Königreich, von dem er vor fast sieben Monaten mit dem Heer auf die Insel übergesetzt hatte.

Damals war er ein Knappe gewesen. Warum war er mitgefahren? Weil Barbara ihn ausgesucht hatte? Sicher. Und weil er Abenteuer erleben wollte? Bestimmt auch das.

Er hatte grausame Szenen gesehen, ohne selbst gekämpft zu haben. Nun kehrte er zurück, als König von Brilarum, mit der geliebten Frau im Arm.

Im Moment hielt er sie fest, damit sie nicht über Bord ging, wie das Essen des Vormittages.

War er auf dem Heimweg? Ja und nein! Irgendwo da drüben, auf dem Land, welches er momentan nur als dünnen Strich am Horizont sah, lebte seine Mutter. Sie wollte er gern besuchen und ihr die geliebte Frau vorstellen, aber sein Platz war bei Radunta. Da, wo sie war, da wollte auch er sein. Selbst wenn sie sich die Seele aus dem Leib kotzte, wie jetzt gerade.

Sofia erschien und brachte einen nassen Lappen, mit dem sich Radunta das Gesicht abwischen konnte.

Die Geliebte war bleich und er nahm sie in den Arm.

„Alles wird gut!", sagte er leise und versuchte sie zu wiegen, damit sie sich sicher fühlen konnte. Streichelnd lenkte er sie ab und erzählte sacht von dem Land, das da drüben zu sehen war.

Gegenwärtig war der braune Streifen schon ein kleines Stück breiter geworden. Irgendwo vor ihnen lag der Hafen, in welchem er das Schiff im Herbst betreten hatte. Und dort würden sie auch wieder an Land gehen.

„Ich habe wohl irgendwas Falsches gegessen", bemerkte Radunta schwach.

Noch bevor er etwas entgegnen konnte, lenkte Sofia ein und erklärte: „Als meine Mutter mit Franziska schwanger war, da konnte sie in der ersten Zeit noch nicht mal etwas zu essen sehen, ohne sich sofort übergeben zu müssen! Und auch bei ihr ging das dann nachmittags mit dem Essen!"

„Du meinst?"

„Ja! Wir erwarten demnächst ein Kind!", antwortete Julian.

Das strahlende Lächeln, das er bei Radunta so liebte, kam zurück auf ihr Gesicht.

„Aber du entkommst mir dennoch nicht!", flüsterte Radunta in sein Ohr. „Nach der Pflicht kommt jetzt der schöne Teil!", ergänzte sie und ging mit einem Lachen in die Kabine.

Der Hafen wurde immer größer und erst jetzt fragte sich Julian, ob sie überhaupt anlegen durften. Schließlich waren sie in einem fremden Land. Er und Sofia zwar nicht, aber Radunta. Und das Banner des Königshauses von Brilarum flatterte für jeden sichtbar am Mast über ihnen.

Offenbar hatte Sofia seinen Blick gesehen, denn sie erklärte: „Ich bin die Prinzessin und ich kann mitbringen, wen ich will!"

Jetzt standen nur sie beide am Bug des Schiffes.

Immer näher kam die Küste von Mortunda.

89. Kapitel
Noch ein Freudentag!

Unverhofft hatte Sofia wieder vor ihr gestanden. Für einen Moment hatte Zondala an einen Traum gedacht. Sie hatte im Badehandtuch vor dem Tor gestanden und wollte gerade zur Schwitzhütte gehen, als Sofia aus einer Kutsche gestiegen war.

Schluchzend fiel sie der Tochter um den Hals.

Erst etwas später bemerkte sie die anderen beiden Gäste, die hinter Sofia ausstiegen. Es musste für diese Besucher wohl etwas befremdlich wirken, die Königin halbnackt auf der Zugbrücke der Burg zu begrüßen.

„Wer sind denn deine Begleiter?", fragte sie.

„Das sind Radunta und Julian. Königin und König von Brilarum!"

„Und deine Schwester!", sagte die Frau, von der Sofia gerade den Namen Radunta genannt hatte.

„Ihr müsst bitte meinen Aufzug entschuldigen!", erklärte Zondala.

Xena hatte offensichtlich gerade, ebenso spärlich gekleidet, hinter ihr die Brücke betreten, denn als Zondala schnell zurück in die Burg laufen wollte, prallte sie mit ihrer Heerführerin zusammen und beide stürzten zu Boden.

Diesen peinlichen Moment hätte sie sich und der jungen Frau gern erspart, doch Xena verlor jetzt auch noch ihr Handtuch.

Julian nahm seinen Mantel und legte diesen Xena um die nackten Schultern.

Zondala kam mühsam auf die Beine, denn der Bauch störte jetzt doch schon etwas.

„Kommt doch rein! Sofia, bitte zeige ihnen alles, ich ziehe mir nur schnell was an!", äußerte Zondala und eilte danach davon.

Als sie wenig später wieder nach unten lief, da rief einer der Wachleute: „Großer Gott! Was ist das nur?"

Zondala stürzte zum Tor und sah eine gigantische Spinne auf das Burgtor zueilen. Das Tier war so schnell, dass sie den Eingang nicht mehr schließen konnten, aber sie hielt vor der Brücke an.

Auf der Spinne saß Lunara und lächelte von oben herab.

„Robby! Mach dich flach!", rief sie und kam ächzend von ihrem skurrilen Reittier herab gestiegen.

„Das ist also dein kybernetisches Wesen, von dem du mir letztes Mal erzählt hast?", fragte Zondala, hielt aber vorsichtshalber einen größeren Abstand zu dieser Spinne.

Auch Radunta trat zum Tor und sah hinaus.

„Lunara, darf ich dir meine Schwester Radunta vorstellen? Radunta, das ist Lunara!", stellte sie die beiden Schwestern sich gegenseitig vor.

Radunta warf ihre rote Mähne nach hinten, traute sich aber ebenfalls nicht hinaus zu diesem Monstrum von Spinne.

Somit mussten sie beide warten, bis Lunara die paar Schritte bis zu ihnen gelaufen war.

Erst im Burghof konnten sich die drei Schwestern umarmen.

„Du bist auch eine Hüterin der Schlange?", fragte Radunta, die das Symbol auf Lunaras nackter Schulter gerade eben gesehen hatte.

„Wieso auch?", erwiderte Zondala.

Radunta zog den Ärmel des Kleides ein Stück zur Seite. Das Schlangensymbol prangte auch auf ihrer Schulter. Konnte das wirklich wahr sein? Drei Schwestern trugen momentan alle den Auftrag der Göttin auf ihrer Haut!

„Drei Hüterinnen, zwei davon schwanger! Was das wohl heißen soll?", fragte sich Zondala laut selbst.

„Drei Schwangere. Bei mir wird es aber noch etwas länger dauern, als bei euch!", entgegnete Radunta.

„Das muss Absicht sein!"', antwortete Lunara, die gerade ihren Rücken ächzend durchdrückte.

„Kommt in den Palas!"', lud Zondala sie ein.

„Bitte kümmere dich um Sofia. Sie hat es nicht leicht gehabt!"', flüsterte Radunta ihr zu und warf ihre rote Mähne wieder hinter sich.

„Da wollte ich mich nur kurz verabschieden und da treffe ich meine unbekannte Schwester!"', sagte Lunara.

„Halbschwester!"', setzte Radunta hinzu und nahm sie beide in den Arm.

Mit ihr in der Mitte schoben sie sich zum Eingang des Haupthauses hinüber.

„Wolltest du nicht in die Schwitzhütte?"', erkundigte sich Radunta auf dem Weg.

Lunara setzte hinzu: „Sollten wir uns da nicht zu dritt dort hineinsetzen? Ich fand es immer sehr schön bei dir da drin und wenn die Hütte schon mal heiß ist?"'

„Warum nicht!"', bestätigte Zondala den Vorschlag.

Wenig später saßen die drei Schwestern, sowie Xena und Sofia im Nebel der Hütte. Bis auf Sofia waren alle nackt. Die Tochter hatte das Tuch fest um ihren Körper geschlungen und Xena hatte wieder das Schwert neben sich an der Wand stehen.

Zondala hatte die Hände auf ihrem Bauch verschränkt.

„Und du willst dein Kind wirklich da oben auf diesem steinernen Tisch bekommen?"', fragte sie.

„Ja! Ich bin dort geboren worden und mein Kind wurde dort gezeugt. Ein bisschen Tradition sollte schon sein, wenn auch sonst alles anders geworden ist!"', entgegnete Lunara und musste schmunzeln.

Radunta strich über Lunaras dicken Bauch.

Augenblicklich begannen sie lachend irgendwelche Geschichten zu erzählen, so, als ob sie sich schon ewig kannten.

Im Augenwinkel hatte Zondala aber immer die Tochter, denn Raduntas Auftrag war schon bei ihr angekommen.

„Du bleibst doch hoffentlich noch eine Weile? Wir haben viele wichtige königliche Dinge zu klären!", bat Zondala die Schwester, der gerade wieder die roten Haare in die Stirn fielen.

Offensichtlich fiel es ihr sehr schwer, diese wilde Mähne zu bändigen.

Radunta nickte nur.

„Und heute Abend gibt es ein großes Fest, denn meine Tochter ist zurück!", sagte Zondala und alle sahen zu Sofia.

„Mir wird das jetzt langsam zu heiß hier drin!", offenbarte Radunta schließlich und unter ihrer Führung stürmten alle hinaus, um wenig später in den kleinen Teich hinter der Hütte zu springen.

Jetzt planschten sie wie kleine Kinder in dem Tümpel und auch Sofia schien langsam wieder aufzutauen.

Als sich alle gegenseitig abtrockneten, nahm Zondala Sofia in den Arm.

„Du hast mir so gefehlt. Entschuldige bitte, was ich dir angetan habe, aber ich konnte nicht anders!", erklärte Zondala leise.

„Mir tut es leid. Vor allem um dein schönes seidenes Nachthemd!", antwortete Sofia.

„Ich hätte dich niemals, unter keinen Umständen, in der Burg alleine lassen sollen!", seufzte Zondala.

„Aber ich habe das so gewollt!", erwiderte Sofia.

Zondala fiel Sofia wieder weinend um den Hals.

In ihre weißen Tücher gehüllt gingen sie zurück zur Burg. Xena, mit dem Schwert in der Hand, ging vornweg.

Als sie wenig später alle angezogen in den Saal eintraten, da hatte Sofia ein Kätzchen auf dem Arm.

„Wer ist das denn?"

„Tinka! Meine Lebensretterin! Oder zumindest eine davon!", entgegnete Sofia mit einem Blick zu Radunta.

Die Schwester und ihr Mann setzten sich. Auch Lunara ließ sich ächzend in den Stuhl fallen. Der Bauch der Schwester war viel umfangreicher, als der ihrige.

„Du bekommst wohl Zwillinge?", fragte Zondala.

„Das liegt bei uns so in der Familie!", entgegnete sie lächelnd.

„Wo hast du denn deinen Mann gelassen?"

„Bei unserer Mutter, in Wiesenland!"

Das Essen wurde aufgetragen und alle langten kräftig zu. Dieser Tag musste ausgiebig gefeiert werden.

90. Kapitel
Besuch bei Freunden

Es war ein ziemlich ungewöhnlicher Empfang von der Schwester gewesen, aber Radunta war ja auch eine eher unkonventionelle Königin. Kurz darauf saßen sie nackt in der Schwitzhütte. Für sie war es das erste Mal, dass sie solch einer Hitze ausgesetzt war und der Schweiß lief ihr in Strömen den Rücken herunter, aber wenn es für die beiden hochschwangeren Schwestern in Ordnung war, dann wollte sie nicht die Spielverderberin sein.

Vielleicht war es gar keine so schlechte Idee, solch eine Hütte auch in der Nähe ihrer Burg zu bauen. Schaden konnte es jedenfalls nicht, aber irgendwann hielt sie es einfach nicht mehr darin aus.

Die beiden Schwestern hatten sie einfach so in ihre Mitte genommen, so, als ob sie sich schon ewig kennen würden. Dabei hatten sie einander bis zu jenem Tage noch nie gesehen und Sofia hatte sie in ihrem Brief auch nicht erwähnt.

In die Tücher gehüllt waren sie augenblicklich wieder auf dem Weg in die Burg, wo Julian auf sie warten würde.

Er wollte erst am folgenden Tag zu seiner Mutter gehen und sie würde ihn dorthin begleiten.

Die Einladung zu einem Festschmaus kam ihr ebenfalls gelegen. Wie Sofia richtigerweise auf dem Schiff bemerkt hatte, konnte sie nur nach dem Sonnenhöchststand etwas Festes zu sich nehmen. Und nachdem sie auf der Fahrt die Fische ausgiebig gefüttert hatte, hatte sie momentan nach dem Aufenthalt in der Schwitzhütte einen Riesenhunger.

Da half es Julian auch nichts, dass er sie in das Bett ziehen wollte, als sie im Zimmer das Handtuch fallen gelassen hatte.

Die Liebe musste noch etwas warten, denn jetzt war erst einmal der knurrende Magen dran!

„Später! Versprochen!", erklärte Radunta und zog sich lachend wieder an.

Julian nahm es an, wie ein Mann. Hand in Hand liefen sie zum Saal hinüber.

Zondala ließ auftafeln, dass die Tischplatte knarrte.

Während des Essens kam Radunta auf Lunaras seltsame Fortbewegungsmittel zu sprechen. Die Schwester begann von ihrem Stamm und der Höhle zu erzählen.

Dabei bemerkte Radunta, dass sie von den Dingen, die sich hier so auf dem Festland in den letzten Jahrhunderten ereignet hatte, keine Ahnung hatte. Die isolierte Lage auf der Insel hatte sie vor Überfällen und anderen schrecklichen Ereignissen bewahrt.

Mit Xander war damals das Unheil über sie hereingebrochen und keiner war, nach Mildreds Schilderung, damals in der Lage gewesen, Xander und seiner Armee aus gepanzerten Rittern etwas entgegenzusetzen.

Offensichtlich war jetzt durch den Fund in der Höhle und Lunaras Stadt des Wissens ein Umbruch eingetreten. Und die drei Hüterinnen der Schlange waren hier ganz vorn mit dabei.

Sofias Erzählung fiel ihr wieder ein.

Mit einem Kelch Wein sah sie von einem zum anderen und stellte fest, dass hier an diesem Tisch gerade die drei mächtigsten Herrscherinnen einträchtig versammelt waren.

Lunara hatte das Wissen, Zondala die Technologie und sie hatte die Flotte dazu.

Vielleicht hatte die große Göttin es genau in dieser Art haben wollen, denn es war schon ein bisschen absonderlich, dass sie drei Schwestern auch noch alle zu Hüterinnen der Schlange und des damit verbundenen Wissens geworden waren.

Solange sie drei konstruktiv zusammenarbeiten und sich durch nichts trennen lassen würden, genau so lang waren der Frieden und der Wohlstand in Mirento gesichert.

Sie hob den Kelch und rief: „Auf Mirento! Auf den Frieden!"

„Und auf unsere Freundschaft!", entgegnete Zondala.

Alle stießen an. Es schien, als ob die Göttin persönlich unter ihnen war. Und die Gottheit lächelte ihnen wohlwollend zu.

Mit ihnen dreien würden diese Länder in die Zukunft gehen und es war sicherlich auch kein Zufall, dass sie alle drei im Moment ein Kind erwarteten.

Lunara lehnte sich zurück und strich sich über den Bauch, der wirklich gigantisch war.

Zondalas Vermutung mit den Zwillingen schien wohl zutreffend zu sein, denn der Bauch der Schwester war nicht ganz so dick wie der von Lunara und dabei waren sie doch im selben Monat.

Mit Wein, Scherzen, deftigen Zoten und Liedern ging der Abend weiter. So stellte sich Radunta den Besuch bei guten Freunden vor.

Irgendwann zog sich zuerst Lunara in ihren Raum zurück. Dazu musste Radunta ihr allerdings vom Stuhl aufhelfen, zusammen mit Julian. Den Weg schaffte die Schwester allein, auch wenn der watschelnde Gang etwas seltsam aussah und durch den Wein noch zusätzlich etwas unsicher wirkte.

Tinka hatte sich auf einem Stuhl in der Ecke eingerollt und schnarchte so laut, dass man es sogar ein paar Schritte entfernt hören konnte.

Zu vier saßen sie weiter am Tisch, bis sie in Julians Augen erkannte, dass er auf die Einlösung ihres Versprechens wartete.

Also verabschiedete sie sich mit einer Umarmung von Sofia und Zondala und ging mit Julian zurück in ihren Raum. Sie tat das absichtlich so langsam, um ihn noch etwas zu quälen, denn eigentlich konnte sie es selbst nicht mehr erwarten, wieder in seinen Armen zu sein, seine Haut auf der ihrigen zu spüren.

Allerdings kam dann der Moment, wo die Tür hinter ihnen zu war und es Julian nicht mehr aushielt.

Sein stürmischer Kuss war genau das, was sie jetzt gebraucht hatte. Er drückte sie gegen die Wand und wollte wohl so verhindern, dass sie ihm abermals entwischen würde.

„Mein König, wie kann ich euch zu Diensten sein?", fragte sie scherzhaft, als er einen Moment den Kuss unterbrach.

Er streichelte ihr Gesicht und seine Augen gaben die Antwort. Es waren genau diese Berührungen, die jeden Tag erneut ihr Herz in Flammen setzte. Seit fast sieben Monaten hatte Julian darin seinen Platz gefunden. Seit jener Nacht, als er den Hengst nachgemacht hatte. Ein Lächeln zog sich bei diesem Gedanken über ihr Gesicht.

Langsam streifte sie sich die Träger des Kleides von den Schultern und der Stoff rutschte über ihre Hüften und glitt danach zu Boden.

Julian drehte sie mit dem Gesicht zur Wand.

Sie spürte den Druck der Wand an ihren entblößten Brüsten, während Julian ihren Rücken streichelte und sie mit gespreizten Beinen darauf wartete, dass er weiter nach unten ging. Ihr Stöhnen forderte ihn dazu auf, doch er ließ sie warten und leiden.

Sie kannten sich beide schon viel zu gut! Endlich hob er sie auf seine Arme und trug sie zum Bett.

„Ich sehe, mein König hat sein Zepter dabei!", flüsterte sie lüstern, als er sich nackt vor ihr aufgebaut hatte.

Im Bett liegend zog sie ihn zu sich. Alles verschwamm um sie herum, als er in ihren Schoß stieß.

Die Sterne der Nacht rieselten auf ihren Körper herab und erzeugten so ein herrliches prickeln.

Schließlich fiel er ermattet neben sie. Sie tauschten noch ein paar Küsse aus, bevor Radunta ihren Kopf auf seine Brust legte.

Jetzt hörte sie sein Herz, das für sie schlug und während er sanft über ihr Haar strich, schlief sie zufrieden und glücklich ein.

91. Kapitel
Nacht der Schatten

*N*achdem alle anderen gegangen waren, saß Sofia nur noch mit Zondala in dem Raum. Eigentlich war damit der Zeitpunkt für sie gekommen, um zu reden und zu fragen. Aber irgendetwas hinderte Sofia daran.

Die Mutter musste es aber dennoch bemerkt haben, denn sie nahm sie beim Arm und sie setzten sich auf die Bank am Kamin, auf der sie als Kind immer so gern gesessen hatte, um den Geschichten von Barbara oder der Mutter zu lauschen.

Doch diesmal war sie es, die eine Geschichte erzählen musste und Zondala schien dies zu wissen, denn sie nahm sie nur in den Arm und ermunterte sie mit dieser Berührung dazu, sich für sie zu öffnen.

Tinka, die ja die ganze Zeit geschnarcht hatte, sprang gerade auf ihren Schoß und rollte sich dort zusammen. Die Augen der Katze sagten so etwas wie: „Rede einfach. Ich beschütze dich!"

Sofia strich über den Kopf der Katze und diese schnurrte.

Es hatte ja auch genau in diesem Raum begonnen. Hier hatte sie damals Königin gespielt und mit den Mägden eine Feier abgehalten. So in etwa wie die, die sie an diesem Abend gehabt hatte. Also war sie praktisch im Kreis gegangen.

Stockend begann sie Tinka die Ereignisse zu schildern und sie sah der Katze dabei in die Augen.

Die Mutter neben ihr hörte schweigend zu.

Sofia berichtete von der Feier, der Entführung, von Wolfger, der Vergewaltigung, dem Großvater, der Bank im finsteren Kerker, vom Hain der Göttin, von der Flucht in das Gebirge, vom Schoß der Göttin. Von ihrer Wiedergeburt, von Ängsten, Zweifeln und ihren inneren Dämonen.

Alles beschrieb sie und unendlich lang schien diese Erzählung zu sein.

Sieben Monate!

Tinka schnurrte auf ihrem Schoß und die Mutter schwieg.

Sofia wagte nicht, den Blick zu heben. Zu sehr schämte sie sich dafür, nicht stark genug gewesen zu sein. Gerade die Mutter war doch so eine willensstarke Frau und sie wollte Zondala nicht enttäuschen.

Schließlich riskierte sie einen scheuen Seitenblick und sah die Tränen auf den Wangen der Mutter glitzern.

Stumm weinte Zondala.

„Es tut mir alles so schrecklich leid, was du hattest durchmachen müssen!", schluchzte sie und fiel Sofia um den Hals.

Damit begann jetzt Zondala weinend ihre Sicht der Dinge zu erklären. Von der Erpressung durch Xander, den Zweifeln, den Schuldzuweisungen und dem Selbsthass.

Sofias Tränen liefen jetzt ebenfalls.

Sie erkannte, dass sie beide gelitten hatten. Beide hatten sich nichts zu vergeben und nicht zu verzeihen. Endlich hatten sie sich wieder im Arm.

Es schien so, als ob selbst Tinka Tränen in den Augen hatte. Nur langsam wichen die Schatten von Sofias Seele.

„Und es tut mir leid um dein schönes Nachthemd!", erklärte sie zum Schluss.

„Lass doch das blöde Hemd! Du bist das Wichtigste in meinem Leben!", entgegnete Zondala und drückte sie an ihre Brust.

Sofia strich über den Bauch der Mutter. Einst war sie da drin. In der gleichen Art, wie sie vor einigen Monaten im Bauch der großen Göttin gewesen war. Diese Wiedergeburt hatte sie bewusst erlebt.

„Werde ich jemals selbst Kinder haben?", fragte sie sich leise selbst.

„Wenn du dazu bereit bist", hörte sie eine Stimme, aber es war nicht die der Mutter, sondern es war eine liebliche Stimme in ihrem Kopf. Vielleicht ihre eigene Seele? Oder die große Göttin?

Noch schien ihr dieser Gedanke fern, denn immer noch konnte sie nicht mit einem Mann alleine in einem Raum sein. Und es würde ja unerlässlich für ein eigenes Kind sein, einen Mann an sich heranzulassen.

So nah, dass sich gerade alleine bei dem Gedanken daran ihr Körper zusammenkrampfte.

Zondala strich ihr über den Kopf.

Sie musste einfach Vertrauen haben. Marina hatte ihr gesagt, dass es bei ihr über fünf Jahre gedauert hatte. Die Schmerzen würden nie verschwinden, aber vielleicht auf ein erträgliches Maß sinken können.

Stumm saßen sie zusammen am prasselnden Feuer des Kamins und sie blickte in die Flammen hinein. Das Feuer konnte die Schatten vertreiben, doch wo waren die Flammen, die ihr die Schatten aus ihrer Seele vertreiben konnten?

Radunta hatte ihr gesagt, dass die Liebe es vermochte, doch im Moment tat sogar der Gedanke daran, sich in einen Mann zu verlieben, noch viel zu weh.

Kam die Zeit, so würde sie sich vor ihm öffnen müssen, ihm ihre innersten Geheimnisse offenbaren. Schon auf der Reise hatte sie immer zu ihrer Tante und Julian geschaut. Selbst nach jener schrecklichen Nacht, die Radunta im Kerker gewesen war, war ihre Liebe zu Julian nicht erloschen. Diese Liebe hatte bei Radunta den Schmerz besiegen können. Und bei ihr?

Im Moment gab es nur die Liebe einer Tochter zu ihrer Mutter. Zondala hatte ihr verziehen. Sogar den Diebstahl des geliebten Nachthemdes.

„Es ist schon spät. Wir sollten schlafen gehen!", sagte Zondala schließlich.

„Und wenn die Albträume wieder kommen?", fragte Sofia.

„Ich hatte damals vermutlich nur viel Glück, dass es mir danach nicht so lange so schlecht ging, wie dir jetzt. Aber, wenn du möchtest, dann kann ich ja an deinem Bett bleiben?", erklärte Zondala.

„Das wäre wirklich schön!", antwortete sie.

Tinka sprang von ihrem Schoß und blickte sie von unten fordernd an.

„Ja! Du darfst auch an meinem Bett bleiben!", erklärte Sofia und musste schmunzeln.

Zusammen gingen sie zu ihrem alten Zimmer und wenig später lag sie in ihrem Nachthemd im Bett, die Mutter setzte sich auf einen Hocker neben das Kopfende und begann ein altes Schlaflied zu singen, dass sie auch früher immer an dieser Stelle gesungen hatte.

Es handelte vom Mond, von den Sternen und von ein paar Schäfchen, die auf einer Wiese schliefen. Das fühlte sich alles so gut an. So geborgen und beschützt! Schon bei der zweiten Strophe zog die Müdigkeit ihr die Augen zu. Oder war es der leckere Rotwein?

Die Sterne und der Mond begleiteten Sofia ins Traumland und sie konnte die Schafe streicheln.

Kein Mensch war in ihrem Traum. Kein Zweifel in ihrem Herzen. Hier war sie geborgen. In Mutters Armen gab es keine Angst und die Schatten waren fern.

Nicht mal die Schafe im Traumland hatten einen Schatten.

92. Kapitel
Ein Vogel am Morgen

Irgendwo begann ein kleiner Vogel ein Lied zu singen und dieses Gezwitscher holte Radunta aus dem Schlaf. Sie schreckte hoch, setzte sich im Bett auf und blickte sich um.

„Ich habe verschlafen!", sauste es durch ihren Kopf, denn vor dem Fenster war es schon hell.

Die Sonne ging gerade auf, aber sie hatte am Abend vergessen die Schwester danach zu fragen, wie man in der Burg auf den Turm kam. Und irgendeine Magd jetzt zu fragen, während man im kurzen Unterhemd durch die Gänge flitzte, dazu war es im Bett einfach viel zu schön.

Und die Sonne beleuchtete auch Julians halbnackten Körper. Die Decke lag nur über seinem Unterleib. Der muskulöse Oberkörper war gut zu sehen.

Sein Bauch und der markante Rippenbogen luden einfach dazu ein, dass ihre Fingerspitzen darüber gleiten würden. Zuvor dankte sie aber der großen Göttin zum wiederholten Mal dafür, dass sie diesen Mann gefunden hatte. Oder er sie?

Irgendwie war es wohl makaber, dass ihr Glück eigentlich auf dem Unglück der Nichte beruhte, denn wenn Xander Sofia nicht entführt und Julian nicht zu ihrer Befreiung gekommen wäre, dann hätten sie sich niemals kennengelernt, dann hätte sie vielleicht in ein paar Monaten diesen Wolfger heiraten müssen, bei dessen Namen sie zusammenzuckte, wenn er nur durch ihren Kopf flog.

Dieser brutale Mann hatte sein gerechtes Ende durch Sofias Wut gefunden, aber in ihrem Kopf war er noch immer.

Und von dort konnte ihn nur die Liebe zu Julian vertreiben. Nur in den Armen den Geliebten war sie sicher. Nichts konnte ihr dann passieren, wenn sie bei ihm war. Gar nichts!

Oder doch etwas: Sie konnte das Glück finden!

Noch immer schlief Julian. Oder tat der nur so?

Mit einem Ruck zog sie die Decke von ihm fort. Augenblicklich tasteten sich ihre Fingerspitzen vom Nabel abwärts durch das lockige Haar, hin zum Ziel ihres Begehrens. Klein und seidig weich lag das dort, was ihr solch eine Freude bescheren konnte.

Noch immer sagte er keinen Ton! Wollte er sie ärgern? Das durfte sie ihm nicht durchgehen lassen!

Radunta beugte sich zu ihm herab, rutschte näher an ihn heran und während die Finger unten versuchten, ihm dort eine Regung zu entlocken, begann sie zärtlich seine Wange zu liebkosen.

Langsam und sanft glitt sie dabei küssend von seinem Hals abwärts, immer tiefer und tiefer. Noch immer hatte er seine Augen geschlossen, doch sein Körper konnte ihren Berührungen nicht mehr widerstehen und ein erster lustvoller Seufzer entfuhr ihm.

Sie war ihm verfallen und sie konnte nichts dagegen tun.

Julian bäumte sich auf, als sie ihre Lippen über sein erwachtes Zepter stülpte.

Den Geschmack seines Samens noch auf ihren Lippen lag sie wenig später neben ihm, an ihn gekuschelt auf dem Lager.

Jetzt suchten sich seine Finger ihren Weg und sie genoss diese Streicheleinheiten am frühen Morgen.

Schöner konnte ein Tag nicht beginnen, als mit diesem puren Glück, welches sie wenig später aus sich herausschreien musste.

Weiter ging es mit dem gemeinsamen Waschen in der Schüssel, was mehr einem Kinderspiel glich, als einem Reinigungsritual. Lachend und sich gegenseitig vollspritzend liefen sie umeinander.

Das pure Glück war mit Händen zu greifen und ihre Hände griffen es sich, sie fingen sich Julian.

Vielleicht war ihr Kampf jetzt zu Ende.

Ein schönes Leben in Frieden wollte sie haben. Mit diesem Mann an ihrer Seite. Vielleicht für die nächsten achtzig Jahre!

Dann würden sie immer noch so um die Schüssel tanzen und darum bat sie augenblicklich die große Göttin.

„Ich würde dich gern zu deiner Mutter begleiten. Und wenn sie will, so kann sie ja mit auf unsere Insel kommen!", sagte Radunta schließlich, als sie fertig angezogen war.

Julian gab ihr einen Kuss und nickte.

Radunta war angekommen. Sie war zu Hause bei Julian!

93. Kapitel
Südwärts, auf acht stählernen Beinen

Länger als geplant war Lunara bei Zondala geblieben, aber das spontane Zusammentreffen mit der Nichte und ihrer anderen Schwester hatte ihr einfach nur gutgetan. Nach einer Woche musste sie allerdings jetzt den Rückweg antreten. Es war noch nicht mal der achte Monat und die Rückenschmerzen wurden immer schlimmer.

Wie hatte das Sandra damals nur mit ihnen beiden ausgehalten? Und auch Dodarus fehlte ihr so unsäglich.

Zum Glück für sie war Robby gut gefedert. Seine acht Beine überwanden erschütterungsfrei und scheinbar mühelos jede Bodenwelle. Die Erbauer dieses Wesens musste wirkliche Könner gewesen sein.

Seit sieben Tagen wartete ihr Begleiter jetzt schon flach liegend vor der Burg auf ihr Kommando.

Und dass sie sich jeden Tag in der Früh und abends mit jeder Bewegung helfen lassen musste, das machte es für sie auch nicht besser.

Doch ein untrügliches Gefühl zog sie davon, denn ein paar erste Senkwehen hatte sie bereits.

Und wenn sie also die Kinder nicht irgendwo unterwegs bekommen wollte, sondern mit Alantras Hilfe auf jenem Platz in den Bergen, dann war es jetzt Zeit für den Abschied.

Alle begleiteten sie nach unten auf den Platz, an dem Robby starr am Boden verharrte.

Noch immer war den anderen ihr metallenes Reittier nicht geheuer. Nicht mal Andreas, den sie sonst kaum von Donnerschlags Rücken herab bekommen hatte, wollte sich in Robbys Nähe wagen.

Und so musste sie die letzten zwanzig Schritte vom Tor der Burg bis zu Robby wohl alleine gehen.

Die ihr lieb gewordenen Menschen waren im Burghof angetreten, um sie zu verabschieden, denn Lunara würde ja frühestens in ein paar Monaten wieder zu ihnen zurückkommen können.

Allerdings gab es ja momentan für alle die Möglichkeit, jederzeit zu den Tuck gehen zu können, denn die Stadt des Wissens stand allen Besuchern dauerhaft offen. Und so würde es auch bleiben.

Besonders Radunta war sehr interessiert davon, die Bücher sehen und lesen zu können.

Andreas würde vermutlich nur wegen ihres Hengstes den Weg auf sich nehmen.

Sieben Menschen, sieben Umarmungen und dann ging sie zu Robby. Direkt vor ihm drehte sie sich noch einmal zurück und winkte.

Der Abschied fiel ihr schwer, aber die Aussicht auf Dodarus lockte sie viel zu sehr.

Umständlich kletterte sie auf den Rücken ihres kybernetischen Begleiters, setzte sich in den gepolsterten Stuhl und sagte: „Robby! Los geht es!“

Vorsichtig erhob sich das Wesen und wartete auf eine weitere Anweisung. Ein letzter Blick zurück, dann gab sie in Gedanken das Kommando: „Auf zu Dodarus! So schnell du nur kannst!“

Und Robby war schnell! Der Andruck seiner Beschleunigung hätte sie fast aus dem Sitz katapultiert.

Acht stählerne Beine trieben Robby so schnell an, dass ein Pferd sie unmöglich hätte einholen können.

Mit einer Kutsche würde der Weg bis zu Sandra zwei Tage dauern. Robby schaffte die Strecke sicherlich wieder in einem Viertel dieser Zeit.

Nur der Fahrtwind und das vorbei fliegende Land zeigten Lunara die Bewegung an.

Schon bald hatte sie den Tassaros überwunden und war auf dem Weg durch Wiesenland zur Burg von Fürst Reinhold.

Als die Sonne direkt im Süden stand, und damit eigentlich genau über dem Berg, auf dem sie ihre Kinder zur Welt bringen wollte, sah sie vor sich die Burg.

„Langsamer Robby!", rief sie.

Ihr Gefährt bremste sofort merklich ab.

Schon von weitem konnte sie Dodarus vor der Burg stehen sehen und direkt vor ihm brachte sie Robby zum Stehen.

„Ich habe dich so vermisst!", rief sie von oben, zum selben Zeitpunkt, wie der Geliebte von unten dasselbe sagte.

Dodarus kletterte zu ihr herauf, hob sie auf seine Arme und küsste sie.

Alles war gut.

94. Kapitel
Goldener Sommer

ofia stand auf dem Turm der Burg und ließ ihren Blick über Mortunda gleiten. Das tat sie nun seit ihrer Rückkehr jeden Morgen, doch diesmal war irgendetwas anders.

Die Sonne schob sich gerade über den Horizont und strahlte den Himmel im Osten an. Es sah aus, als wäre der Himmel in Gold getaucht.

Radunta kam von unten zu ihr herauf gehetzt. Sie hatte schon wieder verschlafen. Im Nachthemd, mit vom Schlaf der Nacht zerzausten Haaren, hob sie die Hände grüßend zur Sonne. Mehr als einen Monat war die Tante jetzt schon auf der Burg.

Schmunzelnd beobachtete Sofia die Geschäftigkeit, mit der Radunta zur großen Göttin betete.

Das goldene Licht zog schließlich wieder ihren Blick nach Osten. War dieser goldfarbene Himmel ein gutes Zeichen für einen wunderschönen Sommer, der jetzt folgen würde?

Vielleicht, doch noch war es Frühling und der auffrischen Wind jagte ihr einen Schauer durch den Körper, während sie auf der Turmkrone stand. Fröstelnd zog sie sich ihren Mantel um die Schultern und schaute fast belustigt zu der halbnackten Frau neben sich. Das dünne Nachthemd reichte Radunta nur bis zum Knie und ließ Arme und Schultern frei.

„Lange Nacht gehabt?", fragte sie Radunta und die Tante nickte.

„Komm mit unter meinen Mantel", erklärte Sofia und zog diesen vorn etwas auf, damit Radunta darunter schlüpfen konnte.

Gemeinsam schauten sie nach Osten, dem neuen Tag entgegen.

Schritte waren hinter ihnen auf der Treppe zu hören und ächzend schob sich Zondala auf die Plattform heraus.

Der Mantel der Mutter ging vorn kaum noch zu. Er spannte schon über dem Babybauch und es würde trotzdem noch einige Wochen dauern, bis Sofias Bruder oder Schwester das Licht dieser Welt erblicken würde.

Mochte für sie, oder ihn, jeder Tag ein goldener Tag sein.

„Mögen eure Pfade immer so gut beschienen sein!", rief sie gegen den Wind an.

Dieser Wunsch von Sofia flog der Sonne entgegen.

Ihren eigenen Weg musste Sofia erst noch finden, denn noch immer waren die dunklen Schatten ihre Seele nicht gänzlich getilgt.

Zumindest würden für die Völker von Mirento gegenwärtig goldene Zeiten kommen, denn wenn die drei Hüterinnen der Schlange, von denen gerade zwei auf diesem Turm standen, zusammen arbeiten würden, dann war die Zukunft gesichert.

Und im Moment sah es ganz danach aus.

Zondala trat neben sie an die Brüstung und sagte: „So ein schöner Tag!"

„Es wird sicher auch ein schöner Sommer!", setzte Sofia hinzu.

Die Wolken über dem Turm wurden gerade ebenfalls goldfarben angestrahlt.

Die drei Frauen blickten nach oben und bewunderten dieses Schauspiel.

Radunta schälte sich aus Sofias Mantel und äußerte: „Ich muss. Julian wartet auf mich!"

„Aber gehe langsam!", rief Sofia ihr hinterher, während die Tante schon auf der ersten Treppenstufe war.

Augenblicklich legte Zondala ihr den Arm um die Schultern und sie blieben einfach noch eine Weile so stehen.

Solch einen wunderschönen Tag musste man einfach bewundern.

Der blutige Herbst und der Winter der Schmerzen lagen jetzt hinter ihnen.

ENDE

Oder der Beginn einer neuen Geschichte?

Von Uwe Goeritz ebenfalls beim Verlag BoD erschienen (BoD – Books on Demand, Norderstedt, nähere Informationen finden Sie unter www.BoD.de)

„Die Hüterin der Schlangen - Die Chroniken von Mirento Band 1",
   die ISBN lautet 978-3-7534-4522-9
   428 Seiten.

Aktuelle Informationen und Neuerscheinungen finden sie immer im Internet unter:

www.Goeritz-Netz.de

Lightning Source UK Ltd.
Milton Keynes UK
UKHW020652090622
404179UK00008B/603